中東を動かす帰属意識

近くの隣人より、遠くの血縁

Hayashi Mikio
林　幹雄

ミルトス

発刊に寄せて

私が筆者の林幹雄さんに最初にお会いしたのは、当時小生が所属していた中東調査会の勉強会であっただろうか。毎週木曜日に開催される勉強会のレギュラー・メンバーで、活発に行なわれていたその発言の端々に、アラブ・中東世界に対する造詣の深さが現れていた。失礼な言い方にはなるが、中東に長く滞在されただけの商社マンや外交官ではないことはすぐにわかった。あとでわかったことだが、大阪外語大学のアラビア語学科を修められ、古典から宗教、部族といった幅広い知識の上に、実世界での経験に裏打ちされた分析を展開していた。小生の師であり、中東研究、特に中東に向き合う姿勢には極めて厳しかった故黒田壽郎(としお)先生が認めていたのも不思議ではない。

その林さんが、雑誌「みるとす」に連載を始めたのが二〇一七年。中東世界の宗教や民族を歴史・思想という視点から、現代社会における現象をも解説する形でわかりやすく著していく、その文章は不思議と読者を引き込む。この連載を取りまとめる形で今般、本書が刊行されたことは意義深い。これから中東研究を目指す研究者にも、ビジネスマンにも役立つ書となろう。

アラブ・中東世界は、日本人にとってなじみが浅いだけではない。西欧社会からの情報が優先し、誤解と偏見に満ち溢れた形で伝えられている。この世界を理解するには宗教的・民族的な考察が不可欠である。しかしながら、たとえば宗教一つ取っても、イスラームを軸とする中東世界の諸宗教が理解されないままに、なぜか過激で時代遅れの宗教世界というイメージばかりが先行してはいまいか。中東社会を理解するために不可欠の民族的・歴史的考察抜きに、社会の後進性がイメージとして定着する。アラブ・中東世界にとって砂漠は重要な社会的伝統を提供するが、砂漠や土漠のイメージばかりが先行し、歴史の上でも現代においても重要な要素であり続けている都市性や海洋とのかかわりは、一瞥すらされない。

このような見方では、アラブ・中東世界を理解することは到底かなわない。これに対して本書は、極めて広範な視点から、現代の中東世界・社会を理解していくために不可欠な知識を学際的に提供している。その上に立って時折、著者らしい解釈がなされ「林ワールド」を構築していく。

この書を読み終えた方は、排他的と誤解していたイスラームの寛容さをはじめとし、自らの知識が断片的であったことを知るであろう。アラブ・中東世界を知ろうとする者は、一つ事象を理解するたびに、世界に対して、より謙虚で広範な視野が必要であったことを痛感する。まさに本書は、林さんが感じたことを体系的に追体験させる。そしておそらく「こんな社会であれば、行ってみたい」と思う読者も少なくないと思わせる。

アラビア語専門の林さんは、マシュリク地域からアラビア半島まで幅広い知識と経験を有している。その一方で、非アラブの民族・宗教にも造詣が深かったことまでは知らなかった。自分の浅学と無知を恥じつつ、本書の発刊にあたり、一人でも多くの人がこの書に接することを祈念したい。

林さんと共に、一日も早くアラブ・中東世界に安寧が訪れる日が来ることを祈りつつ。

埼玉県知事　㈶中東調査会参与　大野元裕（もとひろ）

中東を動かす帰属意識——近くの隣人より、遠くの血縁／目次

第2部　インド洋を渡った南アラビア人

第3部　宗教マイノリティと帰属意識

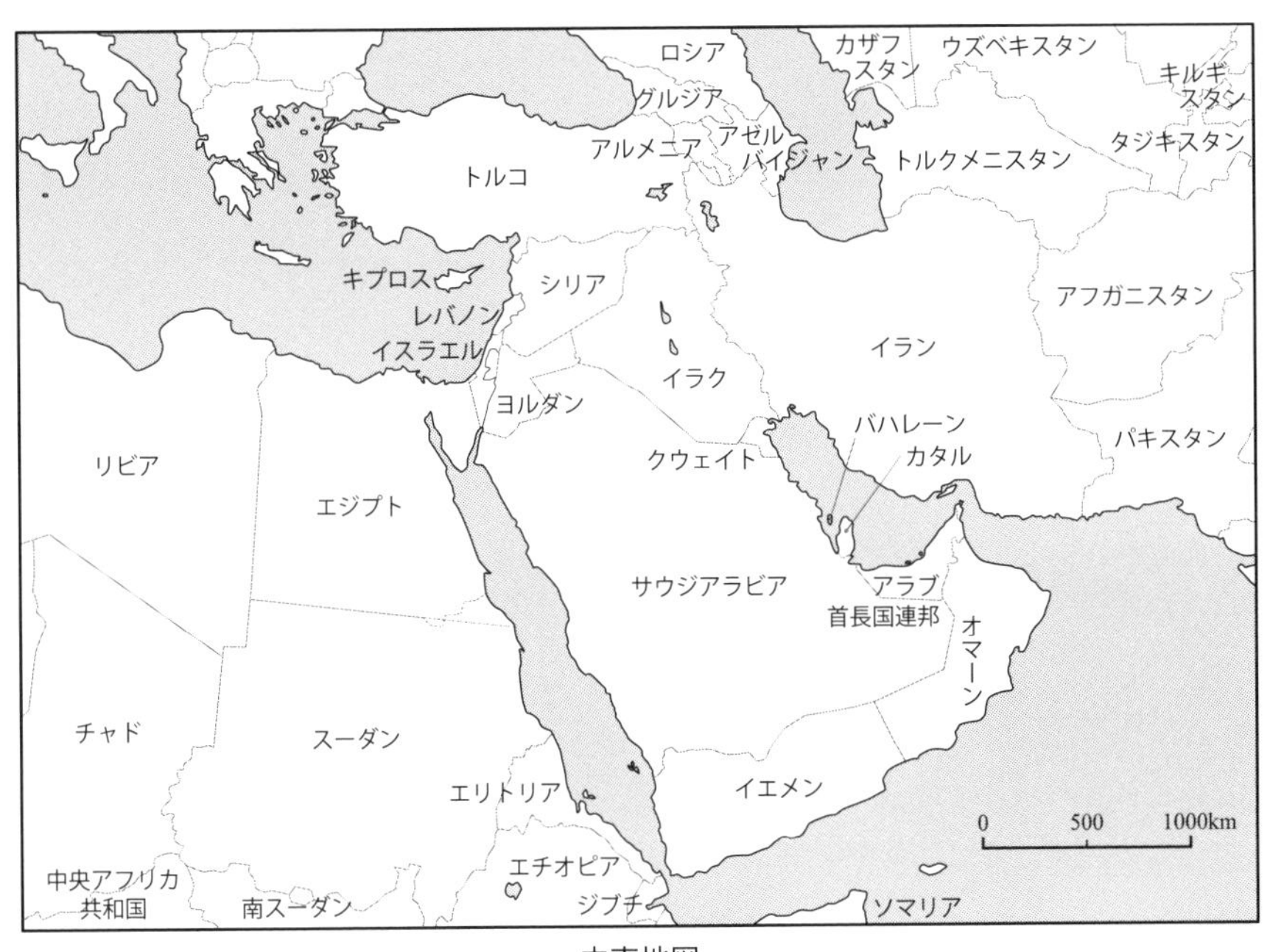
ロシア
カザフ
スタン
ウズベキスタン
キルギ
スタン
グルジア
アゼル
バイジャン
アルメニア
トルコ
トルクメニスタン
タジキスタン
キプロス
シリア
レバノン
イスラエル
アフガニスタン
イラン
イラク
ヨルダン
バハレーン
カタル
クウェイト
パキスタン
リビア
エジプト
サウジアラビア
アラブ
首長国連邦
オマーン
チャド
スーダン
エリトリア
イエメン
0
500
1000km
中央アフリカ
共和国
エチオピア
南スーダン
ジブチ
ソマリア
中東地図

凡　例

一、本文中に※で数字を付した注釈は、見開き頁毎に左脇に示した。

一、主要な用語については、巻末の用語解説を参照のこと。

一、クルアーンは『日亜対訳・注解　聖クルアーン』（日本ムスリム協会）、聖書は『聖書　聖書協会共同訳』（日本聖書協会）から引用した。

一、引用されている文献について、邦訳がない場合は書名を日本語に訳した上で原書名を（　）で記した。

一、図版・写真の出所は〔　〕で示した。

中東を動かす帰属意識——近くの隣人より、遠くの血縁

第1部　部族とイスラーム

第1章　部族で構成された社会

日本からは距離的にも文化的にも離れた中東については、他の国際社会からの情報に左右されがちである。経済的な結びつきが限定的であることから、中東に居住する日本人も多くない。そのため、中東社会を理解する人も限られているのが現実である。

中東を理解するには、世界の政治・経済を左右する産油国やエネルギー輸送を巡る事情に加えて、北アフリカのマグレブ（リビア以西の北西アフリカを指す）からイランやアフガニスタンを結ぶ広大な地域の歴史や民族を知ることが欠かせない。

そのためには、中東・北アフリカ地域の人々には、領域国家の枠を超えて繋がる共通項があると知っておきたい。一つは言語であり、一つは血縁集団であり、そしてエルサレムを共通の聖地だと主張する三大一神教（ユダヤ、キリスト、イスラーム）である。

本書では、おしなべて中東とされる「中東・北アフリカ」の社会事情と、その住民の多くが帰依するイスラームについての理解を深めるため、筆者の経験も踏まえながら概説していきたい。

中東の民族

多様な民族で構成される中東だが、言語グループと属する民族は次の三つに大別できる。

①印欧語族——イラン系アーリア人で、代表する民族は、ペルシア語を母国語とする人々とクルド人

②アルタイ語族——トルコから中央アジア諸国に広がるチュルク人[※1]

③セム語族——主にユダヤ人とアラブ人で、南アラビアと歴史的に関係の深いエチオピア人も含まれる

この中で最大の人口規模を持つアラブ人社会は単一民族ではなく、異なるルーツの集団で構成されている。アラブ人の定義は厳密な意味では難しい。アラブで過ごしていると、自分たちのルーツはアラビア半島にあると信じている人々がアラブ人であるとか、また、それにイスラーム教徒であるという括（くく）りを加えるべきだという人もいる。

一方でキリスト教徒のように、非イスラームのアラブ人もいる。誇り高きエジプトに行くと、アラビア半島社会の遊牧民は「アラブ」、自分たちは「マスリー」[※2]だと区別し、エジプト人のアイデンティティを主張する人が大勢いる。

そのような違いを気にしなくてよい日本人にとっては、アラブ人とは、中東や北アフリカに居住し、アラビア語を共通に母語としている人々だと広義で捉（とら）えておけば分かりやすい。イランでも人口の五%程はアラブ人であるし、イラクで人口の過半数を占めるシーア派の住人もアラブ人である。イスラエルのパレスチナ系住民もアラブ人である。[※3]

イスラームが台頭する以前の紀元前一世紀頃、セム系言語（アラビア語を含む）が使用されていた地域は、小アジア以南、つまり現在のシリアから、東南部を除くアラビア半島、北アフリカの地中海沿岸、そして現在のエチオピアと考えられている。

イスラームが浸透すると、ハム語系であるコプト語が使用されていたエジプトを筆頭格として「アラブ人」でない地域も、アラビア語で著された聖典クルアーンを通じて、言語も広く浸透し、母語がアラビア語に移っていった。今ではアラビア半島の東南部、エジプト、スーダン、また北アフリカという広い範囲でアラビア語が母語となり、地域全体の共通語となっている。

この地域、特にセム語を母語としてきた一円には共通に部族社会という特徴がある。

一方、イスラーム化したにもかかわらず、アラビア語が母語とならなかった民族もある。その代表的存在は、ペルシア語を使うイランや同じ語族に属するクルド、そして、トルコ語を使うチュルク系の民族である。無論、クルアーンを学ぶ宗教指導者や一部の知識階級はアラビア語を習得しているが、そうではない大半の人々は、アラビア語から母語に翻訳されたクルアーンでイスラームを学ぶ。なお、トルコは今ではラテン文字を使っているが、それまでオスマン語はアラビア文字で表記されていた。ペルシア語もアラビア文字で記されている。

部族

部族という言葉を聞くと、アフリカや南米の内陸部で生活してきた未開地の住民のような集団を思い浮かべがちだが、中東の部族はそうではない。基本は血縁で結ばれる人々の集団である。アラビア半島の砂漠では遊牧民のイメージが強くなるが、まさに映画「アラビアのロレンス」で部族長の指揮の下、家畜と共に移動するベドウィン集団を連想すればよい。

中東、特にアラビア半島では、人々の帰属意識が領域国家にあることは少ない。地域にもよるが、多くの場合、住民の帰属意識は血縁部族にあり、次に宗教グ

※1　チュルク諸語を母語とする人々。中東の最大人口はトルコ共和国のトルコ民族である。ユーラシア中央部にあった突厥可汗国（とっけつかがん）もチュルク民族である。チュルク系遊牧民集団だったセルジューク朝が台頭、アナトリアに進出した。ソ連邦崩壊後に独立したアゼルバイジャン、ウズベキスタン、カザフスタン、キルギスタン、トルクメニスタンもチュルク系民族の国家で、その東方に住むウィグル族もやはりチュルク系である。

※2　「ミスル（Misr）」は、ウマイヤ朝時代からのイスラーム王朝が征服地で造った軍営都市を指す。エジプトでは、カイロのフスタートがその軍営都市に当たる。今は、ミスルはエジプト国家を表しているが、口語では「マスル」と発音される。マスリーは「エジプト人」の意味。

※3　アラブ人とは歴史的にはもともとアラビア半島に住み、後に中東地域に広く進出した人々。イスラームにより、民族的アイデンティティを与えられたアラブは、カリフの指導の下に大規模な征服を行ない、大帝国を建設してその支配者集団となった。アラビア語は帝国唯一の公用語・共通語とされ、征服地の住民はアラビア語を自らの言語とすることによって、アラブ化した。しかし、このような非アラブのアラブ化は、逆に、アラブをして彼らの民族意識を希薄にさせる結果となった。

ループにあると言えよう。まず、中東、特にアラブ社会を構成している部族とはどのようなものか、説明しておきたい。

アラブの部族

アラブの「部族」とは、言い換えると「同祖意識を共通にする血縁で繋がる人々」の集団と言える。

二〇〇三年のイラク戦争では、日本の自衛隊がイラクのサマーワに派遣されたが、現地での取り組みについて、地元部族からの協力を得ることが重要だったと伝えられた。誘拐事件での人質の解放や多種多様な問題を解決するには、部族の持っている伝手（つて）や、発言力を持つ有力部族の協力が有効とされるのがアラブ社会である。イラク戦争後も、イラクの治安を安定化させるために米軍は部族民の協力を求め、ある程度の成功を収めた。これらの取り組みによって、イラクでは今もなお部族社会が影響力を有している現実が世界にも知られるようになった。しかし、それはイラクの地方だけに見られる事態ではなく、中東のアラブ社会に共通な現実である。

サウジアラビアを統治する首長家「サウード家」も一つの部族である。アラブ首長国連邦（ＵＡＥ）を構成するナヒヤーン家、ドバイのマクトゥーム家も含め、七首長国の君主各々が、規模は別として、部族社会を統率する立場にある首長家の出身である。その首長が今、君主として領域国家を機能させている。湾岸諸国で最も人口の少ないカタルは、限られた部族で構成された国家であるが、オマーンでは二〇〇を超える部族が登録されている。サウジアラビアの地方に行けば、部族集団毎に形成されている集落が数多く点在する社会が残っている。

そのような部族社会の統治で共通しているのは、部族による首長への忠誠[※4]であろう。その忠誠がアラビア半島の部族社会を支えている。それを実感させる一例は飛び地である。たとえば、ＵＡＥの行政統治下にあるはずの地域にオマーンが主権を有する飛び地がある（次頁の地図参照）。ホルムズ海峡に面するムサンダム半島にあるマダ、先端部のハサブなどの地域である。その地を仕切っていた部族は、英国の撤収によりＵＡＥが誕生した際、ＵＡＥに参加することなく、オマーンのスルターンに忠誠を示した。

世俗化をうたう領域国家が中東に誕生しても、血縁が重視される社会は生き続けており、それは西側諸国がイメージするような自由や民主化を阻(はば)む一因でもある。このように社会に根付く部族を把握することは、中東の社会事情の理解を深める一助となる。

東アフリカと共存する南アラビア

アラビア半島の南西にあるイエメンは「アラブの源流」と呼ばれている。実際、アラビア半島、さらにはイラクやシリアなどのアラブ社会では、自分たちのルーツはイエメンにあると認識している人が多い。一方そのイエメンは、かつて鎖国状態が長かったこともあり、今もなお近代化から取り残され、昔から続く伝統的アラブ社会を多く残している。それ故に、イエメン社会から学び得られる知識や経験は、中東、特にアラビア半島社会を理解する上で欠かせない、非常に有用な知見となる。

人類の移動について、今では、アフリカにいた人類がユーラシア大陸に移動したとする説が有力視されて

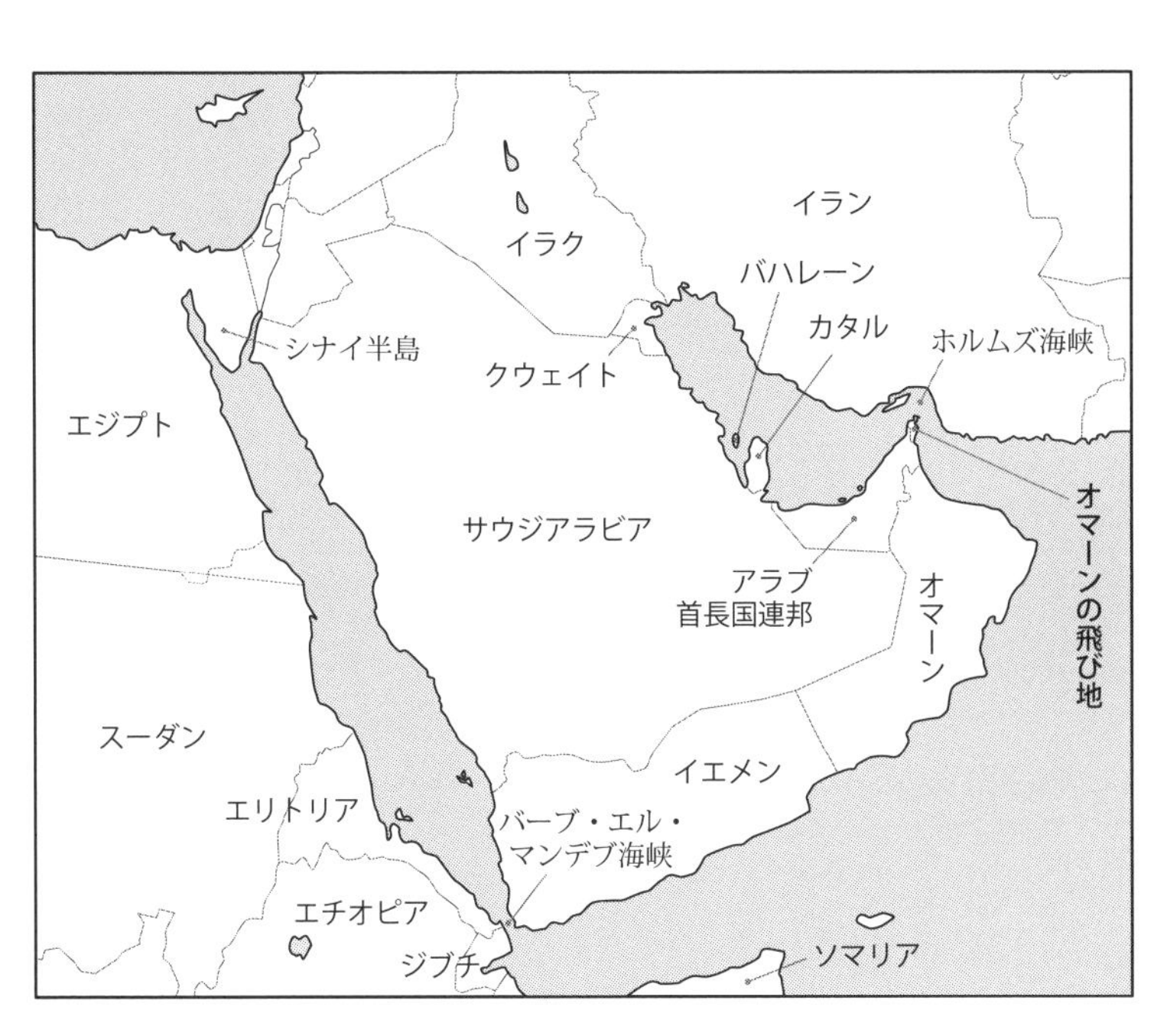

※4　「忠誠の誓い」と訳されるアラビア語「バイア بيعة」、臣従の誓いやその儀式のこと。ある人の権威を認め、服従の意向を表す契約行為と見なされるが、この「バイア」という単語は、売買する「bāʻa باع」という語根からの派生語である。

いる。移動ルートとしては、ナイル川に沿って北上し、下流のエジプトのデルタ地帯からシナイ半島を経由して移動したとする北ルート、また、アフリカ大陸の東端ソマリア、ジブチやエチオピアの一部で構成されている「アフリカの角」を経て現在のイエメンに渡ったとする南ルートのいずれかだとされている。

今では、チョークポイント（戦略的に重要な海上水路）として地政学的に重視されているバーブ・エル・マンデブ海峡がアフリカとアラビア半島を分けているが、遠い昔に、アフリカの角とアラビア半島は陸繋がりだった。エチオピアでは今でもセム系言語のアムハラ語が公用語として使われている事実からも、アフリカの角を挟む両岸は言語を共通とする同じ文化圏であり、海峡を挟んで経済的に共存する地域であったことは明らかである。

二千年の時を遡（さかのぼ）ると、東アフリカでハバシュと称された人々が、イエメンに進出していた歴史もある。※5

古来より続く共存社会

アラビア半島に居着いた人々は農耕社会を形成した。それは、今のサウジアラビアの南西部、イエメンそしてオマーン西部のドファール地方一帯の雨量が豊富な地域である。降雨と地下水から緑に恵まれた山岳地帯には「ニムル（豹（ヒョウ））」も生息していたほどである。今では絶滅が危惧され保護運動も盛んになっているが、ニムル山など豹に由来する地名が各地に残っている。

一方、ドファール地方以東になると海岸線までが砂に覆われる地勢となり、農耕には恵まれない。そのためか、半島の東南部オマーン湾に面する地域では、古代、インドやペルシアのアーリア系民族が進出した。

エチオピアやソマリアから移住した住民も多く、対岸のアフリカの角との海上交易は盛んである。今も、モカ港（イエメン）に行けば、海峡を往来する小型貨物船を見ることができる。コーヒーで知られるモカも、東アフリカ産の豆を集荷したアラビア半島の交易港の名前に由来する。

イエメンの部族社会では食後にカーツを楽しむ慣習がある。軽い覚醒作用のある強い茶葉のようなものであるが、それを食後のお茶の前に噛む。気持ちが良くなるらしいが、茶葉が口に残る感覚はなかなか日本人には馴染めない。そのカーツには新鮮さが求められるが、一部は対岸のエチオピア産である。日常的に消費されるカーツが海上交易で運ばれるほど経済関係は緊密である。

ソマリアが内戦で荒れた二〇〇五年頃、戦闘を逃れた大勢の難民が海路でアラビア半島に渡り、陸路でサウジアラビアやオマーンに流入する事態が起こった。不法な難民の密入国を阻止したいサウジアラビアやオマーンが国境管理を強化し、主要道路で検問を強化、さらに不法滞在者の検挙を徹底し始めたのは、この時の東アフリカ難民の流入に起因する。検問所には護送車両も待機し、滞在許可を提示できない人々は護送車に放り込まれる。しかし、イエメンを経由する密入国者を完全に捕捉（ほそく）することは、森林か砂漠かという国境の自然環境では現実には困難である。

このように、アラビア半島と「アフリカの角」は古来より続いている共存社会なのである。

※5　ヨーロッパ人は一九四〇年代までエチオピアを「アビシニア」と呼んできた。アビシニアの語源は、アラビア語の「ハバシュ」にあるとされている。つまり、アラブ人は現在のスーダンから西アフリカに至る広い範囲に住んでいるアフリカ人を、スーダン（黒い土地の人）と呼んだのに対し、紅海の両岸、アフリカ大陸側とアラビア半島側に居住した人々のことを「ハバシュ」と呼んでいた。二世紀の末になって南アラビアの碑文に、海を越えてアラビア半島に侵入を図るエチオピア人に関する記事が現れ、次の世紀になると南アラビアの諸王国とエチオピア北部のアクスム王国との戦いや交渉の記事が増加する。

イエメンのカーツ畑

第2章　部族社会を支える連帯と帰属意識

部族のルーツ

「イエメンはアラブの源流である」と語られるのは、アラビア半島の歴史がイエメンに始まるとアラブ人が認識しているからである。歴史を遡る（さかのぼる）と、南アラビアには紀元前からサバ（シェバ）朝やハドラマウト朝、ヒムヤル朝が栄えていた（次頁の図参照）。また、アフリカ大陸のアビシニア（現エチオピアの地域）のアクスム朝も紀元前後の頃から紀元六世紀まで紅海側を統治していた。そこでは、アラビア語と同じセム語に属する南アラビアの諸言語が使用されていた。主に記録のために使われたその文字は、今も通商路に当たる岩山、石造物、石板などに残されている。

農業や陸上交易で栄えた南アラビアも、海上交通が発達し、交易路が移り変わると衰退の道を辿った。海洋に面していない内陸のサバ朝は、その代表的な例である。農耕によるサバ朝の繁栄を象徴するマーリブ・ダム[※1]の決壊が記録に残るのも、南アラビア国家の衰退

※1　マーリブはイエメンの首都サナアの東一二〇㎞に位置する町。紀元六世紀、サバ朝時代にマーリブ・ダムが決壊したとの逸話があり、当時のダム跡も残る。農業や交易で栄えた南アラビアのサバ朝の繁栄が失われた歴史の象徴でもある。

を物語る。しかし、衰退する地域から人々はアラビア半島を北上して居住地を広げ、そこに新たな社会を作っていった。また交易でも南アラビアの人々は紅海側から北上した。

このような移動の流れが、今のアラブ社会を支えている部族のルーツに繋がる。

アラブ人にとって、アラビア半島の南西部は「アラブの源流」であり、半島の部族民は出自の部族が持つ系譜[※2]を辿ることで自らの血統を誇る。しかし、強い発言力を持つとして尊敬される系譜が欲しくなる心理が働くのであろうか、実際のところ、歴史の途中で操作されることもあり、すべての系譜が史実として認められているわけではない。

あるとき、取引先の財閥に家名の由来を尋ねた際、実は数世代前に国王に使用することを認められた家名なのだと説明を受けたことがあった。統治者が、貢献した部下などに尊厳を感じさせる家名を名乗らせることもあるという一例である。

【上】紀元三世紀頃の地図　【下】主要王朝の時代の盛衰

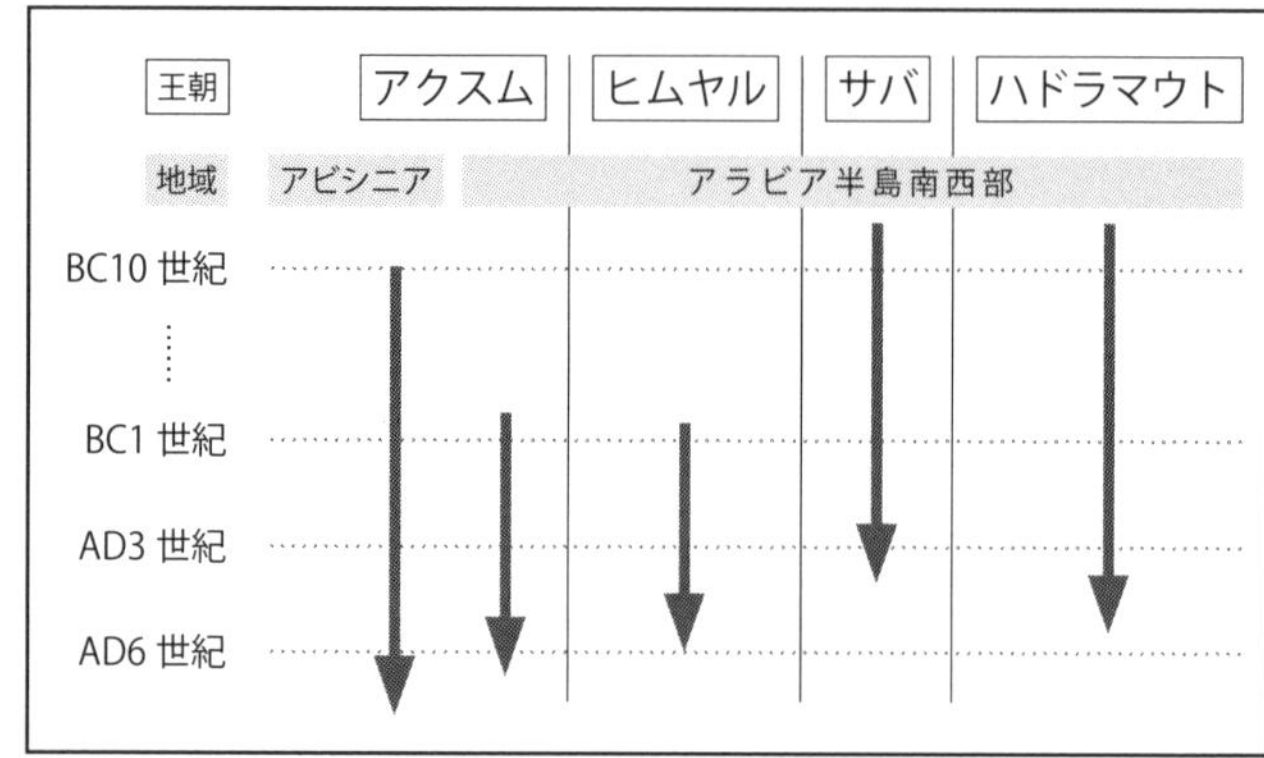

アラブ人の祖先と系譜

日本ではあまり関心を持たれていないが、アラブでは「アンサーブ」と称される部族の系譜は非常に重要である。書店では、各部族の分厚い「部族史」が書棚に並び、その中には下図のように一族の関係が、樹木の幹と枝葉で表現されている。[※3]

下図は一例だが、アラビア半島出身の大部族ムタイル一族の関係を表す樹木図であり、根元に「ムタイル部族の木」と記されている。成長した幹が三部族に分かれる様を三本の太い枝分かれで示し、そこからさらに部族が枝葉となって支族に分かれていく歴史を示している。

ムタイル部族の木〔*Qabīla Muṭair*〕

ムタイル族と同じように、どの部族も自らの系譜を堅持してきた。また、その系譜は「アーダム」にまで遡っている。

※2　九世紀になるとアラブ部族の系譜を収集して体系化する系譜学が発達した。アラブの系譜は北アラブと南アラブに分かれており、アドナンを先祖とするのは北アラブ、カハタンを先祖とするのが南アラブである。アラブの血縁をまとめたヒシャーム・イブン・アル・カルビィーの著『同族の豊かさ』（*Jamharāt al-Nasab*）が知られている。

※3　W・ロバートソン・スミスは『セム族の宗教に関する講義』（***Lectures on the Religion of the Semites*** 四〇〜四一頁）の「講義II、父権」で次のように解説している。「血族関係についての古代の概念は、一つの血液を共有していることである。それは両親から子供に受け継がれ、各家族員の血管内を循環するのである。家族や一族の単一性は、肉体的な単一性だと考えられていた。というのも、血液は生命だからである。この思想は旧約聖書を通じて我々に馴染みがあるように、共通な祖先を持つ子孫は各々、同じ血液、同じ生命を分かち持っているのである。各種族が特有の生命を有し、個々の生命はその一部分でしかないという思想は、種族を樹木に描くことで、より明瞭に表現される。祖先を根または幹とし、子孫たちを條々に表すのである。この図はすべてのセム族に用いられ、また旧約聖書とアラビアの詩人たち両方で極めて共通なのである」

カハタンの系譜

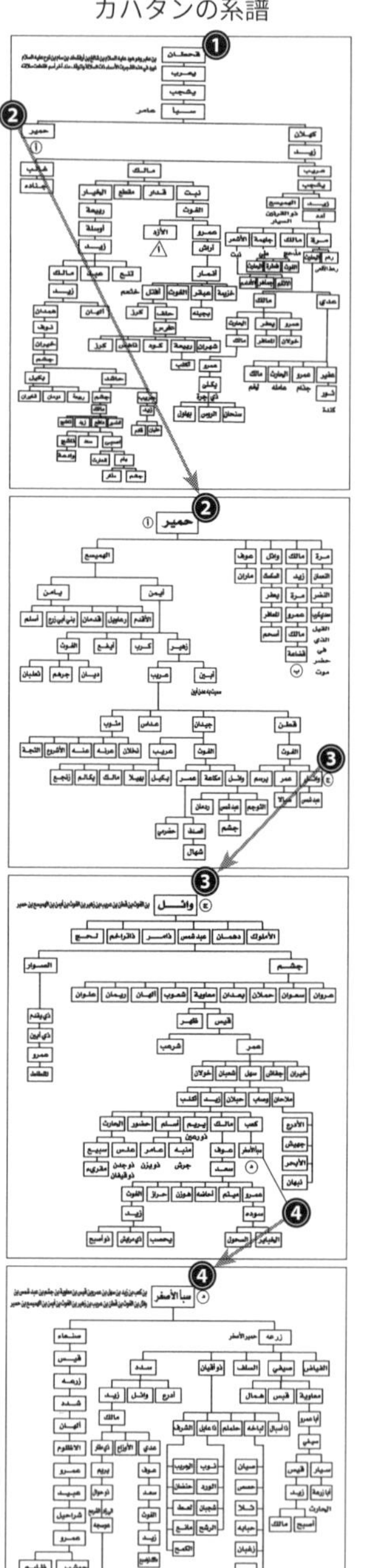

〔*Qabāyl Qaḥṭān Al-Madḥ Ḥajīya*〕

アーダムとは、聖書の創世記冒頭に登場する「アダムとエバ」で周知のアダムのことである。創世記では、創造主が創った人間がアダムだが、クルアーンのアーダムは、最初の預言者でもあると位置付けられている。アラブの系譜を辿れば、必然的にアーダムに行きつくのである。

アーダムに始まる系譜には、「アドナン」系と「カハタン」系がある。アドナンとは、「アブラハムの子イツハークの祖先」であり、カハタンは、ハドラマウト朝やサバ朝、ヒムヤル朝というイエメンを統治した勢力に繋がる系譜である。

たとえば、右図のチャートにあるカハタンの系譜は、時代を下る構成となっている。①のカハタンから下る系譜は、ヒムヤルで②に移り、ワーイルで③に結ばれ、小サバで④の系譜に繋がる。

また、記載はないが、アーダムからカハタンまでは、「アーダム↓（中略）↓ノア↓ノアの子セム↓（中略）↓カハタン」に下る系譜で繋がる。

このようにアラブの系譜は、旧約聖書の物語と重なり合う。カハタンは、創世記一〇章二五節に登場する「ヨクタン」であるとされる。一九七九年に起こったサウジアラビアのマッカ（メッカ）の聖モスク襲撃事件で[※4]「救世主」と称して反乱集団を率いた人物もカハタン系だった。カハタンはアラブ社会でもシンボリックな部族名と捉（とら）えられている。

系譜上でオマーンの有力部族がどう位置付けられて

いるか、ペルシア湾岸諸国の部族を研究したJ・R・L・カルテルは著書『オマーンの部族』（*Tribes in Oman*）で、オマーンで信じられている系譜をいくつかのチャートで表している。図表を見ると、どの部族もアーダムに遡る系譜だと共通的に認識されている。

部族の単位

英語で「tribe」、日本語で「部族」と総称するだけではアラブの部族単位の説明には不十分である。歴史ある大部族の規模は大きく、一般的には「カビーラ」と称されるが、その単位は地域で呼称が異なる。また実際には、カビーラ以外に「バヌゥ」[※5]や「アシーラ」という呼称が広く使われる。特に、バヌゥは「ビン・ラーデン」の「ビン」（「イブン」息子の意）とルーツを同じくし、血の繋がりを感じさせる用語である。

その土地その土地で、呼称単位の規模感に違いがあるようにも感じられるが、枝分かれしたような末端の部族単位はまさしく「家」を意味する「バイト」[※6]という単語で表現される。小規模から中規模になれば「アール」という呼び方が多い。たとえば、サウジアラビアのサウード家はアール・サウードである。また、ところによっては「アルブー」という呼称もある。「長」や「父」を意味するアブーがアールと結ばれて出来た言葉だとされる。したがって、当初は指導的立場としての「部族」の意味合いを持っていた単語かも知れない。また、「ブー」だけの呼称もあるが、これはア

※４　イスラーム暦一四〇〇年の正月（一九七九年一一月二〇日）、マッカのアルハラム・モスクをイスラーム主義武装集団が襲撃・占拠した事件。首謀者はジュハイマン・アル・クタイビとマフディ（救世主）と称したムハンマド・アブダッラ・アル・カハターニ。国家警備隊を含む治安部隊約五万人が投入され事態は鎮圧された。戦闘により、武装集団側ではアル・カハターニを含めた七五人が死亡し、拘束者のうち六八人が公開処刑された。

※５　アラビア語の「バヌゥ بنو」は最も一般的な部族単位であり、語根は「bn」である。「息子」は「イブン ibn ابن」だが、文脈によって接頭の弱母音イは発音されないことが多い。ヘブライ語でも息子は「ベン ben בֵּן」で「部族」の意でも用いられ、ヤコブ（別名イスラエル）から生まれた一二部族は「ベネー・イスラエル בְּנֵי יִשְׂרָאֵל」と呼ばれる。

※６　今ではファミリーの単位で用いられることが多いが、南アラビアでは部族単位としても一般的に使われている。ヘブライ語でも「バイト」は「家」の意である。

ブーから弱母音の「ア」が消滅した形だと考えられる。これら部族民を含めて一定の地域に住む人々は、総称して「シャアブ[※7]（人民）」と呼ばれる。このシャアブは、国家単位であれば「国民」を示す単語でもある。

総数が三〇〇万～四〇〇万人規模のシャンマリという部族は、アラブ社会最大の部族連合として知られ、シリア、イラク、サウジアラビア北部を勢力圏としている。サウジアラビアの故アブドゥッラー国王の母親もシャンマリ出身だったことはよく知られている。戦闘や婚姻を通じて有力部族が地域での支配力を強化していった一例でもある。

連帯意識と帰属意識

以上のように、部族は血縁関係で繋がる集団であるが、アラブの伝統が維持されてきた一部の社会では、同祖意識もまた結束力の一要因として残っている。アラブの部族には社会活動での連帯意識が存在する。アラビア語で「アサビーヤ」と称されるその団結力について、一四世紀の歴史家・哲学者のイブン・ハルドゥーンは自著『歴史序説』で、血縁関係、盟友関係、主従関係などと関連付けて語っている。

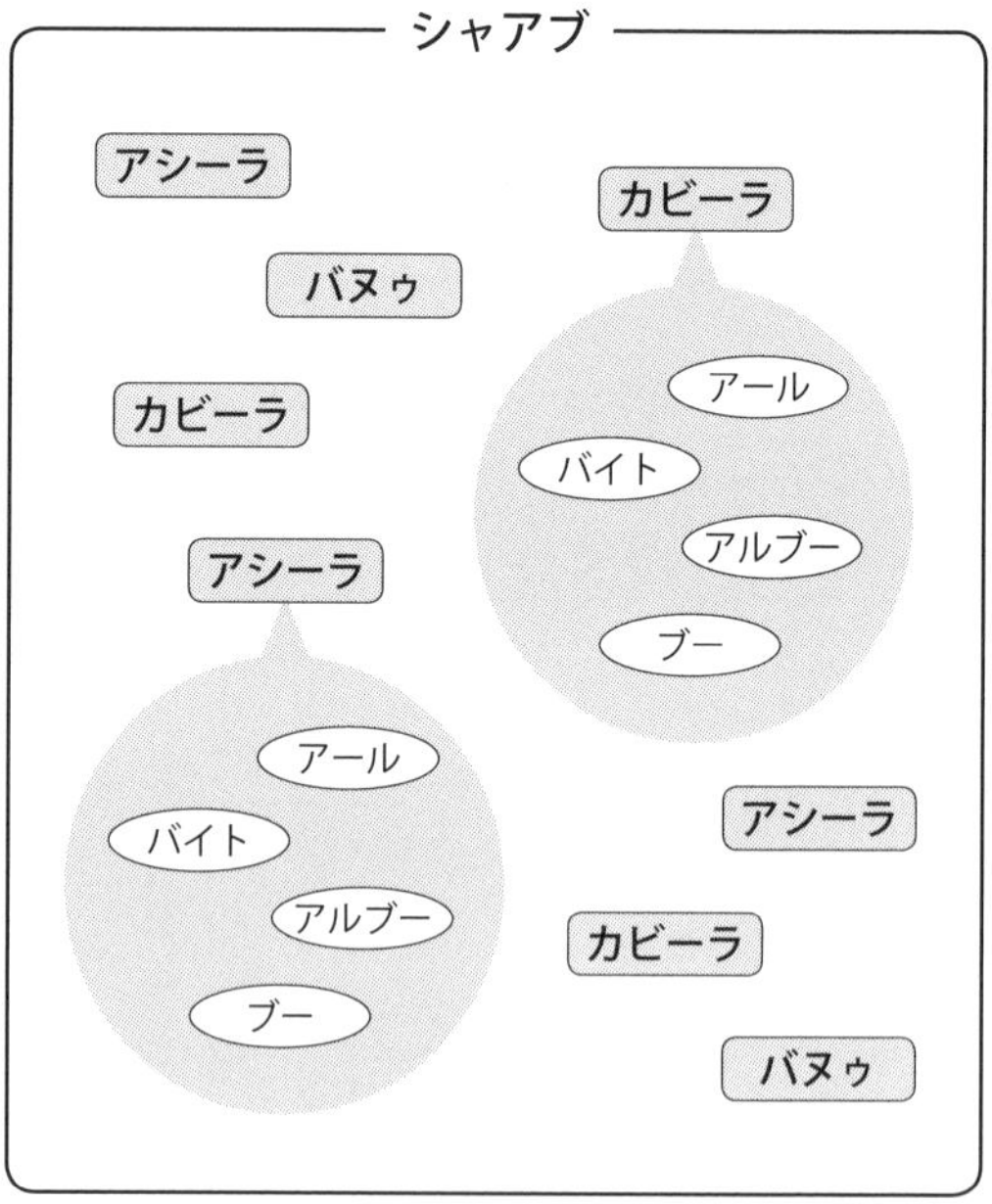

シャアブ

アシーラ
カビーラ
バヌゥ
アール
バイト
カビーラ
アルブー
アシーラ
ブー
アール
バイト
アシーラ
アルブー
カビーラ
ブー
バヌゥ

一般的な帰属構造と呼称

現代社会、特に都会に住むアラブ人には希薄になったが、程度の差はあっても、アラブ人の連帯意識は依然重視されている。それはアラブ社会の人々の帰属意識から分かる。たとえば、イエメン北部では「ハーシド」と「バーキル」という部族連合がある。ハーシドとバーキルは遠い過去に枝分かれした部族だが、利害関係や地域性により、部族の連帯が続き、人々は帰属意識を維持している。一方、部族社会はヒエラルキーを伴っており、強い帰属意識によって部族長を絶対的に支持する。したがって、部族長が負う役割は重要である。これは、部族社会とイスラームがうまく調和・融合したことで、イスラーム以前からの部族社会の統治が今も続いていると言える。

砂漠の部族社会を解明しようとしたイブン・ハルドゥーンは『歴史序説』で次のように述べている。数カ所引用してみたい。

> 純粋な血統は砂漠に住むアラブのような野蛮人にのみ存在する。彼らは生計の手段を駱駝（らくだ）やその飼育に依存しているのであるが、この駱駝の遊牧は彼らを砂漠の野蛮な生活に引き入れる。……このような環境をともに持とうとするような類似の民族は他にないし、彼らの生活様式を採用しようとする者もいない。したがって彼らの血統が乱れて滅んでしまうことはなく、切れ目ない線となって継続される。これは、クライシュ族、キナーナ族、サキーフ族、アサド族、フザイル族や同系統のホザーア族らムダル系部族にその例を見ることができる。……こうして血統の純粋性は保たれ、混血して汚される道は無い。
>
> 定着聚楽を営む丘陵地帯や豊かな牧草地帯に住んで、楽な生活を送っている他のアラブ族、即ちラフム族、ジュザーム族、ガッサーン族、タイイ族、クダーア族、イヤード族のようなヒムヤル系やカフターン系アラブでは、その血統の純粋性は異人種との混血によって損なわれる。一体に人々は有名な家柄の血筋について、特に非アラブ系であるとか、非アラブ族との混血であるとかについて議論しあうが、非アラブ族は家柄や部族の血統性についてあまり顧慮せず、こんな系譜問題をやかましくいうのは砂漠のアラブ族だけである。
>
> 部族のなかの各々の氏族とか宗族とかは共通の祖先から出たという広い意味での血縁によって一つの

※7　たとえば、カッザーフィ時代のリビアの国名は「大リビア・アラブ人民社会主義ジャマーヒーリーヤ」で、アラビア語表記では社会主義に「シャアビーヤ」という「シャアブ（人民）」から派生した用語が使われている。

連帯集団となっているが、しかしその内部では、……もっと結合性の強い特定の血縁関係による個々の連帯集団が形成されている。

部族や連帯集団の指導者の多くは、自己の血統にはないなんらかの血筋を獲得したいという強い執着を持っている。彼らがこうした血筋に求めるものは、勇気・高貴・名声である。……これは現今でもしばしば見られる現象である。たとえばザナータの全部族は、アラブ出身だという主張がなされている。ヒジャーズ出身として知られ、ズグバ族の支族のアーミル家に属しているはずのラバーブの子孫が、みずからをスライム族、とくに、その支族のシャリード家出身だと主張している。

（『歴史序説』二五二〜二五八頁）

堂々と自分の系譜を語る政治家もいる。イラクのマーリキー前首相は、ウォール・ストリート・ジャーナル紙にインタビュー記事（二〇一〇年一二月二八日付）が掲載された。マーリキー前首相はまず「私は、ヒジャーズ地方やイエメンに広がるバニ・マーリク部族に帰属するイラク最大のアル・マーリキー部族である」と、自分は重みのある血統の一員だと誇った上で、まとまらない国民に対して、「しかし、狭量な部族ルールの国家に戻してはならない」と訴えた。なおマーリキー前首相のフルネームは、ヌーリー・カーミル・ムハンマド・アル・マーリキーである。

現代でも「隣人よりも、遠い血縁」と言われるアラブ社会だが、社会の変化により、厳しい住環境の遊牧民や、遊牧と農耕に生きる半定住民は減少し、アラビア半島でも都市部へ移動した定住民が増えている。外来の思想や生活習慣が流入している現代社会では、連帯意識も希薄にならざるを得ない。国家や宗教が帰属先となる現代社会では、血縁を基盤とする部族の結束力が弱まることが必然の成り行きだが、中東、特にアラビア半島では、部族の帰属意識は依然として根強く残っている。

第3章　イスラームが興った頃のアラビア半島

イスラーム以前の信仰地図

イスラーム以前の中東ではキリスト教徒やユダヤ人、さらにゾロアスター教の社会が存在しており、アラビア半島の部族社会には多神教の信仰が浸透していた。

サウジアラビアの首都リヤドの出版社が発刊した『イスラーム文明地図』（*Aṭlas al-ḥaḍāra al-Islāmīya*）という事典には、イスラームが興る前の時代、何処にどのような信仰社会があったかを示す地図が掲載されている（次頁図参照）。

アラビア半島の紅海側では、南部にキリスト教・ユダヤ教・サービア教社会、中部にはユダヤ教・多神教社会、北部から地中海にかけてはキリスト教社会が広がる。ペルシア湾側に目を向けるとバグダードあたりまでゾロアスター教社会であり、ヒーラやモースルから現在のシリアにかけてはキリスト教社会となっている。これら宗教社会の分布は、アラブに残るカシーダ[※1]と呼ばれる詩歌、そしてクルアーンを含めイスラームと結びつく言行録などに残る記述から得られる情報である。

多神教時代の名残

イスラーム社会となっている現代にも、多神教の名残がある場所がある。それはイスラームの聖地マッカ（メッカ）のカアバである。マッカのカアバとは、ハラーム・モスク（聖モスク）と呼ばれる、黒石を安置する構造物を指す。イスラーム聖地を訪れる巡礼者は、ハラーム・モスクで、正方形のカアバの一角に置かれている黒石に触れる。イスラームは偶像崇拝を禁じるが、黒石は多神教時代の石の信仰の名残と言える。

そのカアバを訪れるイスラーム教徒が黒石に抱いていた想いは、一二世紀の旅行家イブン・ジュバイルが『イブン・ジュバイルの旅行記』で、マッカ巡礼で訪れたハラーム・モスクでの黒石との出会いを綴った次の文章で読み取ることができるだろう。

　祝福された黒石は、東方を向いた角に嵌め込まれている。角の中にどれほど入っているか知られていないが、壁の中に二ジラーウ入っているといわれている。黒石の幅は三分の二シブル、長さは一シブルと一関節の長さである。黒石は、四個の接合された

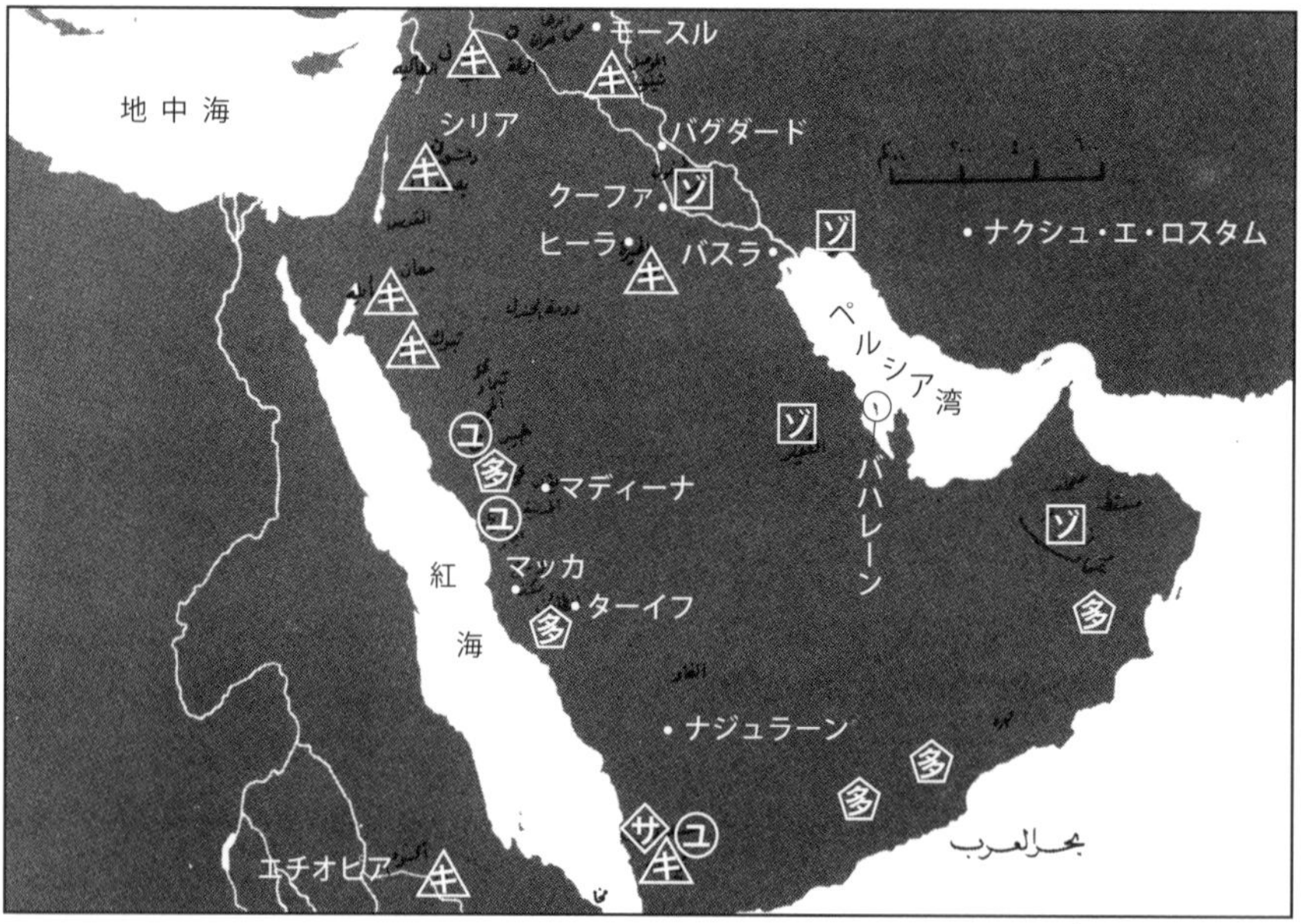

アラビア半島におけるイスラーム教以前の信仰社会地図　(ユ)＝ユダヤ教、(キ)＝キリスト教、(サ)＝サービア教、(多)＝多神教（偶像崇拝等）、(ゾ)＝ゾロアスター教

〔*Aṭlas al-ḥaḍāra al-Islāmīya*〕

石片から成っている。カルマット派の徒――神が彼に呪いをかけ給え――彼こそ黒石を壊した人であるといわれている。黒石の縁は、銀の枠が嵌められていたが、銀の白い輝きは黒石の輝きやつるつるした光沢と対照的に煌(きら)めいている。それを見る人は、目が釘付けにされるほど、素晴らしい眺めに見惚れるのである。

その石に口づけをすると、口あたりのよい柔らかさと湿り気があり、そのため、口づけをする人は口を石から離したくないと思うほどである。それは神の特別のご配慮の一つである。預言者〔ムハンマド〕――神が彼に祝福と平安を垂れ給え――が、「それは地上における神の右手である」と仰せられただけで充分であろう。黒石に触れ、さわることによって、神がわれわれに恩恵を与えて下さいますように。そして黒石に触れたいと切望しているあらゆる人を、神の恩寵によって、黒石のところに導いて下さいますように。

（『イブン・ジュバイルの旅行記』一〇五～一〇六頁）

カルマート派とはバハレーンを拠点としたイスマーイール派（シーア派）の一派を指す。九三〇年にマッカを襲撃し黒石を持ち去ったが、九五一年に返還された。

現在のマッカのカアバ神殿

イスラーム以前の多神教社会であったアラビア半島

※1　イスラーム以前（ジャーヒリーヤ時代）の詩型の一つ。同一の韻律と脚韻を持つ対句を一定数以上連ねている。代表的詩集では七詩人による「ムアッラカート」が知られている。

各地には、部族が管理する地方神が座していたが、カアバにもそれら地方神が祀られていた。そのため、マッカはそれらの神々を詣でる人々の往来で賑わう商業都市として栄えていた。

石と偶像の崇拝

イスラーム以前の崇拝対象は二種に大別されていたようである。一つは偶像と訳される「ワサン（wathan）」であり、もう一つは石に当たる「ハジャル（hajar）」である。しかし、一神教のイスラームを興した預言者ムハンマドは、出身地マッカを制すると、出自であるクライシュ族が崇拝した黒石だけを残し、カアバに三六〇あったとされる崇拝対象を悉く（ことごと）廃した。

イスラーム以前の社会が読み取れる伝承などをもとに、偶像崇拝について記述した書がある。ヒシャーム・イブン・アル・カルビィーが、イスラーム暦二〇六年（西暦八二一～八二二年）に著した『偶像の書』である。そこにはアラビア半島の部族が崇拝した偶像について、部族や地名、偶像の種類や逸話などが記述されている。

同書で紹介されている二九の偶像神のうち、いくつかを紹介する。特に、預言者ムハンマドの出自であるクライシュ族が崇拝した主な偶像神アッラート、ウッザー、マナート、フバルについては、クルアーンにも記されている。

> クライシュ族は、ウッザーを崇拝していた。ガニー族もバヒーラ族もクライシュ族と共にウッザーを崇拝した。そこで預言者は、ハリード・ワリードを派遣した。彼は、樹を切り倒し、神殿を破壊し、偶像をこわした。
>
> クライシュ族は、カアバの内部および周囲に、もろもろの偶像を有していた。これらのうちで彼らにとって最も重要だったのは、フバルであった。私が聞いているところでは、フバルは、紅玉髄（カーネリアン）を材料にした人物像で、右手が破損していた。……
>
> フバルはカアバの内部にあってその前には、七本の占矢（うらないや）が置かれていた。最初の一本には、サリフ（＝清純な）、もう一本には、ムルサク（＝結合している）、と書かれていた。彼らは、生まれた子供の嫡出性に疑問を持つ時には、フバルに供え物をし、それから矢を引いた。もし、サリフと出れば、彼らは、その子の嫡出性を認め、ムルサクと出たならば、これを否認した。……

…彼らは、ある事柄について意見が合わず旅とか事業をどうするかというような場合には、フバルのもとへ来て、矢占いをしたのである。

彼ら（クライシュ）には、イサーフやナーイラ（の像）もあった。二人が石像にかえられた時、それらは、人々が教えを受けるためにカアバのそばに置かれた。このふたつの像は、しばらくそのままであったが、他のもろもろの偶像が崇拝されているうちに、このふたつも同じように崇拝されるようになった。ふたつのうち一方は、カアバに密着した場所に、他は、ザムザム[※2]の場所にあった。彼らは、この両者のそばで生贄（いけにえ）をささげた。

（『偶像の書』一八〇〜一八一頁）

この伝承はイスラーム教徒のマッカ巡礼時の行動様式に残されている。イスラーム教徒の巡礼には、大巡礼や小巡礼を問わず、サファーの丘とマルワの丘（下図参照）を七度往来する習わしがある。それは、喉が渇いたイスマーイール（イシュマエル）の母が助けを求めサファーとマルワの間でさまよっていると、神の使いである天使が、水を湧き出させたという伝承に基づいている。しかし、実は、イスラーム以前の多神教時代から、サファーもマルワも聖なる場所であった。丘にあったイサーフとナーイラの像の間を巡礼者たちは往き来していたのである。

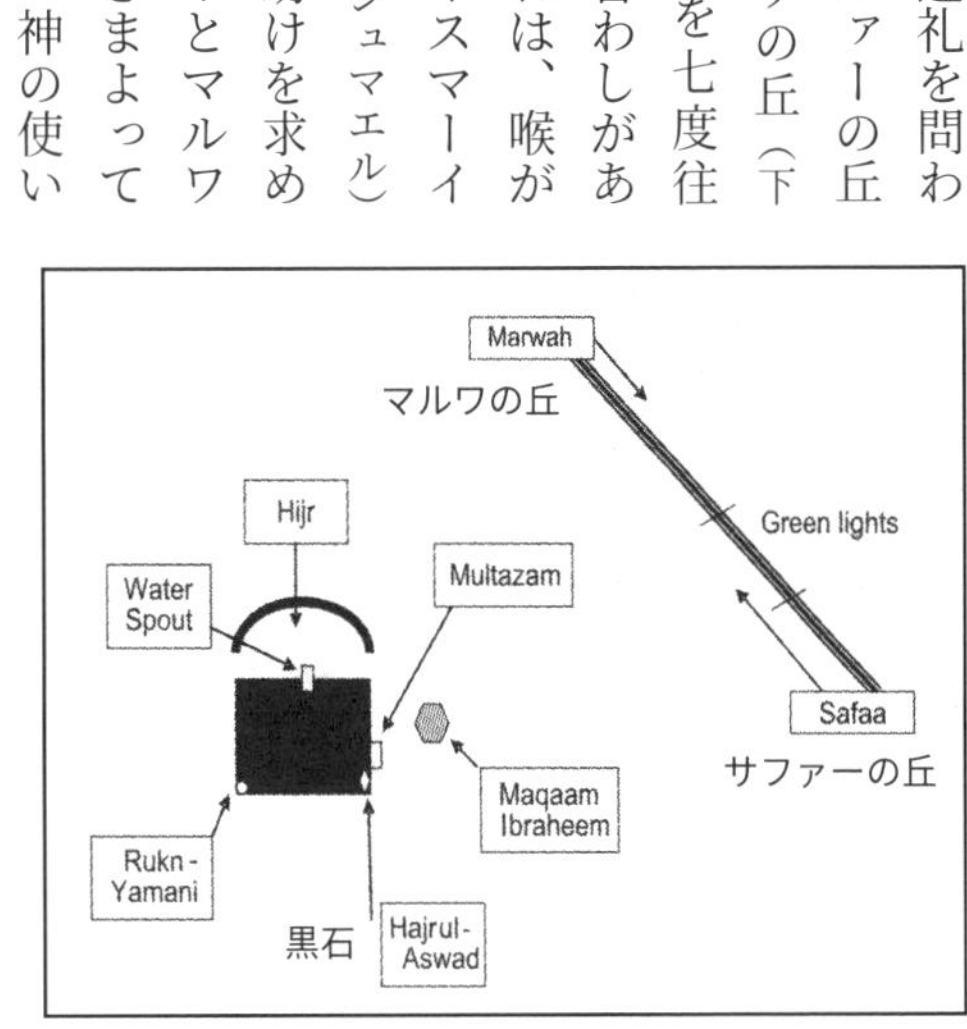

カアバ、巡礼手順のガイド
〔*Getting the Best Out of Hajj*〕

※2　マッカの聖モスクの中にある泉の名。この泉には、イブラヒーム（旧約聖書のアブラハム）の女奴隷ハージャル（アブラハムの側女ハガル）が、自らの子イスマーイールのため、水を求めていると、イスマーイールのもとに天使が降り、水を湧き出させたという説話があった。マッカ巡礼者は、布をザムザムの泉に浸して持ち帰るが、それは死後に自らの遺体をこの布で巻いて埋葬してもらうためである。

クルアーン（雌牛章一五八）で預言者は、「本当にサファーとマルワはアッラーの聖蹟の中である。だから聖殿に巡礼する者、または（小巡礼のためにそれを）訪れる者は、この両丘をタワーフ（回巡）しても罪ではない」と語ることで、多神教時代から続いていた習わしを認め、自らの宗教行事に取り入れたのである。再び『偶像の書』より引用する。

アッラート（の神殿）は、ターイフにあった。アッラートはマナートよりも新しい。それは、四角い岩であった。……アッラートの管理者はサキーフ族のバヌー・アッターブ・マーリクであった。彼らは、アッラートの上に建物を造営した。クライシュもアラブのすべてもアッラートを崇拝していた。

これらの偶像のなかで最も古いものは、マナートであった。アラブは、アブド・マナート（マナートの僕）、ザイド・マナート（マナートの余りもの）のような名前をよくつけた。マナートは、マッカとマディーナの中間にあるクダイドの海岸にそったところのムシャッラル部落に建立されていた。アラブ全体がマナートをあがめていた。

（『偶像の書』一七三〜一七四頁）

アブドは「下僕」を意味する。系譜を重視するアラブ人の名前は、自身の名、次いで父の名、祖父の名、曾祖父の名へと次々に遡る。名前は通常三代、四代まででしか表記されないが、名家であれば特に最後は姓に当たる部族（家）名で結ばれる。今でもアブドは、たとえば、アブドッラー（神の僕）、アブド・ル・マーリク（支配者、つまり神の僕）のように名前にも用いられる。しかし、当然ながら、「マナートの僕」のように、「偶像に仕える僕」というような忌まわしい名は付けない。上述したクライシュ族の偶像崇拝に対して、クルアーン（星章一八〜二〇節）では預言者ムハンマドは三つの偶像崇拝を批判している。

かれは確かに、主の最大の印を見たのである。あなたがたは、アッラートとウッザーを（何であると）考えるか。それから第三番目のマナートを。

セム族の社会ではかつて「バアル」と表現される地

方神が各地に存在した。[※3] 元々は豊穣神でシリア、メソポタミアなどの地域で信仰された。サウジアラビアに残る地方神にバアルの名はないが、影響はあったと考えられる。時代はヘレニズムに下るが、神殿としては、バアルベク（レバノン）やパルミュラのバアル神殿（シリア）にその名が残っている。

カアバ

カアバという単語には、一般的に「立方体」という概念があり、固有名詞として残るカアバにも箱型の構造物がある。イスラームではマッカのカアバはイブラヒーム（アブラハム）と息子イスマーイール（イシュマエル）が築いた神殿と位置付けられている。だが、『偶像の書』では他の地域にも、神殿ではないカアバの存在が言及されている。一つは、シーア派から分かれたイスマーイール派の社会があるサウジアラビア南部の都市ナジュラーンにあったカアバである。

ナジュラーンは、アビシニア[※4]（エチオピア）のキリスト教勢力が、ユダヤ教徒に改宗していたヒムヤル王と戦って制圧した地としても知られる。マッカ同様、交易の要衝として栄えた南部の中心都市で、そこにアル・ハリース族が敬うカアバがあった。詩歌からの引用で「そこは祭礼の場ではなく、人々が詩を吟ずるホール

※3　『新聖書大事典』（一〇五二頁）は次のように説明している。「イスラエルがカナンに定着するに及んで彼らの生活に根本的な変化が起こった。彼らはカナンびとから農耕技術を学んだが、それと共に肥沃祭祀、すなわちバアル、アシタロテ（カナンで礼拝された肥沃の女神）礼拝を採用したからである。ヤハウェ（聖書の神）は元来荒野の神で沃地の農業文化に関係がなく、農産物の豊穣はもっぱらその土地の所有者であるバアルに負うと考えられたのであった。そのために肥沃祭祀とヤハウェ礼拝との習合が生まれ、カナンの従来の地方聖所がヤハウェの聖所に摂取されることによってますます混合主義の色彩が強くなってきた。ヤハウェはこれらの地方聖所の主、すなわちバアルとなり、植物の生成をつかさどる神と考えられるに至ったのである。士師時代の人名エルバアル（士師記六・三二）、王朝時代の人名エシバアル（歴代誌上八・三三）、メリバアル（歴代誌上八・三四）、ベエリアダ（歴代誌上一四・七）などに見る神名要素『バアル』は明らかにヤハウェをさし、バアルとヤハウェを同定する混合主義の結果を示すものである」

※4　エチオピア北部のティグレー地方の地域で、かつてはアクスム王国の首都だった。ステレと呼ばれるオベリスク群、また数多くの立石が今も残されている。近郊の集落「イエへ」には南アラビアに繁栄したサバ朝の建築が当時の様式そのままに残っており、南アラビアと共通文化圏だったことが分かる。エチオピア中央部の世界遺産「ティヤの立石群」には石像も含まれている。

である」と説明されている。

　また、クーファとバスラの間に位置するシンダードという町にもカアバがあった。古典からの引用で著者イブン・アル・カルビィーは、そこを祝う場としての建造物だと見立て、黒石のあるマッカのカアバとは目的の異なる建造物だと記している。

　イランのペルセポリスに近接するナクシェ・エ・ロスタムのダリウス王（I世・II世）の王墓の前に立つ大きな立方体も、ゾロアスター教のカアバとして知られている。ただし、建てられた目的は不明である。

石の信仰と偶像

　偶像が何であったかについては、マッカのカアバに黒石があること、また『偶像の書』で「紅玉髄の人像」や「岩」だと素材を説明している例から、崇拝の対象は、主に岩石や石像などの石造物が主であり、他に樹木像があったと考えられる。たとえば、アル・ウッザは木像だったと記されている。それらの生い立ちを辿れば、岩石や樹木などの自然崇拝に遡るのであろう。

　それは日本にあっても同様である。岩石に聖なるものを見出だすのは、霊山や神奈備山[※5]などの山岳信仰であり、自然の巨石信仰であり、神社に座す磐座（いわくら）[※6]である。

　岩石が偶像化した形としては石棒や立石が登場する。人の形をとる岩偶（がんぐう）、土偶も現れる。それらは神仏習合を経て、石仏や木像に変化していった。

　アラビア半島のセム語族社会でも、岩石は聖なる石として崇拝されるか、供犠に用いられる石壇[※7]となるか、ないしは石柱や石像として偶像化する道を辿ったのである。その裏付けとして、アラブの伝承に加え、多神教時代に共存していたユダヤ人社会の歴史を語る旧約聖書も参考となる。

　たとえば、創世記三一章四四〜四五節で、ラバン

ナクシェ・エ・ロスタムのカアバ

が「私とお前とで契約を結ぶことにしよう。それは私とお前の間の証しとなるだろう」と言うと、ヤコブは石を取り、それを柱として立てた。また、五一～五二節では、「この石塚を見なさい。この石塚は証しであり、私がお前との間に立てたこの柱を見なさい。この石塚は証しであり、この柱もまた証しなのだ」と、石を契約の誓いとしている。さらに創世記三五章一四～一五節には次のような記述がある。

ヤコブは、神が自分と語られたその場所に一つの柱、石の柱を立て、その上に注ぎの供え物を注ぎ、またその上に油をかけた。ヤコブは、神が自分と語られた場所をベテルと名付けた。

アクシムのオベリスク

※５　神が鎮座する山。山自体が神体として信仰の対象となっている。神奈備山は日本各地にあるが代表格は、奈良県桜井市の大神神社の神体山「三輪山」である。出雲にも四つの神奈備山がある。

※６　岩石に対する日本の自然崇拝。山頂の石が山の中腹部や麓に祀られている場合が多い。社殿がなく、岩を磐座として祀る信仰形式もある。また、巨石信仰であったりもする。

※７　Ｗ・ロバートソン・スミスは『セム族の宗教に関する講義』(*Lectures on the Religion of the Semites* 二〇一頁）の「講義Ｖ、祭壇と犠牲石」で次のように解説している。「火による供犠がほとんど知られていなかったアラビアには、それ特有な祭壇はなく、未加工の石柱や石塊が使われた。そばで生贄が屠られ、その血液が石の上、あるいはその基盤に注がれた。この血液の祭儀が供犠の本質なのである。一片の肉も神に分けられず、すべての肉は供犠を助けた人々の間で分配される。すでにヘロドトスにより言及されているが、この聖石はアンサーブと呼ばれている（単数はノスブ）。つまり『セットアップされた石、石柱』の意味である」

さらに出エジプト記三四章一三〜一四節では、創造主が「あなたがたは彼らの祭壇を壊し、石柱を砕き、アシェラ像を切り倒さなければならない。他の神にひれ伏してはならない」と偶像破壊を命じている。一説によると、アシェラとはカナンの豊饒の女神、またはその聖木のことだとされている。

また、南アラビアを支配したアビシニアのアクシム国に今も残る多くの立石やオベリスク、石像も石の信仰の名残と思われる。なお、アラビア半島にあっても、アーリア系の民族が信奉したゾロアスター教においては、火と水が崇拝の対象として重視されたことを追記しておく。

第４章　交易と巡礼の道

西部および聖地マッカを巡る地勢

世界地図を一瞥するだけではアラビア半島は平面的だと受け止められがちである。そして、テレビで放映されるクウェイトやドバイなどの映像では、半島一帯はサハラのように乾燥した砂漠地帯とイメージする人も多いだろう。確かに、ペルシア湾から半島の中央部にかけて標高は高くなっていくが、総じて平坦だ。しかし、中央部から紅海に近づくにつれ様相が一変し、山岳地も増えてくる。

アラビア半島西部には水源や農耕に適した環境があり、幾千年も続いた商活動も存在するからか、人口は、東側に比べると圧倒的に多い。

交易やカアバ巡礼のために、マッカ（メッカ）やナジュラーンを往来した人々の流れがあった事実は先述のとおりである。現在でも集落に、また街道沿いに「スーク」と呼ばれる市が立ち、賑わっている。曜日市などの定期市もよくみられる。また、ハドラミーと呼ばれるイエメン出身の交易商人には紅海を巡る商活動の歴史がある。そもそもターイフ以南は、一九三四年にサウジアラビアが統治するまではイエメンのイマームが統治していた地だった。

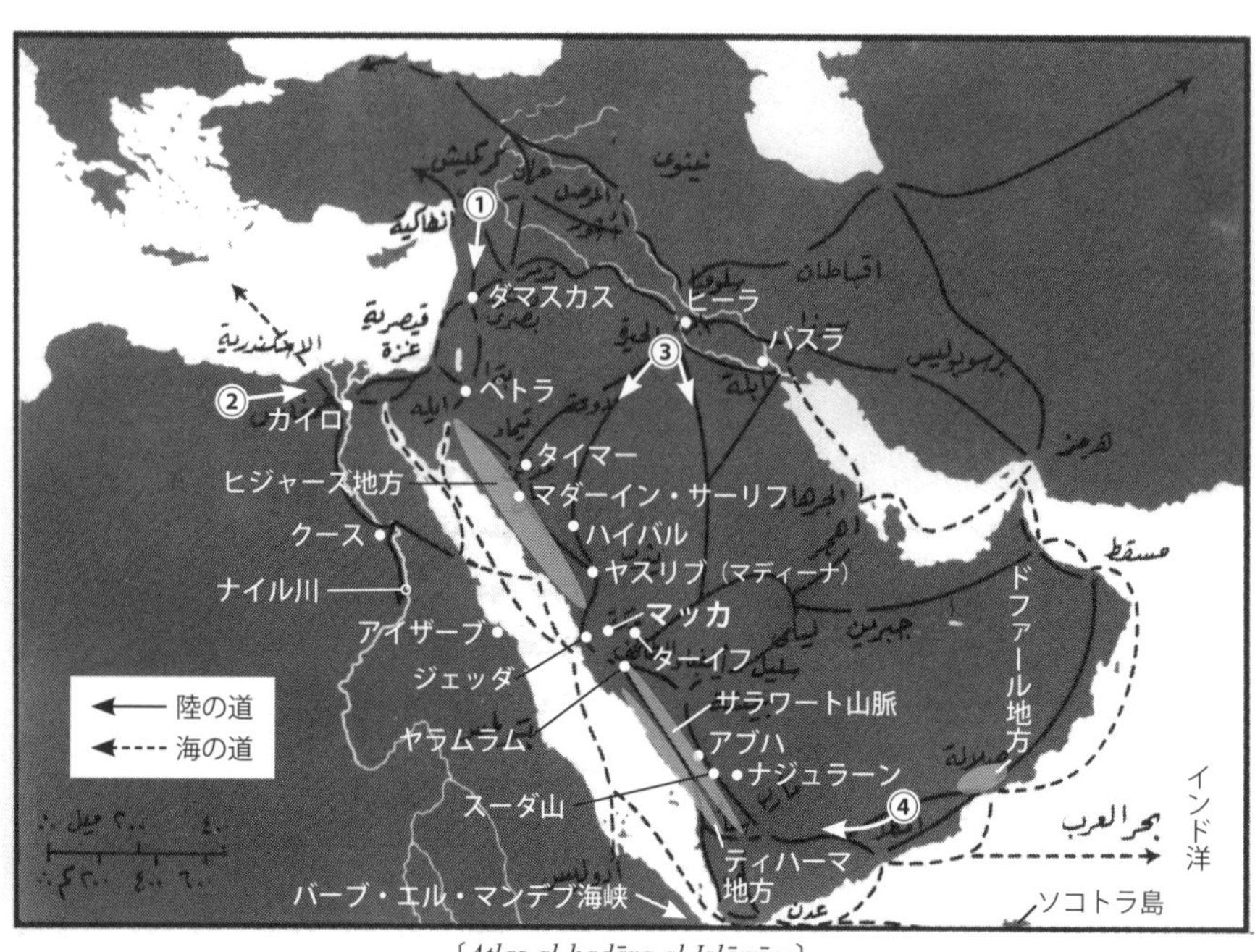

〔*Aṭlas al-ḥaḍāra al-Islāmīya*〕

では、イスラーム以前、そして、イスラームが興った頃のマッカを繁栄させた人々の往来はどうであったのか、交易や巡礼に使われた街道を通じて当時の様子を考えてみたい。

はじめに「アフリカの角」から眺めてみよう。バーブ・エル・マンデブ海峡に面する半島の西南部からマッカに北上する行程には、ティハーマと呼ばれる紅海沿いの低地を経由するルート、そして、少し内陸側で南北に延びるサラワート山脈沿いの集落を繋ぐルートの二つがある。

この辺りは、南北を走る大地溝帯に沿い、高度差が一五〇〇mもある低地と高地に割れたような急峻な地形である。それは、海抜がマイナス四〇〇mの死海からプラス一〇〇〇mの高原都市アンマン（ヨルダン）に上っていく渓谷の地勢と似ている。半島西部で続くこの特徴は、南部のアスィール州の断面図で一目瞭然である（次頁図参照）。

紅海沿いのティハーマ低地からサラワート山脈に向かう山谷に点在する部族集落では、独立性の強い生活が今も維持されている。紅海側のティハーマと山岳地との間には、荷物の運搬用に切り開かれたようなダルブ（darb）やアカバ（'aqaba）と呼ばれる屈折した隘路も多く存在している。アカバ（泥道）と称されるのは地元部族民が利用してきた高地と低地を繋ぐ運搬道である。幹線道路の運転ではなかなか気が付かないが、この古道に向かう道筋を示す道標もある。『サウジアラビア地理事典――アスィール州編』（*Al-Mu'jam al-Jughrāfī li-l-bilād al-'Arabīya al-Sa'ūdīya, Minṭaqah 'Asīr*）にはアスィール州のアカバ四○カ所各々を概説している。一例を挙げると、バルマのアカバは「二つの部分に分かれている。最初の部分はタヌーマに始まり、アブハ・ターイフ幹線道路の支線からラルブーアまでの道六㎞。二つ目の部分はラルブーアからバニー・シャフル・ティハーマのバカラ・ワディまで長さ一

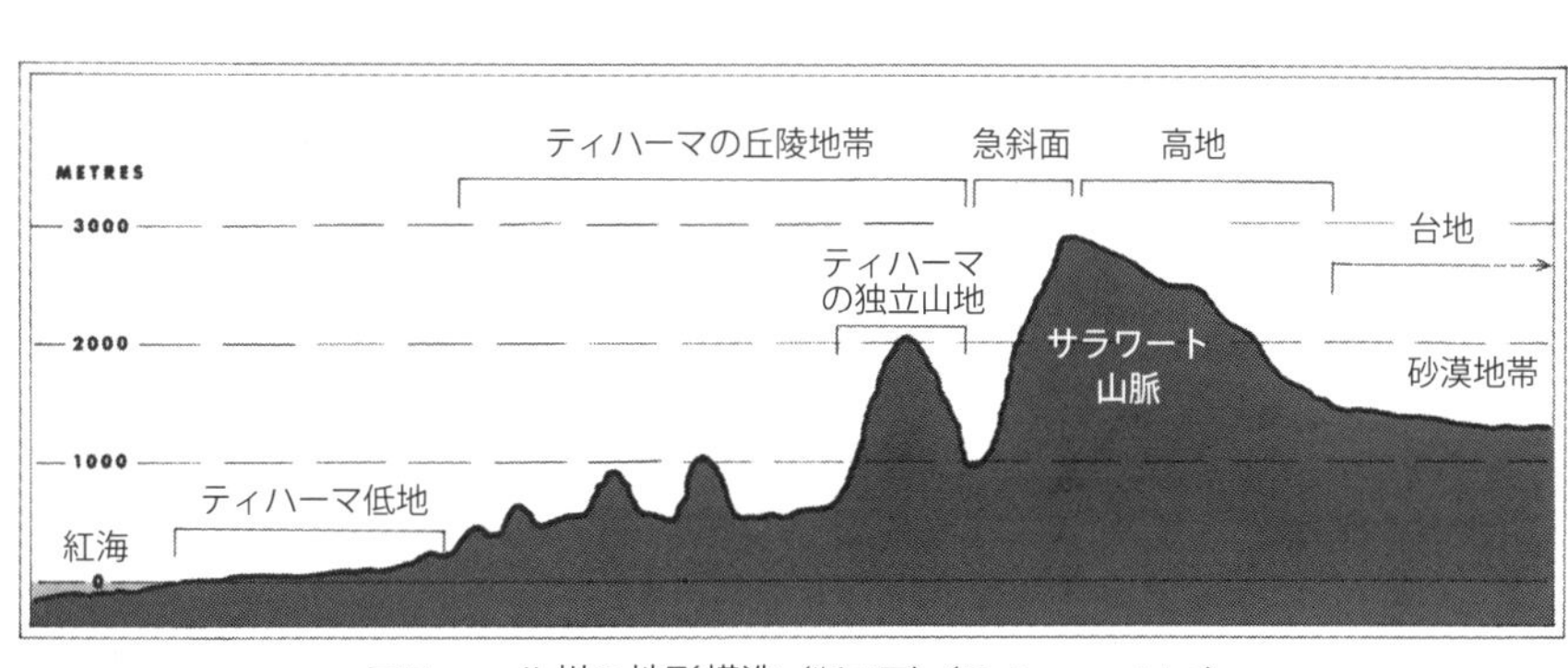

アスィール州の地形構造（断面図）〔*Undiscovered Asir*〕

○㎞の泥道である。そこはティハーマのシャフル族が利用している」と誰が使う運搬道であるかも記している。雨量も多く、農耕従事者が住民の大半を占める広い地域である。だが、急峻な地形のため、涸れ川であるワディは降雨でたちまちに潤うが、豊かな水量はたやすく氾濫を引き起こし、時節によっては水害も絶えない。

この地域に深く入り込んでいくと、地形の呼称が部族名になっている例の多さに気がつく。涸れ川の名がそのまま集落を示したり、部族名であったりもする。それは、サウジアラビアでもイエメンでもオマーンでも同様である。

南部の都市アブハ近郊にある国立公園のスーダ山周辺は、リゾート地として夏になるとサウジアラビア人家族で賑わう。ロープウェーもあり、標高二七一七mの山頂駅まで簡単に上がることができる。

アブハからマッカ手前の古都ターイフまで続く高地は、サウジアラビア随一の避暑地である。ターイフでは、偶像神を拝していたクライシュ族が農地や別荘を有していたし、「スーク・ウカズ」として知られる交易市でも賑わっていた。

ターイフから港町ジェッダに向かう路は下りが連続する曲がりくねった道である。途中、マッカに向かう「ムスリム限定」道路への分岐路も整備されている。マッカ・マディーナの二都市は聖地で、ムスリム以外は入れない。それは、ビジネスの視点で言うならば、マッカでの交渉は現場でコミュニケーションのできるムスリム・スタッフに委ねる必要を意味する。インターネットが普及した今では弊害が少ないだろうが、筆者がサウジアラビアのイエメン系財閥企業に勤務していた二〇〇〇年当時、マッカとのビジネス協議はもどかしいものだった。

さて、マッカはかつて、ダマスカスとの隊商路の拠点で大商業都市だった。マッカには南北の諸都市を結ぶ紅海沿いの陸路、そして半島を横断してヒーラやバスラ（イラク）とを結ぶ砂漠の路、さらには、紅海を越えてナイル川と繋ぐ海路があり、巡礼地マッカはハブ機能を持つ商業地でもあった。

マッカの北は、隊商がダマスカスとの間を往来したヒジャーズ地方である。ヒジャーズ地方には、マダーイン・サーリフという、今では遺跡となった岩石都市が残っている。ペトラで有名なナバテア人が造営し、交易の中継都市として栄えたが、ナバテアは紀元二世紀になると影響力を失い、ローマ帝国に併合されてしまった。

しかしその後、アラブ商人やユダヤ教徒の人々がヒジャーズで交易に従事し、タイマー、ハイバル、ヤスリブ（現在のマディーナ）などのオアシスを拠点とする交易網を構築した。五世紀末頃になってマッカに移ったクライシュ族はこのヒジャーズ地方の交易で財をなし、そのクライシュ族の有力家の一つであるハーシム家に、後にイスラームを興すムハンマドが誕生することになる。

隔離された南部のドファール

半島の東部ペルシア湾沿岸には、現在サウジアラビアの他に、クウェイト、カタル、バハレーン、アラブ首長国連邦（ＵＡＥ）、オマーンというアラブの首長国がある。インド洋に面するオマーンを除くといずれも概ね平坦で、砂漠・土漠が領土の大半を占める。かつては、イバード派が拠点としたニズワ（オマーン）を除くとイスラームにとって重要性が高い地とは言えなかったが、近年、石油ガス産業やハブ機能の充実で潤う地域だ。

また、インド洋に面する南部地域には、山岳地という自然環境で外界から遮断されてきた地が多くある。カブース国王[※1]が近代化を急いだオマーンの中でも最も開発が遅れた地である。イスラーム以前にはペルシアの影響力が及んだ時期もあった。そこには近年まで、イスラーム以前の言語が話されてきた地がある。口承でしか残されていない言葉だが、イスラームに帰依する社会でありながら、南アラビア語に起源を辿る言語で日常生活が営まれてきたのである。

代表的なのは、オマーンに属しイエメン国境と隣り合うドファール地方である。南アラビアで勢力を有したハドラマウト朝が統治した地域の東端に当たり、今もハドラマウト出自を誇る部族が生活する。この山岳地帯の住民は「ジャッバーリ[※2]（山岳民）」と呼ばれる。その中には政治力のある名門の部族もある。カブース国王の母親であるサイード国王の王妃も、ドファールのマアシャニ部族の族長の娘である。また、ハドラマウト地方の中心サユーンでスルターンの地位にあったアル・カスィーリ部族もいる。なお、イエメンのインド洋沖合に浮かぶソコトラ島にも南アラビアの古い言葉が残っている。

マッカ巡礼

先述のとおり、アラブの諸部族が自らの偶像を拝しに詣でたマッカは、イスラーム以前から巡礼地となっていた。往来する街道には、休憩所や市場も栄えてい

※１　ブーサイード朝の第一三代スルターン。サラーラ生まれで、英国に留学するとサンドハースト王立陸軍士官学校に入学した（一九六二年卒業）。英軍時代は西ドイツに赴任している。一九七〇年一一月、サラーラで宮廷クーデターを決行し王位を継承すると、それまでの鎖国政策を放棄し、一九七一年に国連に加盟。人材開発を旨とした近代化を推進した。二〇二〇年一月に逝去。

※２　オマーン西部やサラーラ周辺に居住する部族たちの集団。今も、南アラビアの古代語「ヒムヤル語」を受け継ぐ言語「ジャッバーリ語」で日常的な会話を行なっている。山岳部の部族はモンスーンの時期になるとラクダなどの家畜を連れて平野部に降りてくる。この期間のサラーラでは、平原に多くの大型テントが張られる印象的な光景が見られる。

たことだろう。イスラームの広がりに伴って増加した信徒の往来は、交易や商活動をさらに活性化させる大きな役割も担った。

　イスラームの統治が広がってからは各方面から到来する巡礼者の移動する主なルートとして、次が知られている（四〇頁の地図参照）。

①シリアから南下する道
②北アフリカからエジプト経由で入場する道（シナイ半島を経由するルートに加え、ナイル川経由のルートがある）
③オアシスを辿ってアラビア半島を横断する砂漠の道
④イエメンから紅海沿いを北上する道

　いずれのルートでも、巡礼者は「ミーカート」と呼ばれる地点で、巡礼装束などの身支度を整える。ミーカートとは「時間」を意味するアラビア語「ワクト」から派生した言葉で、場所より時期を示す意味合いが強い。そのミーカートには当時、到来する方向により五箇所が定められていた。シリア方面からはジュフファ、マディーナ方面からはズー・フライファ、イラク・イラン方面からはザート・イルク、ネジド地方などの東部からはカルン・アル・マナーズィル、イエメン方面からはヤラムラムである。

　非ムスリムの筆者は、紅海沿いのリースという町の案内人を紹介され、ヤラムラムを訪ねた経験がある。そこには、二つの尖塔（ミナレット）を特徴とする「ヤラムラム・モスク」があり、巡礼者の装束準備を支援する露店が並んでいた。モスク周辺はどこも閑散としていたが、巡礼の時期には南方からの人々で混み合うとのことだった。案内人はヤラムラムもまたイスラーム以前からの要衝だったと説明し、遠望できる岩山や古い集落などにまつわる伝承を披露してくれた。それらは地域一帯に口伝で残るものだという。

　このような古道に沿う集落界隈に、所々だが、グラフィティと呼ばれる岩絵や文字が刻まれた巨石や岩壁がある。多いのはイエメンとシリアを繋ぐルート沿いである。また、半島を横断する古道沿いでも散見されるらしい。文字は、イスラーム以前であれば南アラビア諸言語で、イスラームが興った以降のものはアラビア語で刻まれている。ナジュラーンの北東約八〇㎞のビイル・ヒマーの岩山には、南アラビア語で刻まれた碑文が多く残されている。半島の東側にはあまり見られないのは、口伝が中心で文字の使用度が低かったからであろう。つまり、コミュニケーション手段だった共通語の記録が残る事実は、紅海側で商活動が盛んだったことを暗示している。

紅海を横切る隊商と巡礼の道

そのような交易で興味深い古道を一つ紹介しよう。それはアラビア半島から紅海を横断し、アフリカ大陸の港からナイル川への隊商ルートである。ナイル川に達すれば、荷は流れに乗ってカイロに下り、デルタ地帯を経由して地中海に抜けることが容易である。それが故に上流では紅海とナイル川を結ぶ街道は複数あった。

イスラームがイベリア半島に進出していた一二世紀後半、グラナダから地中海を渡ったイブン・ジュバイルはアレキサンドリアからナイル川を遡（さかのぼ）り、マッカ巡礼を果たした。彼は、ルクソール手前の町であるクースから、紅海に面するアイザーブの港まで砂漠を横切る街道を経て紅海に達する巡礼路を進んだ。その経験がまとめられた『イブン・ジュバイルの旅行記』から、当時の交易の事情を窺い知ることができるので、一部を紹介する。

クースに着いたのは、ムハッラム月二四日木曜日、つまり五月一九日のことであった。われわれがナイル河によっていたのは一八日間ということになる。かくして、クースに一九日に入った。この町には多くの市場があり、公共施設は広大で、夥（おびただ）しい人口を有する。それは巡礼者やヤマン人とかインド人とか、あるいはエチオピアの地からの商人らの出入りが多いせいである。というのは、クースはすべての者にとって集いの場所であるからである。旅人らの宿泊地であり、旅仲間の集合地であり、また、マグリブやミスルならびにアレクサンドリアおよびその周辺からの巡礼者らの出会いの場となっていたからでもある。彼らはクースからアイザーブ砂漠を渡って行くのであり、また巡礼の帰路にはクースへと戻って来るのである。（『イブン・ジュバイルの旅行記』六九頁）

ところで、クースからアイザーブへ向かうには、二つの道がある。一つは、アブダーニ道の名で知られ、われわれが辿った道である。こちらの方が距離が短い。もう一つは、ケナーを通らない道である。ケナーは、ナイル河岸の村である。これら両道は、前述のディンカーシュの水場近くで交わる。またディンカーシュの水場の前方、一日行程の道程にあるシャーギブの名で知られる水場でも、再び交わるのである。……

われわれは、道すがら、往来する隊商の数を数えようとしたが、多くてできなかった。特にアイザーブからの隊商が多かった。彼らはインドの物資を運んでいたが、それらはヤマンに到着し、ついでヤマンからアイザーブに到着したものである。われわれが最も多く見たのは、胡椒の荷であった。

(『イブン・ジュバイルの旅行記』七一～七三頁)

今ではクースより一〇km程北にある町キフトから紅海に抜ける道路が整備されているが、その途中で古来の街道に交差する。その古道を進み、ビザンツ時代のコプト教会跡を通り過ぎ、広大なワディ・マニーフに突入すると、キフトから二時間ほどのドライブでマニーフ・オアシスが現れた。数世帯のベドウィンが住むだけの様子のオアシスだが、彼らの生活を外敵から保護するような岩山があり、その岩壁には、半島に見られるものと同じような岩絵、そして文字が刻まれている。だがその文字は、南アラビア諸言語だけではなく、ヒエログリフ、そしてラテン文字と多様であった。紅海を渡る通商や巡礼の記録から、我々はアラビア半島とナイル川を結んだ数千年にわたる交流の存在を知ることができるのである。

ワディ・マニーフの岩壁

第5章　イスラームの興りとユダヤ教

イスラームと一神教

ヒジャーズ地方でナバテアがローマ帝国に併合された後、アラブ商人やユダヤ教徒がタイマー、ハイバル、ヤスリブ（現在のマディーナ）といったオアシス都市で交易に従事していたことは前述のとおりである。

イスラームが興る前のアラビア半島の南方では、国王の改宗でユダヤ教を信奉するヒムヤル国が登場した。一方、同じく一神教であるキリスト教社会は、現在のシリア・レバノンなどの地域「マシュリク」に広がっていた。マシュリクとは「日の出ずる所」すなわち「東方」を示すアラビア語である。「日没」を意味し、「西方」と訳される「マグレブ」地方と対比的に使われている。当時のマシュリクは、ローマ帝国が分裂した後、ビザンツ（東ローマ帝国）が統治していた地であった。東方進出を目指すビザンツが、ゾロアスター教を信奉するサーサーン朝と対峙していた時代である。

キリスト教はまた、イスラームが興った頃のアラビア半島でも南部地域に浸透していた。キリスト単性論[※1]のエチオピア正教会を信奉していたアビシニアが、ユダヤ教徒から奪い取った南部の中心都市ナジュラーンを、数世紀にわたり支配し続けた歴史がそれを裏付けている。

ムハンマドを感化した一神教

神の啓示を受けてイスラームを興したムハンマドは、マッカを統治していたクライシュ族のハーシム家に生まれた。多神教社会のクライシュ族が自らの偶像を崇めていた事実は前章で述べたとおりだが、ムハンマドは一神教に影響され、多神教の信仰を否定するようになったとされる。クライシュ族でありながらハーシム家は裕福ではなく、ムハンマドは、商家で資産家だったハディージャと結婚し、交易での財力と社会的名声を得た。ハディージャにとっては三度目の結婚だったが、多くの男性が戦闘などで生命を失うという社会事情もあり、当時は、資産や事業を継承した女性が、伴侶を選ぶことも頻繁だった。そのハディージャには一神教を信奉するワラカという従兄弟がおり、ムハンマドは彼の影響を受けたとされる。イブン・イスハークの「預言者伝」は、ワラカと友人三人は、多神教の人々は腐敗しているとして、真の信仰を追求し、ワラカ自身は、トーラーと福音書[※2]を学んでキリスト教徒になったと説明する。

事の経緯がいかであれ、ある時ムハンマドは、洞窟で瞑想している時に神からの啓示を受け、自らの一神教を唱え始めた。だが、彼の一神教はマッカで受け入れられることはなく、ターイフなどの近隣諸都市でも不首尾に終わった。その後、ムハンマドは、ヤスリブに移る機会を得る。それが転機となった。ムハンマドのヤスリブ移住は「ヒジュラ」と呼ばれ、その年がイスラーム暦の元年、西暦で言えば六二二年の出来事であった。東アジア史と対比すると、隋が唐になってから四年、日本にあっては聖徳太子の没年、つまり、まだ飛鳥時代の推古朝末期のことだった。

さて、当時のヤスリブには、アラブ人とユダヤ教徒の部族が共存していたが、揉め事が絶えないオアシス都市だった。収拾役が必要だったその地に、仲介役としてムハンマドが赴いたのである。そのような社会環境下で軍事力を得て指導力を発揮したムハンマドは、ユダヤ教徒の居住するヤスリブを拠点に、自らの一神教を展開した。布教が成功した背景には、クライシュ族の影響力が及ばぬ地であったこと、また、そこにユダヤ教という一神教社会が存在していたという要因も挙げられよう。ムハンマドは、当時のヤスリブ改めマディーナに浸透していた社会慣行や規範を、巧みに自身の信仰の実践にも取り入れた。

イスラームでは神を「アッラー Allah」と呼ぶが、この単語は、「神」を示す「イラハ ilaaha」が定冠詞で限定されたものである。セム語で、神は「エル el（あるいはイル il）」として表わされることがあり、ヘブライ語においても「神」は「エル el」である。たとえば、創世記三三章二〇節には「そこに祭壇を築き、それをエル・エロヘ・イスラエルと呼んだ」、創世記一四章一八節では「サレムの王メルキゼデク……彼はいと高き神（エル・エルヨン）の祭司であった」とある。アラビア語で部族単位を表す「アール aal」もこの語彙に遡（さかのぼ）ると考える見方もある。

イスラームが取り込んだ慣習や規範

その頃のムハンマドの活動、また、マッカやヤスリブの社会を把握するために、英国のイスラーム歴史学者モンゴメリー・ワットの著作『ムハンマド――預言者と政治家』から一部を引用したい。

> メディナの住民の中には異なった幾つかの血統があった。六二二年にムハンマドが移住した時、主たる集団……だけでも十一あり、その他に数多くの小集団があったと言われている。主たる集団のうち三つは、ユダヤ教を信仰していた。彼らがユダヤ民族の避難民の子孫であったのか、あるいはユダヤ教を受け入れたアラブ部族の子孫であったのかは、明らかではない。いずれにせよ、ユダヤとアラブの間では通婚も数多く行なわれ、生活様式一般においては、ユダヤ氏族をアラブと識別するのはほとんど不可能であった。かつてユダヤ人はメディナを政治的に支配しており、その他の先住アラブは彼らに従属していた。

※1　キリストの人格は、受肉前は神性と人性の両性を有していたが、受肉後は人性は神性の中に採り入れられ、単一の性になっているとする説。四五一年のカルケドンで開かれた第四回公会議で異端とされた。

※2　トーラーはヘブライ語聖書（旧約聖書）のモーセ五書（創世記、出エジプト記、レビ記、民数記、申命記）を指し、福音書は新約聖書のマタイ、マルコ、ルカ、ヨハネによる福音書を指す。

ムハンマドはその預言活動の初期の段階から、コーランにおいて彼に啓示されたメッセージは、ユダヤ教およびキリスト教に類似していることに気づいていた。彼は恐らく、われは預言者であるとの主張は、先行する諸預言者とメッセージにおいて本質的に一致するものであると考えたのであろう。彼が以前にも増してユダヤ教に範をとって、イスラムを組織しようと試みたのは、恐らくメディナへの移住が意図され始めた後であろうと思われる。メッカを去る前、彼はキブラすなわち祈りにおいて顔を向ける方向に、ユダヤ教の風習に従って、エルサレムを採ったと言われている。アーシューラーの断食、すなわちユダヤ教の贖罪（しょくざい）の日はメディナのイスラム教徒に遵守されていたと思われ、更にイスラムを特徴づけるに至った共同体全体としての特別な金曜礼拝は、ユダヤ教の金曜日の安息日礼拝の準備と幾分関係がある。このユダヤ教の風習の採用はユダヤ教徒をいささかもムハンマドに友好的たらしめなかった。

ユダヤ教徒との訣別は多くの側面を持っており、外面上の形態にも、その他の変化がみられる。それまでイスラム教徒、少なくとも援助者は、明らかにユダヤ教の償いの日の断食をしており、ムハンマドは六二三年（恐らくは七月）に全てのイスラム教徒にこれを命じていた。しかしながら六二四年の二月あるいは三月には、贖罪の日に代ってラマダーン月の断食が義務づけられた。

（『ムハンマド――預言者と政治家』九九、一一五、一二三頁）

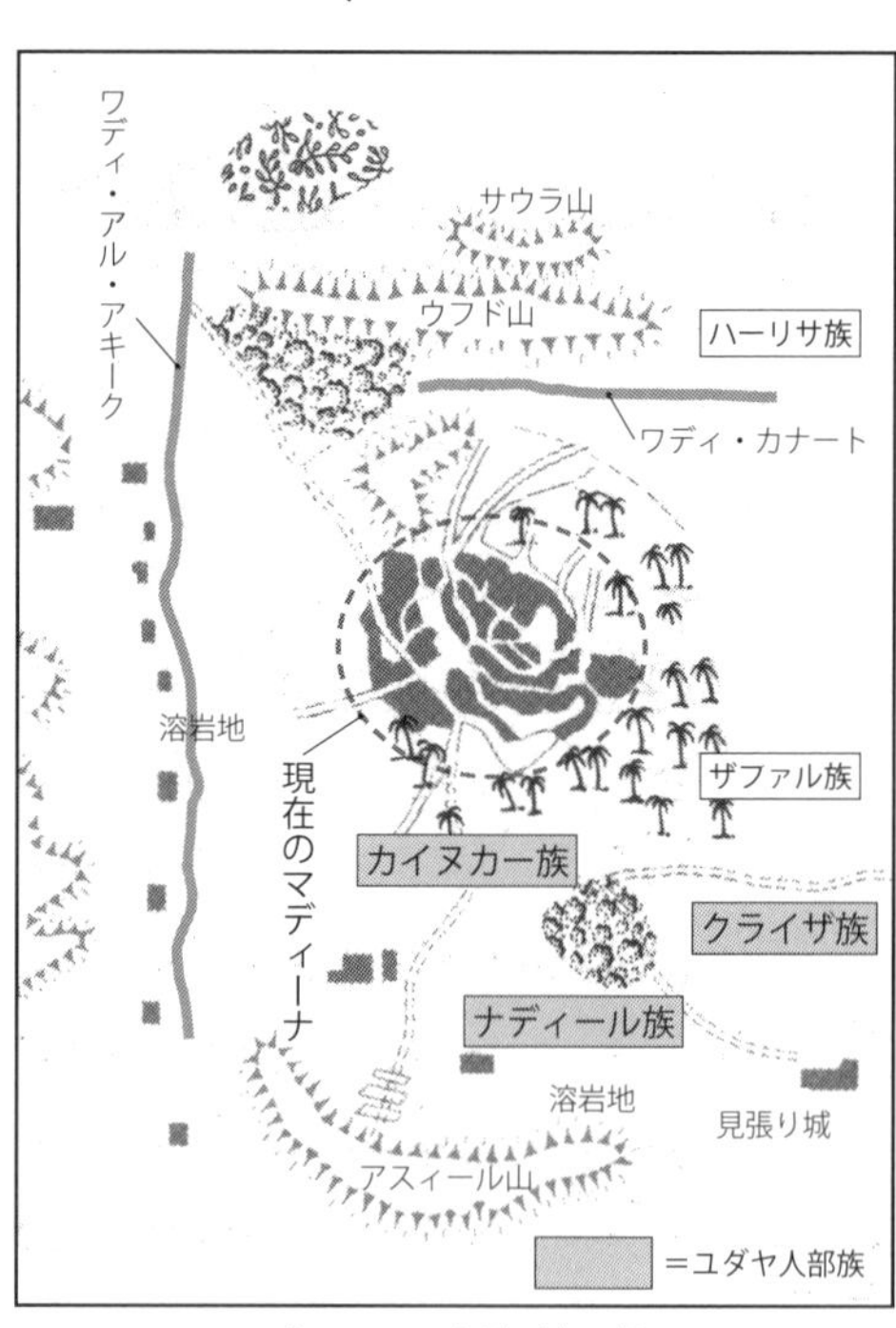

マディーナと近郊地の地図
〔*Aṭlas al-ḥaḍāra al-Islāmīya*〕

マディーナで大勢力となったムハンマドは援助者の支援を受けてマッカのクライシュ族に勝利し、さらに、対立を強めたユダヤ教の部族を武力で制した。

慣習や行動規範の比較

改めてイスラームとユダヤ教の規範が似通ういくつかの例を紹介したい。

礼拝の方向

ムハンマドは当初ユダヤ教徒と同じくエルサレムに向かって礼拝した。だが、クルアーン（雌牛章、一四二～一五〇節）は、マッカのカアバ神殿にキブラを変更したと記している。イスラームを「イブラヒーム（アブラハム）の宗教」としたムハンマドは、イブラヒームの息子イスマーイールをカアバ神殿の創建者とすることで祈りの方向をマッカに向けたのである。

断食

ユダヤ教徒は贖罪のためユダヤ暦ティシュレー月一〇日に断食するが、イスラーム教徒はラマダーン月を通じて、一カ月間、日の出から日没まで飲食を断つ。「信仰する者よ、あなたがた以前の者に定められたようにあなたがたに斎戒が定められた。恐らくあなたがたは主を畏れるであろう」（雌牛章一八三節）と、それまで人々に定められていた断食をイスラーム教徒にも義務付けた。その後、クライシュ族との戦闘で勝利すると、断食をラマダーン月へと変更した（雌牛章一八五節）。

なお、太陰暦を採用しているイスラーム暦では、新月から新月までの期間がひと月となる。閏年で調整することがないため、イスラーム暦の一年は、太陽暦の三五四日余りにしかならず、断食月（ラマダーン）の期間も毎年一一日ほど早まる。太陽暦が採用されなかった事実は、イスラームが興った当時のアラビア半島の生活が、農業生産に依存していなかったことを示唆する。預言者ムハンマド自身がそうであったように、太陽を避けて夜間に砂漠を移動する人々が中心の交易社会だった現実を示していると言える。

休日

ユダヤ教は「土曜」を安息日とするが、イスラームは「金曜」を休日とする。なぜこのような違いが起こったのか、その由来は面白い。「土曜」はアラビア語で「サブト」、ヘブライ語では「シャバット」と呼ばれる。両語は同じもので、語源には「休息」の意がある。だが、イスラームでは休息日の前日を休日とした。それには理由がある。休息日の前の曜日はアラビア語で「ジュムア」と言い、「集まり」を意味する。

ヤスリブでは当時、安息日を過ごす準備のため、部族民は前日に集落に戻った。この「集まりの日＝ジュマア」をムハンマドは集団礼拝の日とし、クルアーンは、ジュムア（金曜）の集団礼拝を義務と定めた。したがって、金曜はイスラームでは安息日ではない。安息日に働いてはいけないユダヤ教と異なり、イスラーム教徒は、集団礼拝に参加する時間を除けば、休日の金曜日に働くことに宗教上の足かせはない。

食べ物

ユダヤ教には「カシュルート」という清浄な食物しか口にできない規定がある。豚肉も鱗のない魚も禁止されており、家畜を屠(ほふ)るにも資格のある屠殺人が必要である。クルアーンの家畜章一三六～一四五節も、食べることを許される（ハラール）もの、また、豚肉や死骸など食べてはいけない（ハラーム）ものを規定している。また、一四六節では「ユダヤの（法に従う）者には、われは凡(すべ)ての爪のある動物を禁じ、また牛と羊は、その脂を禁じた。只(ただ)背と内臓に付着し、または骨に連なった脂は、別である。これは、かれらの不正行為に対する応報で、われは本当に真実である」とイスラームの規定はユダヤ教のそれより優れているとしている。

このように二つの宗教には相通じる点が多いが、神の下で人は皆平等だとするイスラームは、選民思想を容認しない。

> 言ってやるがいい。「もしアッラーの御許(みもと)の、来世における住まいが、あなたがた（ユダヤ人）だけの特別あつらえで、外の人びとは入れないものであり、あなたがたが正しいというならば、素直に死を願い出よ」
>
> （雌牛章九四節）

また、キリスト教との関係では、イスラームで「イーサー」と称される「イエス」は預言者の一人と位置づけられ、「三位一体論」は容認されない。

「アッラーは三（位）の一つである。」と言う者は、本当に不信心者である。唯一の神の外に神はないのである。（食卓章七三節）

マルヤムの子マスィーフ（救世主）は、一人の使徒に過ぎない。かれの以前にも使徒たちがあって、逝ったのである。（食卓章七五節）

中東のユダヤ人共同体

イスラエル建国以前、特にオスマン帝国の統治下だった地域では、各地に発言力を持ったユダヤ人共同体があった。だが中東戦争が勃発し、アラブの敵対感情が強まると、建国時に移住希望のなかったユダヤ人も住み慣れた地を離れざるを得なくなった。現在、イスラエル以外の中東で、長い歴史を持つユダヤ人共同体が残るのはイランとトルコで、いずれも非アラブ国である。

イランでも多くのユダヤ教徒が新天地に向かったが、テヘランやイスファハンの共同体は留まった。中でも特に注目されるのは、クルディスタンである。クルディスタンは、紀元前八世紀から六世紀にかけてユダヤ人がアッシリアに連れ去られた歴史と結び付く地とされる。それ故、クルディスタンの一部のユダヤ共同体は、旧約聖書に記載される捕囚民の末裔として、特別な関係にあるとの認識がユダヤ人に共有されている。その後も北イラクとユダヤ人の関わりは続き、十字軍の侵攻時にも、迫害を逃れて多くのユダヤ人がクルディスタンに移住した。（第25章参照）

アビシニア（現在のエチオピア）でもファラシャと呼称されたユダヤ人社会があった。彼ら全員が真のユダヤ教徒なのかと疑う議論もある。だが、政治的な理由も重なり、ユダヤ教徒と主張する人々は、「モーセ作戦」「ソロモン作戦」と呼ばれる二度の脱出作戦を通じて、ほとんどがイスラエルに移住した。今テルアビブ（イスラエル）を訪れると、エチオピア移民の次の世代の若者たちが、街角のカフェなどで働く姿を見かける。

二〇一三年にエチオピア北部の町ゴンダルでファラシャの集落に足を運んだが、そこにファラシャは居住しておらず、復元住居と土産物屋だけの観光地と化していた。だがエチオピアでもキリスト教地域に行けば、割礼、厳しい食物不浄の忌避や断食、そして、土曜日の安息日といったユダヤ教に起源を遡りそうな慣習が今も根付いている。

　アラビア半島では、イスラームが勃興した時代にも存在していたユダヤ人共同体がイエメンにある。イエメン各地で市場（スーク）の銀細工屋に行けば、ユダヤ職人の手による伝統的な銀細工の装飾品を見出だす。特に、ジャンビーヤ（ハンジャル）と称される短剣の柄（つか）と鞘（さや）に多い。

　筆者自身、一九九三年、イエメン北部のサアダの旧市街でユダヤ人家族と会った経験がある。ナジュラーンから南西に直線で一〇〇kmに満たない距離にあるサアダの旧市街は、高い土壁で取り囲まれた風格ある古都だった。しかしそこは、政権やサウジアラビアと対立するフーシー派の拠点でもある。この古都もアラブ有志連合軍の空爆を受け、今では壊滅的な被害に苦しんでいる。戦闘に加え、社会的不安も絶えないイエメンから多くのユダヤ人が離れ、さらに人口は急減した。一九九〇年代前半でも全土で五〇〇〇人程度に減ったとされ、その存続が心配されていた。このまま社会が安定を取り戻せなければ、アラビア半島に生き続けたユダヤ教徒の歴史に幕が下りてしまうのかもしれない。

ファラシャ集落の土産物屋

サアダ近郊のユダヤ人家族〔*Mausū'a qabā'il al-'Arab*〕

第6章　部族の統治と刑罰

聖典クルアーンと、イスラーム法シャリーア

預言者ムハンマドがヤスリブ（マディーナ）に根付いていた慣習やユダヤ教の行動規範を自身の信仰の実践に取り込んだことは前章で述べた。だが、部族社会に根付いていたのは宗教的慣行や規範だけではない。過去から継承されてきた罰則もあった。

ムハンマドが神から受けた啓示は彼の没後に聖典『クルアーン』にまとめられた。ムハンマドの時代、アラビア半島では文字で記録されるものは多くはなかった。イスラーム以前の人々の意識や社会の様子が窺えるカシーダと呼ばれる詩歌も、朗唱によって受け継がれてきた。神の啓示も同様、初期には口伝で広まったのであろうが、第一代カリフ（アブー・バクル）によって編纂が開始され、第三代カリフ（ウスマーン）の時代に、『クルアーン』としてまとまった。さらにその後二〜三世紀を経て、語り継がれてきた預言者の言行も収集・編纂され、「ハディース」という言行録となった。この期間、アラビア語の文法的な確立も進められたのである。

イスラーム社会では、クルアーンの編纂を経て「シャリーア」と呼ばれるイスラーム法が整備される。シ

ャリーアはアラビア語で「道」の意がある。それは、「神が定めた道」に他ならない。そのイスラーム法は、クルアーンとハディースに基づくが、それに、法学者の「イジュマー（合意）」と「キヤース（類推）」が「ウスール（法源）」として加えられた。つまり、アラビア半島とは事情の違う地域、また文化や慣習などを異にする民族にもイスラームが広がった結果、クルアーンとハディースだけでは定めきれない判断や裁定が求められた。時代も移る。そこで、クルアーンやハディースに沿うと法学者たちが結論付けた「イジュマー」が法源として認められ、さらに、法学者が「類推」で導き出した「キヤース」もまた加えられた。このようなイジュマーやキヤースの違いが、イスラーム世界にいくつもの学派を生んだ理由の一つとなっている。

そのように整えられていったイスラーム法は、「宗教的規範」、そして「法的規範」に大別でき、後者に刑法が含まれる。その刑法に、イスラーム以前の部族社会にあった刑罰の考え方が反映されているのである。

残された慣習法――同害報復

イスラームは、当時の部族社会にあった悪習を改めた。偶像崇拝は廃され、「貧困を恐れてあなたがたの子女を殺してはならない」とクルアーン（夜の旅章三一節）にあるとおり「赤子の殺害」という習慣も止められた。だが、部族統治に残っていた刑罰の一部はイスラーム法に反映された。その代表格が、紀元前二〇〇〇年頃のメソポタミアでも運用されていた「目には目を、歯に歯を」で知られる「同害報復」である。

同害報復を刻んだハンムラビ法典の石碑が二〇世紀初頭、イランのフーゼスターン州にあるシューシュ（アケメネス朝のスーサ、エラム王国の首都）で出土した。この石碑はバビロニア攻略でエラム王国が持ち帰ったと考えられているもので、その内容は判例集である。その後、ハンムラビ法典よりも時代を遡る（さかのぼ）「ウルナンム法典」（シュメール語）や「エシュヌンナ法典」（アッカド語）も発見されたが、いずれにも同害報復の規定があった。どちらも粘土板。筆者は大学時代、エシュヌンナ法典を課題に頂いた。判読もままならぬ資料に苦戦した記憶がある。

さらに、バビロン捕囚を経験したユダヤ人が集成したトーラーの中の出エジプト記二一章二三～二五節で、「しかし、命に関わるときは、命には命を、目には目を、歯には歯を、手には手を、足には足を、やけどにはやけどを、生傷には生傷を、打ち傷には打ち傷をもって償わなければならない」と記され、申命記一九章二一説でも「あなたは憐れみの目を向けてはならない、命には命、目には目、歯には歯、手には手、足には足である」と定めている。つまり、同害報復は中東地域一円に浸透した共通ルールだったと理解できる。同害報復は復讐の範囲を限定する規定で、必ずしも暴力的なものではなかった。イスラーム以前のアラビア半島の遊牧民社会でも、部族社会の安定に欠かせない規律だったのであろう。

イスラーム法の刑罰

さて、イスラーム法の法的規範にある刑法では、刑罰を「ハッド（フドゥード）」、「キサース」、「タアズィール」に分けている。以下、各々について説明する。

ハッド

固定刑。神の定めに背いた罪に対する罰則であり、その故に裁量の余地がない。窃盗や姦通が対象となる。クルアーン（食卓章三八節）は、「盗みをした男も女も、報いとして両手を切断しなさい。これはかれらの行いに対する、アッラーの見せしめのための懲しめである。アッラーは偉力ならびなく英明であられる」とする。窃盗では手足が切断され、未婚者の姦通には鞭打ちの刑が執行される。御光章二節では「姦通した女と男は、それぞれ一〇〇回鞭打て。もしあなたがたが、アッラーと末日を信じるならば、アッラーの定めに基づき、両人に対し情に負けてはならない。そして一団の信者に、彼らの処刑に立ち会わせなさい」、ただし御光章四節には「貞節な女を非難して四名の証人を上げられない者には、八〇回の鞭打ちを加えなさい。かれらは主の掟に背く者たちである」とある。つまり、四人の証人を揃えられない場合には、逆に、訴え出た側の罪が問われてしまう。

イランの村であった実話を再現した投石刑のシーンを織り込んだ『ソラヤ・Mの石打ち刑』（The Stoning of SORAYA.M）という映画がある。離婚を拒絶する妻ソラヤに手を焼いた男性が村人を脅し、妻が姦通したと偽証させる。妻は疑いを否定するが、偽証者が四人揃う。裁定を下したのも、策謀に巻き込まれた村長だった。既婚者の姦通には石打ち刑が適用される。広場に掘られた穴に腰までを埋められたソラヤめがけて、村民たちが次々に石を投げつけ、やがて女性は絶命する。この作品には、イラン系フランス人ジャーナリストが関わっているので、そもそもイラン・イスラーム体制を批判する政治的意図も織り込まれた映画だとされているが、再現された投石刑の映像は、反イスラーム感情を高めるものだった。

キサース

報復刑。社会で容認されてきた殺人や傷害などに対する同害報復が踏襲されている。イスラーム以前では同害報復と言っても、社会に身分差があれば報復の度合いは一様でないのが常である。また、報復の応酬となると、戦争も引き起こしかねない。しかしイスラーム法は、同害報復を越える復讐を許さないことで、紛争に発展するリスクを抑制した。

また、報復を賠償に置き換えることも可能とすることで、無駄な流血を正した。それは「血の代償(ディヤ)」と呼ばれる賠償和解策である。クルアーン(食卓章四五節)には、「われはかれらのために律法の中で定めた。『生命には生命、目には目、鼻には鼻、耳には耳、歯には歯、凡ての傷害にも、(同様の)報復を』。しかしその報復を控えて許すならば、それは自分の罪の償いとなる。アッラーが下されるものによって裁判しない者は、不義を行う者である」と報復を賠償に置き換えることを奨めている。

タアズィール

裁量刑。文書偽造、詐欺、偽証、恐喝などの罪が対象であり、罰則は、財産の没収や投獄、鞭打ちなどである。

現代のシャリーア

現代のアラビア半島諸国でシャリーアはどう位置づけられているだろうか。

イスラーム法で統治されるべきイスラーム世界にはそもそも憲法はなく、クルアーンがそれに相当する。したがって、イスラームの教えと部族社会が調和されたアラビア半島の首長国家は総じて、クルアーンもしくはクルアーンを踏まえた基本法を国家統治の中心に据えている。たとえばサウジアラビアは、国家基本法の冒頭で、「クルアーンとスンナ（伝統）が憲法である」と定義している。では、ジェトロによる日本語版から抜粋してみよう。

第一章

一条　サウジアラビア王国は、アラブ・イスラームの主権国家であり、その宗教はイスラームであり、その憲法はクルアーンおよびスンナとする。

第二章

六条　国民は、クルアーンとスンナの教えに則り、いかなる時も君主に忠誠を尽くすものとする。

七条　王国の統治理念はクルアーンとスンナの教えによるものとし、クルアーンとスンナが基本法ならびにすべての王国の規則を支配するものとする。

八条　王国の統治はイスラーム法に従った、正義、教義、平等に基づくものとする。

第六章

四八条　裁判所　クルアーンとスンナの教義およびそれに反しない為政者の公布した法令に基づき、裁判所は、法廷に提訴されたすべての訴訟について、イスラーム法を適用する。

シャリーア裁判所

ムスリムが一定の人口を占める国家には、世俗的な司法裁判所と、イスラーム法に沿った「シャリーア裁判所」が存在する。ただし、管轄が一元化されているか、司法省と宗教省で分けているかは国家の成り立ちで異なる。また、シャリーア裁判所はあるが、刑事は管轄の対象外とする国家もある。「イスラーム法が施行されている」と広く認識される国家であれば、イスラーム刑法が適用されている場合が多い。

たとえば、委任統治も含め、英仏統治を経験している地中海沿岸やペルシア湾岸諸国の一部には、世俗法廷で扱われるかどうか一定の線引きはある。だが、イスラーム法の厳格な適用で知られるサウジアラビアには、西側の統治や法制度を経験した過去がなく、それ故に、シャリーア裁判所が司法を管轄する態勢が今も続いていると言えよう。

今も続く同害報復の実例

司法裁判所やシャリーア裁判所があっても、中東では今もなお当事者部族間で賠償和解である「血の代償（ディヤ）」に行き着くケースがある。

近年、筆者が驚いた事件を紹介したい。場所は、アラビア半島の付け根クウェイトに隣接するイラクの都市バスラである。

二〇一五年六月三日付のアラビア語紙「Arabi21.com」は、バスラのシーア派部族が、血の代償として女性五一人を他の部族に与えたと伝えた。

バスラの部族（アシーラ）が、女性五一人を他の部族に贈った。両部族間で起こった紛争の解決のためである。県議会が、「バスラ北部の村で死傷者が発生した部族間の武装紛争の直後、未成年を含む約五〇人の女性が、補償の形でオファーされた」ことを知った。このニュースには多くの政治・宗教・社会的な批判の波が起こった。その一人であるシーア派指導者ムクタダ・サドル師は、「慣行として部族が行なった命令だ。イスラーム主義と相反することは明白だ」と批判し、「部族の判断は、財産も五一人の女性も縛るものではない」として部族の伝統に

サウジアラビア西南部の町アダムのシャリーア裁判所

代えて、妥当性と法による裁定を求めた。……また、部族委員会は事態を非難・告発し、決定実施の禁止を発表した。

（Arabi21, 2015.6.3）

地方の事件とは言え、部族主義を排し、社会主義を唱えたバアス党が統治したイラクで、大掛かりな「血の代償」の慣習が生きていた。司法を通さぬままに、部族長が「女性の引き渡し」による賠償に一旦は合意したのである。民度が低い訳でなく、IS（イスラーム国）の統治下でもない。だが、慣習が部族の名誉を守る手段であり、部族民の帰属意識が、国家統治に勝るという現実を知らしめた一例であった。

「血の代償」の合意を嘆く女性たち〔Arabi21.com〕

「名誉殺人」という習慣も残っている。「名誉を守る犯罪」とされるものだが、部族や家が社会的不名誉を恥じて、イスラーム法での裁きではなく、身内の判断で刑を執行する習慣である。頻繁に聞かれるケースは、娘の不貞、不倫、親の決めた結婚に対する娘の不服従などである。不名誉な娘は兄弟等の身内に殺害される。この場合、実行犯は親族であっても厳罰が科せられるものの、一家は名誉を回復する。国家もまた刑罰を甘くする。二〇一六年以前のパキスタンでは、名誉殺人であれば恩赦で救済される措置もあった。このような名誉殺人の件数は、統計を示さないアラビア半島諸国では不明である。

部族長の誇りと実権

このように、司法制度が確立していても、日常的なトラブルを裁定する権限の一部は部族長に認められている地域は今も生き残っている。

そういった誇り高い部族社会には、尊敬を受ける理想的な資質があるとされる。勇ましさや寛容という語彙で表される「男らしさ」や、遊牧民社会で旅人を受け入れる「もてなしの精神」、そして「敬虔さ」である。この「敬虔さ」を尊ぶ精神こそが、部族社会にイスラームが融合した結果であり、イスラームに深く帰依する姿勢で現れてくる。

イスラームが浸透して以降、部族の長たるものは部族社会の統率を保つため、イスラームへの帰依、イスラーム法に沿う統治を重視するようになった。部族長には敬虔な信仰と尊敬される人望が求められる。アラビア半島での典型的な例を挙げるなら、ワッハーブ派を国是とするサウード家の国王を二つの聖モスクの守護者と位置づけたサウジアラビアであり、最近では、ムスリム同胞団を支持するカタルであろう。

血統もまた指導者には重要な資質となり、誇らしく感じられる血統を求める人々までも登場する。行き着くところ、イスラーム諸国の指導者たちは、宗教指導者との強い絆を必要とするようになり、「首長・国王＝宗教指導者」となる構図も誕生した。その代表は、イバード派のイマームが国王として数多くの部族集団を束ねるオマーンである。

第7章　イスラーム統治の広がりとシーア派

アラビア半島から広がったイスラーム統治

預言者ムハンマドが紀元六一〇年にアラビア半島で興したイスラームは、西は北アフリカ、東はユーラシア大陸に向かった。預言者は六三二年に没したが、正統カリフと呼ばれる四人のカリフ（後継者）が三〇年間で、エジプトからペルシアまでをイスラーム化した。その後、ウマイヤ朝時代に移ると七一一年には地中海を渡りイベリア半島を北上したが、七三二年、ツールとポアチエ間でフランク王国との戦いに敗北すると風向きが変わり、北進は止まった。しかしイスラーム勢は、グラナダを首都としたナスル朝が滅びる一四九二年まで、約八〇〇年間もイベリア半島に拠点を築いていた。往時の栄華は今もアルハンブラ宮殿内の建築や庭園に残されている。一方、東方に目を向けると、北部はサマルカンドのあるフェルガナ地方にまでウマイヤ朝は進出し、南部はインダス川を越えた。わずか一世紀間の出来事である。

では、イスラーム統治はどう広がったのだろうか。「アッサラーム・アライクム」、すなわち「あなた方の上に平安を」と表現する日常の挨拶はイスラーム世界には共通だ。アラビア語の「アッサラーム」は、語根

「サラマ」から派生する名詞で、「平安」を意味することはよく知られている。実は、イスラーム化するという動詞「アスラマ」も同じ語根からの派生語で、「安全を守る」が本来の意味である。イスラーム化とは、「危害が及ばぬように守る」、つまり降伏して安全になった人がムスリムということ。実際、「降伏する」を意味する「イスティスラーム」も「サラマ」の派生語だ。

イスラーム勢は征服地の住民に「改宗」を強要しなかった。イスラームは積極的な勧誘のない宗教である。クルアーンは「宗教には強制があってはならない」（雌牛章二五六節）と過度な布教活動を戒めている。それ故に、イスラーム勢が拡大を進める過程で、改宗を望まない社会には庇護民（ズィンミー）として自治を認めた。これはイスラームの寛容性を示す政策だとも言えるが、代わりに庇護民には「ジズヤ」と称される人頭税を課した。「危害が及ばぬように守る」その対価の負担である。

ただし対象は一神教徒、すなわち「啓典の民」のユダヤ教徒とキリスト教徒だけである。それ以外の多神教徒には名目上ではあるが「改宗」か「死」が突き付けられた。現代ではシリアやイラクの一部を制圧したＩＳ（イスラーム国）がヤズィーディー教徒に示した姿勢がまさにそうだった。とはいえ、東進したイスラーム帝国は、半島東部やペルシアのゾロアスター教徒にもズィンミー制を適用した。そこには、多神教社会に切り込むと共に、税収を得る目的があった。

その後、ゾロアスター教社会は改宗する。課税と教義が理由である。課税の強化で庇護民は税負担のないイスラーム化を受け入れ、不平等社会の底辺層は、神の下で平等なイスラームを歓迎したのである。

余談になるが、クルアーンには星辰信仰の「サービア教徒」という一神教徒の存在が記してある。「本当に（クルアーンを）信じる者、ユダヤ教徒、キリスト教徒とサービア教徒で、アッラーと最後の（審判の）日とを信じて、善行に勤しむ者は、かれらの主の御許で、報奨を授かるであろう」（雌牛章六二節）。今では消滅したと考えられているが、ユーフラテス下流の湿地帯「マーシュ」に暮らしてきた「マンダ教徒」は自らをサービア教徒の末裔と信じている。彼らは、平和主義に基づく不戦を掲げ、ユーフラテスでの洗礼儀式も有する。マイノリティな上に、圧政と暴力から逃れ、離散が広がった。今ではアイデンティティの維持が難しくなっている。

イスラーム化と人口増加

イスラーム化に伴う人口増の背景には「同化」と「経済活動」という要因がある。女性信徒（ムスリマ）の伴侶はムスリムだけだが、ムスリムは一神教徒を妻にできる。征服地の女性が多神教徒であれば、改宗した女性を娶る。誕生する世代はムスリムである。多産の時代では、数世代でも家族人口は膨らみ、乳幼児の死亡率が下がるとさらに加速した。

その実例をサウジアラビア王家の歴史に見ることができる。半島中央部で勃興したサウード家は、ワッハーブ派の教義を御旗に各地で攻略した部族に宗派替えを強いた。

イスラームは、解釈の違いから宗派毎に一つの社会を形成する。政教一体のイスラーム社会では統治が変わると宗派替えも常だった。加えて、婚姻を通じて部族関係も築いた。初代国王アブドゥルアズィーズには、王位継承権が認められた王子が三六人、彼らの他にも王女たち、そして王位継承の対象外とされた男児がいた。

経済活動においては日本でも最近は、イスラーム世界とのビジネスにイスラーム法やイスラーム金融の受け皿が必要だとの理解が浸透しつつあるように、イスラーム帝国との交易は、社会のイスラーム化を促進した。

第2章で、イラク前首相の「私は、ヒジャーズ地方やイエメンに広がるバニ・マーリク部族に帰属するイラク最大のアル・マーリキー部族」との弁を紹介した。マーリキー族はアラビア半島ではスンナ派だが、イラクではシーア派だ。半島南部から、スンナ派とシーア派の対立が激しいユーフラテス下流域に移った部族にとって、交易権を得て商取引に参加したり、宗教都市の治安に携わるには、シーア派であることが欠かせなかったとされる。

シーア派の興り

ここでイスラームの学派をまとめてみたい。二〇一七年末、筆者はかつてオマーンが統治していたザンジバル島を訪れた。この島はアフリカの東側にあり、今はタンザニアに属している。そこにアガ・ハーン派（後述のイスマーイール派の分派）のモスクがある。その管理人は「イスラームのセクトは七三派に上る」と言い、「そもそもイスラーム世界はまとまり得ない構造になっている」と学派の独立性を強調した。

分派の流れは、枝分かれしたシーア派から眺めるほうが整理しやすい。

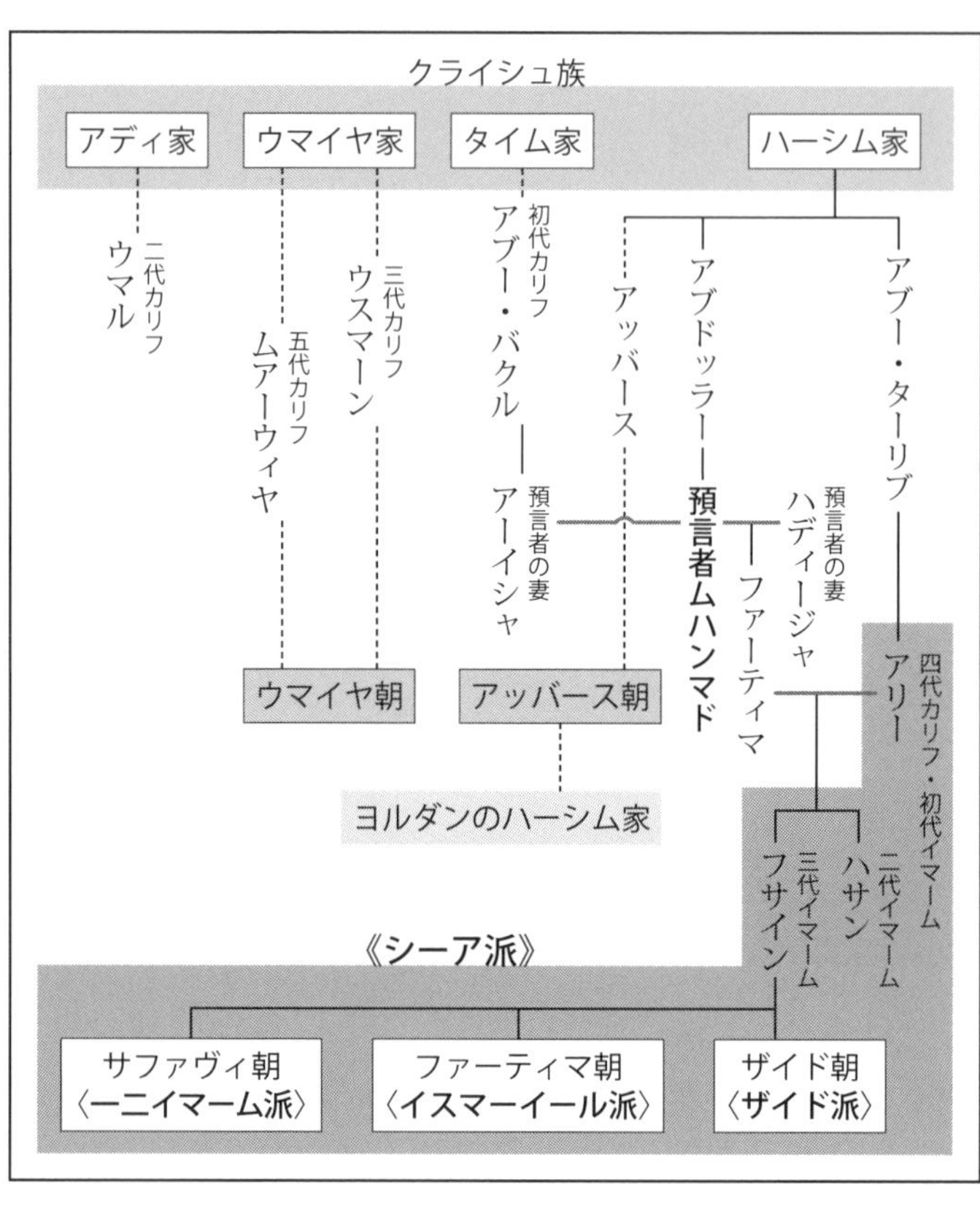

シーア派とは、第四代正統カリフ・アリーを支持した一団で、正式名は「シーア・アリー（アリー派）」だったものが、「シーア派」と簡略化されて呼ばれるようになった。今はアラビア語でも「シーイー」としか言わない。

ムハンマドの没後、最初の後継者（初代カリフ）にアブー・バクルが選出された。寵愛した妻アーイシャの父であり、同じクライシュ族のタイム家の出自である（上図参照）。二代目カリフはアディ家から、三代目カリフはウマイヤ家から生まれ、続く四代目カリフに、預言者の娘ファーティマの夫アリーが選ばれた。預言者の従兄でもある。アリーはウマイヤ家と衝突。後に和睦したが、その対応に不満なアリー支持者は一派を離脱し、アリーを殺害した。この一団はハワーリジュ派（シーア・ハワーリジュ）と呼ばれたが、オマーンのイバード派はその末裔である。

シーア派は、この四代目カリフを、初

代イマームとする。スンナ派ではイマームは礼拝の指導役のことだが、シーア派では預言者の血を継承し、クルアーン、ハディースの解釈も許される絶対的指導者を指す。アリーの息子ハサンはマディーナを拠点として二代目のイマームとなり、三代目イマームに弟フサインが就いた。フサインはウマイヤ家に対して蜂起したが、カルバラーの戦いで戦死した。シーア派が「カルバラーの悲劇」と称する殉教事件である。イスラーム暦の正月（ムハッラム月）一〇日目になると、シーア派は宗教行事「アーシュラー」を催す。自らの肉体を鞭打ち、傷つけることで信徒たちは、フサインを救えなかった罪を償い、集団で墓所のあるカルバラーに向け行進する。

アラビア半島のシーア派社会

半島には今、三様のシーア派社会が存在する。イエメン北部のザイド派、サウジアラビア南西部ナジュラーンのイスマーイール派、そして、ペルシア湾沿岸部一帯の一二イマーム派である。

ザイド派

アリーの曾孫に当たる五代イマームを巡って分派した一派。九世紀末にイエメン北部を拠点にイマーム統治を開始した。第一次大戦後のオスマン帝国の撤退を契機に興ったムタワッキル朝が、ワッハーブ派のサウード家との戦いに敗れ、アスィール地方を失った。しかしその後も、一九六二年の北イエメン革命まで、サアダを拠点としたイマーム統治は続いていた（詳細は第20章参照）。

イスマーイール派

七代イマームを巡って分派した一派。チュニジアのカイラワーンで興り、カイロに拠点を築いたファーティマ朝が勢力を広げた。スンナ派の本山とも言えるエジプトのアズハル・モスクも元々はファーティマ朝が創設した。その後、分派が進み、今では、パキスタンやインドを拠点とする「アガ・ハーン」や「ボフラ派」等の学派が代表格だ。アラビア半島では、古都ナジュラーンに唯一イスマーイール派のコミュニティが存在しているが、社会差別を理由に政府への不満を隠さない。二〇〇〇年代前半、現地での不穏が伝えられていた時期にナジュラーン市内に向かう幹線道路を運転するといつも、非常時のような検問態勢が採られていた。

一二イマーム派

初代アリーから数えて一二代目のイマームが、救世主（マフディ）として再来するという「隠れイマーム」思想のある学派。幼少だった一二代目イマームが消えたことを「お隠れ」と信じ、信徒たちが再来を待っている。イランに最大の信徒数を有するが、イラクのナジャフやカルバラーに主だった歴代イマームの墓所や宗教学校「ホウゼ」がある。イランに隣接するアゼルバイジャンやアフガニスタン西部にも多く、アラビア半島ではペルシア湾沿岸部にコミュニティがある。

GCC諸国の一二イマーム派

ペルシア湾岸のサウジアラビア、アラブ首長国連邦（UAE）、バハレーン、オマーン、カタル、クウェイトの六カ国が集団防衛構想の実現を目指して一九八一年に創設した機構を、湾岸協力会議（GCC）と呼ぶ。GCCの首長家はオマーンを除き皆スンナ派だが、クウェイト国民の約三割、バハレーン国民の約七割、そしてサウジアラビアでも東部に住む国民の三割近くが一二イマーム派と言われる。また、UAEのドバイにはイラン人居住者やイラン系企業も多く、対岸のイランと経済的な結びつきが強い。

地政学的にアラビア半島は、紅海・インド洋・アラビア海に面し、ペルシア湾・オマーン湾を有し、そして、欧州とアジアを繋ぎ、インド・アフリカへの展開拠点ともなっている。ペルシア湾沿岸部や島々に点在する諸都市は一八世紀には交易拠点か軍事拠点だった。イギリス、フランス、オランダはペルシア交易ルート確立に向け、バンダル・アッバースに商務館を設営した。今はイラン唯一の原発で知られる港湾都市ブシェールは当時のザンド朝首都シラーズとの交易拠点だった。そのブシェールに加えて、英国東インド会社はオマーンの都市マスカットにも商館を設けた。そのように、古来より重要な交易圏であったペルシア湾沿岸部には定住して交易活動に従事したシーア派の住民や、徴税から逃れて移り住んだペルシア人もいた。血縁での結び付きも地域に広がった。そういった一連の動きが半島にもシーア派コミュニティが定着した要因である。マスカットにも、インドの交易商人だった一二イマーム派の移民「ラワティア[※1]」社会がある。

一二イマーム派の町カティーフ

サウジアラビア東部の州を訪れた二〇一三年、筆者は一二イマーム派だけの社会であるカティーフの町で宗教指導者と面談する機会を得た。石油輸出ターミナルであるラスタヌラの南に位置するカティーフは、三つのオアシスと一つの島からなり、一八村に四五万人が住んでいた。人口増加により、海岸は埋め立て造成され、従来からあったナツメヤシ中心の農地も住宅地に転用が進められていた。石油会社アラムコ[※2]が最初に建設した学校施設が今も使われていたが、石油産業に携わってきた歴史から、住民の教育水準は

※１　マスカット旧市街のムトラ地区に居住する一二イマーム派の部族で、もともとは香料・宝石・衣料・一般物資などを扱う交易商人層だった。オマーンにおけるラワティア人口は五千〜一万人規模とされる。

高い。加えて、シーア派が冷遇される社会環境が、民間企業や海外に雇用機会を求める意識を高め、住民は子女教育に熱心である。

市内にモスクが少ない印象だったが、理由が二つあった。一つ目は、そもそも一二イマーム派の日常礼拝が、モスクでなく「フサイニーヤ」で行なわれていること。フサイニーヤとは第三代イマームのフサインの名に由来して名付けられた施設名称で、言い換えるなら「地域の集会所」のことである。礼拝だけでなく、「アーシュラー」等の宗教行事もここで執り行なわれる。小規模施設で費用が軽減でき、個人やグループの寄進で準備できる容易さがある。イランやイラクでは至る所に整えられており、日本にもある。

二つ目は、シーア派の活動を制限したい政府の思惑である。フサイニーヤの数は四〇〇~五〇〇に上る一方、政府費用で運営されるシーア派モスクは唯一「マスジド・イマーム・アリー」だけで、それ以外の宗教施設はすべて寄進か私財で運営されていた。

このような状況をつまびらかに語る宗教指導者も法学者格ではなかった。「東部の州にシーア派法学者はいない。だが、シーア派の婚姻や相続実務などを扱うシャリーア裁判所はある」と言う。ただ意外にも、住民の大半はイランではなくイラクの宗教指導者を支持していた。宗教税もナジャフにある宗教団体の海外窓口に渡されている。サウジアラビアとイランとの不和

シーア派宗教指導者との会談（カティーフにて、左から２番目が筆者）

な関係が、聖地参詣やホウゼとの往来に影響しないかを尋ねると、「以前はイラン渡航の許可は発行されていなかった。しかし、今はイラン渡航の許可は発行されていなかった。しかし、今はイラク人テロリストを警戒してイラク渡航が規制され、代わって、イラン行きの許可取得が可能になった」と、シーア派国民の宗教活動を警戒して態度を変化させる政府の姿勢を皮肉った。

※2　サウジアラビアの国営石油会社。一九三三年に米メジャーズのシェブロンによってサウジアラビアの油田開発会社として設立され、その後テキサコ・エクソン・モービルが参加した。しかし一九八〇年には、サウジアラビア政府が一〇〇％事業参加し、実質的な完全国有化を行なった。

カティーフのシーア派モスク「マスジド・イマーム・アリー」

第８章　イスラームの信仰

イスラーム信仰の基礎知識

ここで、イスラーム信仰の基礎知識について簡単に触れておきたい。イスラームは、天地の創造主である神（アラビア語でアッラー）の唯一性を信じて帰依する信仰であり、信徒には「六信」という信仰箇条と「五行」の義務の信仰儀礼が課せられている。六信とは「六つの存在」を信じることであり、五行とは「五つの行為」を行なうことである。

六信

●**唯一神**（アッラー）……創造主の存在と唯一性を信じること。信徒は神の下僕（アブド）として神に絶対的に服従することでもある。「アッラー」とはアラビア語で「神」の意味であり、アッラーという名前の神ではない。イスラームの神は、ユダヤ教の神、キリスト教の神とも一致するので、これら三宗教は同一系列の一神教とされる。

●**天使**（マラーイカ）……神を補佐する天使の存在を信じること。聖典クルアーンでは、「アッラーに讃えあれ。

天と地の創造者であられ、二対、三対または四対の翼を持つ天使たちを、使徒として命命なされる。かれは御心のまま数を増して創造される。本当にアッラーは凡てのことに全能であられる」（創造者章一節）とある。天使は神によって光から創られ、神の手足となって働く。これに対して、キリスト教と同様に、神に反逆し人間を悪の道へと誘惑する悪魔の存在も認められている。さらに人間と悪魔の中間に位置する超自然的存在のジンの存在も認められている。

●**聖典**（クトゥブ）……神がそれぞれの民に与えた神の言葉、つまり聖典を信じることで、モーセの律法、ダビデの詩編、イエスの福音書も神の言葉、聖典である。クトゥブとは「本」の複数形で、これらの聖典と共にクルアーンを指す。しかし、アラビア語で与えられたクルアーンは最後で最高の御言葉だとされている。またクルアーンとは「読むもの」という意味で、声に出して朗誦するものである。

●**預言者**（アンビヤー）……神が遣わした新旧の預言者を信じること。クルアーンの中では二五名の預言者が紹介されているが、そのうち、神の言葉を預かったモーセ、ダビデ、イエス、ムハンマドの四名が神の使徒（ラスール）とされている。

●**来世**（アーヒラ）……世界の終末には最後の審判があると信じること。その日は死者がすべて復活する日（ヤウム・アル・キヤーマ）であるとする来世思想である。来世には永遠に続く天国と地獄があるとされ、個々人の現世での責任が問われる。クルアーンでは「その時大地は主の御光で輝き、（行いの）記録が置かれ、預言者たちと証人たちが進み出て、公正な判決がかれらの間に宣告され、（少しも）不当な扱いはされない」（集団章六九節）と裁きの時を描いている。

●**定命**（カダル）……天命があると信じること。日常で起こることはすべて、神の計画と意志によって動いているという宿命論を信じること。「イン・シャー・アッラー（アッラーの思し召し次第）」という慣用表現で広く知られているとおりである。この言い回しで締めくくられると、異教徒である私たちは約束が守られないかも知れないと一抹の不安を覚えるかも知れないが、そこに怪しい意図はない。すべては定めに従っていることを念押ししただけである。

五行

●**信仰告白**（シャハーダ）……「ラー・イラーハ・イッラー・ラーハ（アッラーの他に神はなし）」「ムハンマド・ラスール・ラーハ（ムハンマドはアッラーの使徒）」と自分の信仰を告白すること。ムスリムになる際の宣言文と同じである。重要なのは、いつでも信仰を隠すことなく告白する姿勢である。だが、万一身辺に危険が迫った場合にあっては「信仰を隠す」こと（タキーヤ）を容認する学派もある。シーア派に多く、オマーンのイバード派がその代表例である。

●**礼拝**（サラー）……マッカの方角に向かい一日五度の礼拝を行なう。礼拝の方角は「キブラ」という。イスラームが興った当初のキブラはエルサレムだったが、ヒジュラ（ムハンマドと彼の教友たちの六二二年のマディーナ移住）を経てマッカに変更された。日々の礼拝義務には学派で対応に違いがあるようだが、金曜午後の集団礼拝は共通の義務である。クルアーンでは「あなたがた信仰する者よ、合同礼拝の日の礼拝の呼びかけが唱えられたならば、アッラーを念じることに急ぎ、商売から離れなさい。もしあなたがたが分(わか)っているならば、それがあなたがたのために最も善い」（合同礼拝章九節）とある。

その礼拝では身を浄めなければならないし、酔ったままで礼拝してはいけない。「信仰する者よ、あなたがたが酔った時は、自分の言うことが理解出来るようになるまで、礼拝に近付いてはならない。また大汚の時も、旅路にある者を除き、全身を沐浴(もくよく)した後でなければならない。またもしあなたがたが病にかかるか旅行中であり、または誰か厠(かわや)から出るか、あるいはあなたがたが女と交わって、水を見つけられない場合は、清い土に触れ、あなたがたの顔と両手をなでなさい。本当にアッラーは、罪障を消滅なされる御方、度々御許しなされる御方である」（婦人章四三節）とある。

イスラーム世界では、礼拝時間が近づくとモスクから流れる「アザーン」が信徒に準備を促す。大抵は「マナール」（ミナレット、尖塔）からだが、昔なら生声、今はレコーダーの音声が拡声器を通じて響き渡る。金曜の集団礼拝では町の機能が一旦停止する。だが、イスラームの規律に厳格なリヤド（サウジアラビア）では金曜に限らず、それが日常だった。筆者が自動車販売店に勤務していた頃は、アザーンが始まると曜日を問わず、営業時間内であっても、銀行・商店・レストラン等の店舗はシャッターを下ろす。そしてムスリムは皆、足早にモスクに向かい、残された異教徒は仕事場で業務の再開を待つ。まさしく「商売から離れなさい」である。

アラブ人のムスリムは総じて約束の時間に遅れがちだ。これが「イン・シャー・アッラー」の世界だと思われがちだが、そうではない。そもそもムスリムの生活は「祈りの時間」が基準であり、人々は度々「午後に会おう」と言う。それは、「午後の礼拝が終わってから」を意味する。つまり二四時間時計のアポイント自体が、元来イスラーム世界に馴染まない手法なのである。

●**巡礼**（ハッジ）……イスラーム暦の年度末「ハッジ月」（第一二月）の八日目から一三日目までの定められた時期にカアバ詣（もうで）を行なう義務である。

クルアーンでは「アッラーのために、巡礼〔ハッジ〕と小巡礼〔オムラ〕を全うしなさい。もしあなたがたが妨げられたならば、容易に得られる供物を（送りなさい）」（雌牛章一九六節）とある。ハッジの時期以外にマッカ詣をすることが小巡礼（オムラ）で、義務ではない。巡礼（ハッジ）の義務は、預言者の一人イブラヒーム（アブラハム）が息子を神に犠牲として捧げた逸話に由来し、自らを犠牲としてもイスラームに帰依する精神を信徒に求めている。逸話の元を辿ると、それは、アブラハムがイサクを燔祭として捧げる旧約聖書・創世記二二章の「イサクの燔祭」に結び付く。

巡礼行事は四日間続くが、その最終日から「イード・ル・アドハー（犠牲祭）」が始まる。かつて山羊（やぎ）が生贄（いけにえ）として捧げられたように、あちこちの街角で屠（ほふ）り吊るされた山羊肉が人々の食用に提供される。アブラハムの犠牲の故事を今日まで受け継いでいるのはイスラームだけである。[※1]

●**断食**（サウム）……第九月のラマダン月は、日の出から日没まで飲食・喫煙を断つ。クルアーンでは「信仰する者よ、あなたがた以前の者に定められたようにあなたがたに斎戒（さいかい）が定められた。恐らくあなたがたは主を畏れるであろう」（雌牛章一八三節）とある。

この断食の慣習は以前から存在していたが、バドルの戦い（六二四年）でクライシュ族に勝利した月を断食月としたと言われる。世界中すべてのムスリムはこの苦行を共有する。太陰暦のイスラーム世界では太陽暦と比べて毎年ほぼ一一日ずつ早くなるので、ラマダン月の季節は移り変わる。冷房のない時代のアラビア半島の夏場ではとりわけ難行だった（二〇二〇年は四月二四日から五月二三日まで）。

日没後の最初の食事「イフタール（朝食）」は、家族や知人が集まる社交の場になることが多い。最近は日本でも、「イフタールの会」が各地で催されるようになった。苦行の一カ月が終わると「イード・アル・フィトル（断食明けの祝い）」の休暇を迎える。

●喜捨（ザカート）……喜捨による寄付は社会福祉の財源である。この「ザカート」は義務の喜捨であり、本来的にはイスラーム共同体の運営に充てられる収入である。ザカートは隣人のために用いられ、国家の税として用いてはならない。ザカートの受給対象は、クルアーンで「貧者、困窮者、これ（施しの義務）を管理する者、および心が（心理に）傾いてきた者のため、また身代金や負債の救済のため、またアッラーの道のため（に率先して努力する者）、また旅人のためのものである」（悔悟章六〇節）と定められている。その税率には地域や宗派で差がある。たとえば、サウジアラビアでは対象の分野次第で税率に二・五％～二〇％の幅がある。一方、イランやイラクの一二イマーム派には、収

※1　W・ロバートソン・スミスは『セム族の宗教に関する講義』（*Lectures on the Religion of the Semites* 二三四～二三五頁）の「講義Ⅵ、血の献げ物」で次のように解説している。「アラブ人の間ではムハンマド時代に至るまでは生きたラクダの血管から抜かれた血液は、一種の血液プディングの様なもので、空腹な季節、あるいは、恐らくは、他の時期でも食することができた。しかしながら、生命を含む供犠動物の血液は、食するにはあまりに神聖だと徐々に考えられるようになり、ほとんどの供犠ですべてが祭壇に注がれたと分かってきた。ヘブライ人でもアラブ人でも、内輪での動物の食用屠殺は元来すべてが供犠的だったため、通常食でも血液の不使用が規則となった。そして、屠殺が正式な供犠に関わらなくなってからも、神の名のもとで屠殺し、血液は地上に注ぐことが必要だと考えられた。ヘブライ人の間では間もなくこの習慣は血食の絶対禁止を規定することになり、アラブ人の間では、この規則は預言者ムハンマドの戒律によって絶対的になった」

益の二割を納める「五分の一税（フムス）」が適用されている。ただし、現在ではザカートの税率はほぼ自由になっている。

このような義務的な喜捨に対して「サダカ」は、自由意思で納める献金の類をいう。

ビジネス目線で見がちな西側諸国は、アラビア半島産油国の所得税は低いという印象を持ってしまいがちだが、イスラーム社会では個人だけでなく、法人出資でもこのような喜捨義務を負っている。


イスラームの理想は、イスラーム法（シャリーア）の規範で運営される社会である。したがって、突き詰めれば、イスラーム世界に国境があるなら、それはイスラーム法が適用されていない社会との境界である。だが近代には国家が存在する。イスラーム協力機構に属する五七カ国でも大半の主権国家は、家族法を除けば、イスラーム法で運営されているわけではない。

しかし、イスラーム法の統治を目指す国家もある。中東ではサウジアラビア、パキスタン、イラン、アジアではブルネイなどが数少ない例である。また、領土の一部でイスラーム法の適用を容認する国家もある。その代表例は、ミンダナオ島にイスラーム自治区を設けたフィリピン、スマトラ島の北端アチェで特別自治を認めるインドネシアである。いずれにしても、イスラーム法は属人法（居場所にかかわらず、人を基準にして適用される法）である。ムスリムの暮らしにはイスラーム法の規律は欠かせず、イスラーム法学者の影響力は国境に縛られないものとなる。

イスラーム世界には多数の宗派や法学派があることはこれまでに述べた。西側諸国は税収を基盤として国家を運営するが、イスラーム社会は本来、喜捨（寄付）で運営される。ただし、現在の中東諸国では概ね国家と宗教社会が手を携えた運営が行なわれている。

信徒側に立てば、寄進を含めた喜捨は「来世に対する投資」であるはずだが、現代社会では、喜捨が目的税のように国家財政に組み込まれている場合がある。穿った見方をすれば、国家が宗教社会を取り込み、かつ社会統制に利用しているとも言える。

宗教資産「ワクフ財」

ザカート（義務喜捨）とサダカ（自由喜捨）に加えて、宗教資産に「ワクフ財」という寄進財がある。これは

「神に寄進された個人の財産」である。その宗教資産を利用し、また、資産活用による収入を投じることでイスラーム社会は弱者の日常を支えている。アラビア語で「停止」の概念を示すワクフは、つまり寄進によって資産所有が止まった状態を意味する。宗教資産として、モスクやマドラサ（学院）、病院や孤児院などは理解しやすい寄進対象であるが、かつてのイスラーム社会では、バザールやキャラバンサライ等の交易施設、ハンマーム（公衆浴場）等もまたワクフ財だった。社会運営に必要な収入を生む不動産もワクフ財である。

　ワクフはその目的と性格により宗教ワクフ・慈善ワクフ・家族ワクフの三つに分けられる。サウジアラビアの場合、宗教ワクフと慈善ワクフの二つは宗教ワクフ省に運営を委ねる。一方、家族ワクフは相続する資産をワクフとして寄進し、収益をワクフのメンバーに配分し、一部を慈善目的に拠出するという性格を持っている。ワクフ資産を維持運営する収入源も寄進する。

　ワクフはイスラーム共同体を支えるシステムであり、管理は公正な法学者等の組織に委ねられるべきだが、現代国家では、イスラーム・ワクフ省のような呼称で国家機能に組み込まれている場合が多い。用途は社会保障を目的としながらも、イスラームの活動を間接的に国家がコントロールする一例である。

ワクフ管理の建物（ザンジバル）
扉に「WAKF」の文字が見える

スンナ派の法学派

ではここでスンナ派の法学派を説明したい。まずアラビア語で「スンナ」とは、正しくは「スンナ・アル・ナビー」（預言者の伝統）のことであり、預言者の伝統に従う人々のことを指している。

　イスラームでは、神の啓示「クルアーン」、および預言者ムハンマドの言行録「ハディース」が最も重要な法源であり、次いで法学者による「イジュマー（合意）」、そして「キヤース（類推）」が重視される。スンナ派の法学派は、法源に何を重要視するかによって分かれている。また地域性は、それを重視したイスラーム王朝等の統治領域に結び付いている。もし、復古主義的な考え方が強いならば「クルアーン」と「ハディース」が重視されていると理解されよう。その代表例はサウジアラビアのワッハーブ派である。近世までは西欧列強の影響も限定的であった上に、アラビア半島内陸部の生活環境が、イスラームの興った当時と大きく変化していなかったこと、またマッカ、マディーナという巡礼地を有していることがその背景にある。預言者の言行録で最も信頼されている「ブハーリーのハディース」も、預言者の没後二五〇年を経て、編纂された。時代的、また地域的な影響を受けていることは否定できない。

　さて、スンナ派ムスリムを性格分けするなら、「急進派」か「穏健派」に分けて捉えると理解しやすい。急進派は総じて現代社会を改革したいと考え、復古主義的である。対して穏健派は、時代の変化に応じる法学者のイジュマーやキヤースを重視している。急進的な取り組みが行き過ぎれば過激主義に陥りがちとなる。加えて今日のインターネット社会では、情報が瞬時に世界各地で共有されるため、価値観や倫理観が異なる社会に対する安易な言葉さえも無秩序に広がってしまう、実に厄介な時代を迎えている。

スンナ派の正統四法学派

スンナ派には正統な地位を認められた正統四法学派がある。歴史的な経緯から分布には地域性があるが、信徒の数ではハナフィー派、マーリク派、シャーフィイー派、ハンバル派の順で多い。各々の特徴は次のとおりである。

●**ハナフィー派**……イラクの都市クーファ出身の法学者アブー・ハニーファ（六九九？～七六七年）に由来する。初期アッバース朝の保護を受けて中央アジアに浸透し、その後オスマン帝国に保護されて、その広大な統治下で適用された。法解釈を行なう際に個人的見解に基づく判断を重視する学派と見なされ、他の学派に比べ現実問題に対してより柔軟に対処する能力を持つとされる。

●マーリク派……マディーナの法学者マーリク・イブン・アナス（七〇八〜七九五年）に由来する。アンダルシアで後ウマイヤ朝が保護したことから、マグレブに浸透した。預言者と近かったマディーナの人々の言行を重視しており、復古主義的な考え方がある。

●シャーフィイー派……マーリク学派に学んだアブー・アブドッラー・ムハンマド・イドリース・シャーフィイー（七六七〜八二〇年）を祖とする。セルジューク朝が信奉したが、同朝が衰退すると、中東での勢いを失った。アラビア半島では南部のイエメンに信徒が多い。ハドラミーに代表されるイエメン商人の進出を通じて東アフリカと東南アジアに広がった。

●ハンバル派……シャーフィイー学派に学んだイブン・ハンバル（七八〇〜八五五年）に由来する。クルアーンとハディースだけを法源とし復古的なイスラーム主義を唱える。サウード家の祖アブドゥルアズィーズ・イブン・サウードは、ハンバル派の法学者ムハンマド・ワッハーブの改革思想を支持・支援することで「サウード家のアラビア」を建国した。サウード家は今もワッハーブ主義を国是とするが、正式には「ハンバル派」と自称している。人口としては国民の半数程と見られている。主な支持層はサウード家と共に伸長したネジド地方の部族社会である。

神秘主義教団スーフィー

さて、イスラーム勢力を影響力で捉える場合には、「スーフィー」と呼ばれる神秘主義教団を無視できない。スーフィーは、それぞれの法学派に属しながら、イスラームの規律に沿った生活を実践し、修行を通じて内面真理を追及する人々である。九世紀以降に今のイラクで勃興し、民衆信仰や土着文化と結び付きながらイスラーム世界に広がった。イスラーム主義が強い集団には強い結束力もある。トルコのケマル・アタチュルクの世俗化政策に対する抵抗運動も、スーフィー指導者によるものだった。今も北アフリカや南アジアを含むユーラシアに多数の教団が存在する。北イラクのクルド自治政府を主導するバルザーニ家が、スーフィーのナクシュバンディ教団の指導者を輩出してきた一族の出自として知られている。彼らの集団は、アラビア語で「タリーカ（真理を追究する道）」と呼称され、「ザーウィヤ」という修行場で学ぶ。神の唱名を伴う修行は「ズィクル」と呼ばれる。それは、瞑想であったり、太鼓を打ったり、楽曲と共に旋回し続ける踊りを伴うことでも知られる。

　現代では、その一部には観光化している例もある。特にトルコのメブレヴィー教団の旋回舞踏は有名である。

第9章　イスラームの分派とイスラーム社会の指導者

シーア派の人口

世界のムスリム人口は、二〇一〇年で約一六億人となっており、総人口の二三・四%を占めていた。これは米国ＰＥＷリサーチが発表した数字である。その将来予測では、ムスリムは二〇二〇年には一九億人、二〇三〇年には二二億人に達し、世界の人口の二六・四%を占める存在となるとされる。

一般的なメディアを通じて人々が理解するシーア派とスンナ派の人口比は概ね（おおむ）シーア派が一〇～一五%に対して、スンナ派が八五～九〇%の範囲である。それは、人口規模の大きい南アジア・東南アジア、そして北アフリカを含むアフリカ大陸のムスリム社会にスンナ派が多いからである。だが、中東の状況は異なっている。現実社会で覇権を競うエネルギー資源国に目を向ければ、ペルシア湾沿岸ではシーア派がスンナ派を大きく上回る違った景色が広がる。

宗派別の人口をあえて詳（つまび）らかにしていない国家も多いので推定の域を出ないものの、シーア派の割合は次頁の表のようになる。大雑把だが、ペルシア湾沿岸七カ国のシーア派人口は九六〇〇万人程となり、外国人居住者を除く国民の人口比では六八%を占めるマジョ

ペルシア湾沿岸７カ国のシーア派国民（人口単位：万人）

ペルシア湾沿岸国	2016 年の総人口〔世銀〕	国民人口（＊1）	シーア派	
			人口比	人口
イラン	8027	8000	90%	7200
イラク	3720	3500	60%	2100
クウェイト	405	130	30%	39
バハレーン	143	100	70%	70
カタル	257	50	0%	0
ＵＡＥ	926	400	0%	0
サウジアラビア	3227	2000	10%	200（＊2）
合計		14180	68%	9609

（＊1）外国人労働力（居住者）を除いた推定人数　〔The World Fact Book〕
（＊2）イスマーイール派を含む

リティになる。残る三二％の人口にはキリスト教徒等のマイノリティも含まれることから、スンナ派は、全宗派を合わせても三〇％を下回る計算となる。また、アラビア半島で最大人口を持つサウジアラビアでは、人口は紅海沿いと中央部に集まっており、ペルシア湾沿いの人口は少ない。しかし、東部のシーア派比率は三割近いと言われる。

　先述のとおり、アラビア半島は紅海・インド洋・アラビア海という三つの外洋に面し、オマーン湾・ペルシア湾を有する。地政学的には、欧州とアジアを繋ぎ、インド・アフリカへの展開拠点となる。ペルシア湾岸・湾内の島々に点在する諸都市は交易拠点、あるいは軍事拠点だった。チグリス・ユーフラテスの河口地帯と合わせ、ホルムズ海峡一帯の重要性が歴史的にも確認できる。

　アラビア半島東沿岸部、ペルシア西沿岸部では、それぞれにスンナ派、シーア派住民が土着し、交易活動に従事してきたことで、アラビア半島の沿岸部でもシーア派人口比率の高い地域が存在し続けているのである。GCC湾岸諸国とイランはアラビア社会とペルシア社会として違う存在が相対するように思われがちだが、歴史的に見てもペルシア湾の安全保障・交易、さらに石油ガス資源の利権の確保上でも、ＧＣＣ諸国にとってイランとの共存は欠かせない。

一二イマーム派の聖地と参詣

ここで、シーア派の最大宗派である一二イマーム派の聖地と参詣について述べていきたい。

預言者ムハンマドがイスラームを興した歴史の舞台であるサウジアラビアのマディーナ（メディナ）とマッカ（メッカ）は、イスラーム全宗派に共通な聖地である。マディーナには預言者モスク（マスジド・ナビー）があり、マッカには巡礼者の集まる聖モスク（マスジド・ハラーム）がある。これら二都市に加え、キリスト教とユダヤ教の聖地エルサレムもまたイスラームの聖地となっている。エルサレムはアラビア語では「アル・クドゥス」と呼ばれるが、その意味はまさしく「聖なる場所」である。エルサレムが聖地となった背景には「ムハンマドがマッカから夜空を旅してエルサレムを往復した」逸話がある。クルアーンは、「かれに栄光あれ。そのしもべを、（マッカの）聖なるマスジドから、われが周囲を祝福した至遠の（エルサレムの）マスジドに、夜間、旅をさせた。わが種々の印をかれ（ムハンマド）に示すためである。本当にかれこそは全聴にして全視であられる」（夜の旅章第一節）と記す。

エルサレムに着いたムハンマドはそこで七つの天に昇り、天上で神と過ごし、そして地上に戻る。その昇天（イスラー・ミラージュ）の地が、エルサレム旧市街の「岩のドーム」の建設場所である。

一二イマーム派ではこれらマッカ、マディーナ、エルサレムに加えて、預言者の血を継ぐ歴代イマームの墓所も聖地となっており、信徒には墓廟を「参詣」するならわしがある。アラビア語では本来「訪問」を意味する「ズィヤーラ」と表わされ、マッカを詣でる「ハッジ」と区別される。

一二代目はお隠れになったので、イマーム廟は一一代目までが存在する。だが、参詣はこれらの墓廟だけに留まらない。イマームの末裔や血縁、さらにはユダヤ人の墓廟も参詣対象である。中でも広く知られる例はダマスカス南方に残るサイイダ・ザイナブ廟である。初代イマーム・アリーの娘の墓廟にはシリア国外からも多くの参詣者が訪れ、巡礼ツーリズム先として賑わう。

また、興味深い例には、イランのスーサにある、旧約聖書「ダニエル書」で描かれる賢人ダニエル廟が挙げられる。現地のイラン人ガイドによれば、彼の賢さを賛えたイマームが、「ダニエルは自分の兄弟だ、彼の墓への訪問は自分の墓と同じ価値がある」と述べた逸話により、ユダヤ人ダニエルの墓廟も参詣されているという。

一一人のイマーム廟

さて、一一人のイマーム廟の所在だが、アラビア半島ではマディーナに二代、四代、五代、六代と四イマームの墓所があり、イランのマシュハドに八代イマームの墓廟がある。

そしてイラクの四都市に六人の墓廟がある。これらのうち、ナジャフ[※1]にムハンマドの娘ファーティマを妻とした初代イマーム・アリー廟、およびカルバラーにある三代イマーム・フサイン廟は重要性が際立つ。カルバラー参詣は信徒の義務となっている。両都市は法学者たちの学究都市であり、ホウゼと称される宗教学校も多い。また、七代、九代イマーム廟のあるカーズィミーヤと一〇代、一一代イマーム廟のあるサーマ

ダニエル廟

ツラ※2を加えたイラクの四都市は、「アタバート（「門口」の意）」と呼ばれ、特別視される。ナジャフを筆頭に、アタバートは、信徒たちが埋葬を願う地でもある。テヘランで会った財閥名家の一人は、「信仰に篤い人は、イマームの傍らに埋葬されたいのだ」と信徒の思いの強さを仄めかした。日本人的には「土に還る」ということかもしれない。

アタバートの土でできた「モフル」

筆者がその信仰心の強さを感じるのは、モスクやフサイニーヤ（地域の集会所）の入口、または信徒の自宅に、ペルシア語で「モフル」という円形の粘土塊を見かける時である。アラビア語圏であるサウジアラビア・カティーフのモスクでも、それは「モフル」と呼ばれていた。そのモフルは、実はアタバートの泥土で固められている。

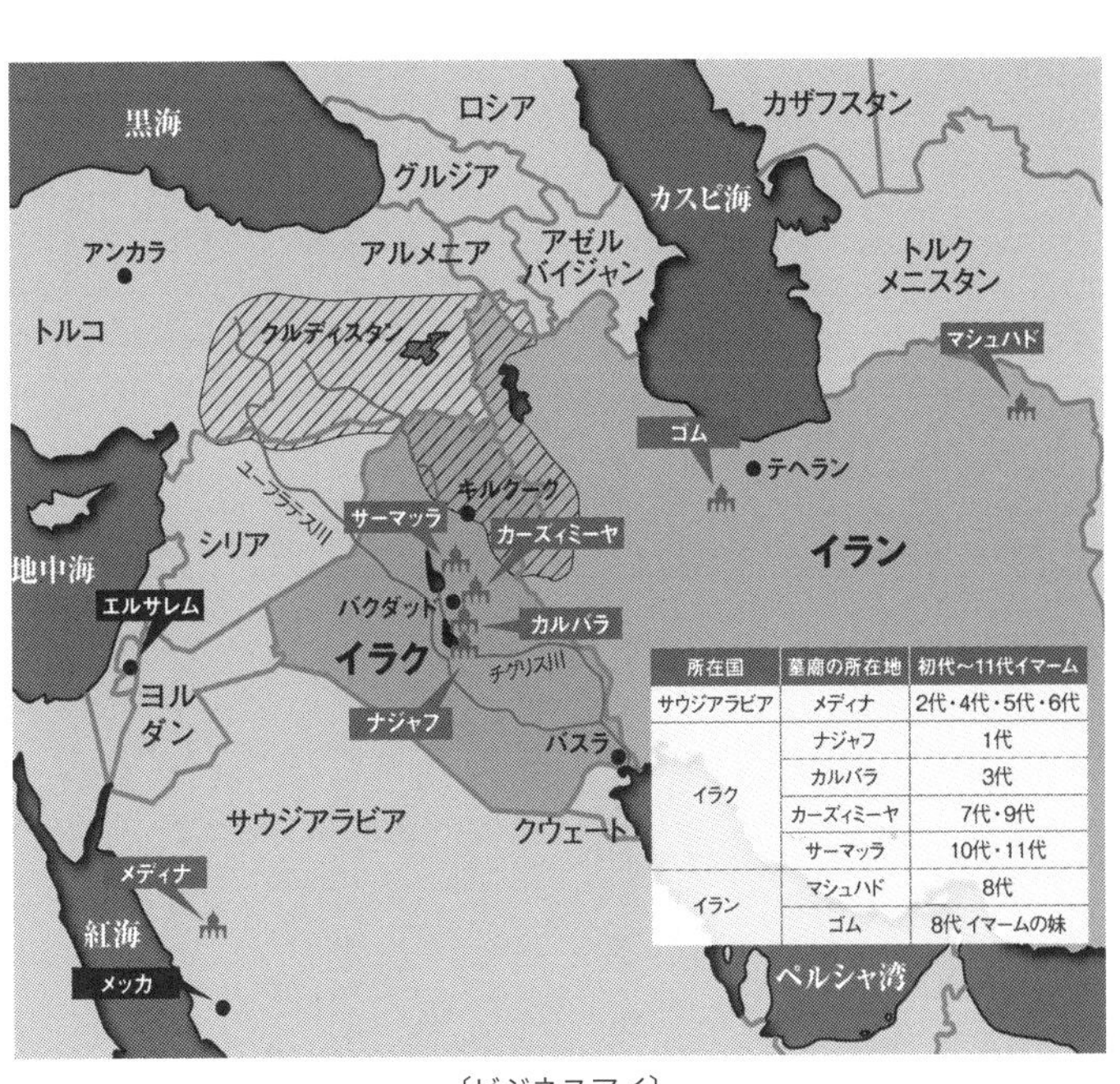

所在国	墓廟の所在地	初代〜11代イマーム
サウジアラビア	メディナ	2代・4代・5代・6代
イラク	ナジャフ	1代
	カルバラ	3代
	カーズィミーヤ	7代・9代
	サーマッラ	10代・11代
イラン	マシュハド	8代
	ゴム	8代 イマームの妹

〔ビジネスアイ〕

※1　シーア派初代イマーム・アリーの墓廟を中心として発達した。一一世紀から一二世紀にはシーア派の学問都市として栄えたが、一三世紀からはカルバラーが中心となった。だが、一九世紀にオスマン帝国がカルバラーを占拠すると、シーア派の法学者たちはナジャフに向かい、その後、ナジャフは再び学問の中心地となった。

※2　アタバート四都市（ナジャフ、カルバラー、カーズィミーヤ、サーマッラ）のうち、サーマッラのイマーム廟だけはスンナ派部族の管理下にある。

イスラーム礼拝の作法には、膝を屈して額を地べたに付ける場面があるが、その際にモフルが用いられる。アタバートの地で礼拝している感覚に近づくのであろう。そのモフルには、興味深いことにどのアタバートかを示す絵柄や記述が施されている。下の写真はイランで購入したモフルだが、ナジャフのモスクが浮かび上がっている。モスクの外見では宗派を判別できなくても、戸口にモフルが備えられていればそこは一二イマーム派だと分かる。ユダヤ人のダニエル廟にも整えられていた。

ナジャフのモスクをデザインしたモフル

カティーフのモスクに準備されたモフル

聖地参詣だけでなく、人々が国境の有無を意に介せず往来できるのは聖地のホウゼも同様である。それは、信徒の帰属意識が国家ではなくイスラーム社会にある事実を示す好例だとも言える。たとえば、最高位のイスラーム法学者アリ・シスターニ師は、イラクのシーア派社会を主導するが、家名からイラン南東部の町スィースターン出身であることが明らかである。

イスラーム社会に影響力を持つ指導者たち

では、各地の自治が国家で運営される現在、中東やイスラーム社会に発言力があり、実際に信徒を動員できる指導者とは誰なのか、人々の帰属意識はどこにあるのか。それを知る目安の一つに「世界で最も影響力のあるムスリム五〇〇人」というデータがある。ヨルダンの王立イスラーム戦略研究センターが、宗教、政治、メディア等の一五分野を通じた評価を行ない、総合ランキングとして毎年発表しているものだが、順位の変化は中東社会の変動を確かに映し出している。

上位指導者たちの顔ぶれを見ると、「国家君主や首長」「イスラーム法学者」「宗教ネットワークの指導者」にカテゴリー分けできる。君主や首長は法の枠組みをもって政治力を行使して自治を運営し、イスラーム法

〔*The Muslim 500, The World's Most Influential Muslims*〕

	2012 年	2016 年	2017 年
1位	アブドッラー〈国王〉 君主、部族長（サウジアラビア）	アブドゥッラー二世〈国王〉 君主、預言者の系譜（ヨルダン）	シャイフ・ムハンマド・タイブ 〈アズハル総長〉法学者（エジプト）
2位	エルドアン〈首相〉 イスラーム系政党・党首（トルコ）	シャイフ・ムハンマド・タイブ 〈アズハル総長〉法学者（エジプト）	アブドゥッラー二世〈国王〉 君主、預言者の系譜（ヨルダン）
3位	ハメネイ〈最高指導者〉 法学者（イラン）	サルマン〈国王〉 君主、部族長（サウジアラビア）	サルマン〈国王〉 君主、部族長（サウジアラビア）
4位	アブドゥッラー二世〈国王〉 君主、預言者の系譜（ヨルダン）	ハメネイ〈最高指導者〉 法学者（イラン）	ハメネイ〈最高指導者〉 法学者（イラン）
5位	ムハンマド六世〈国王〉 君主、預言者の系譜（モロッコ）	ムハンマド六世〈国王〉 君主、預言者の系譜（モロッコ）	ムハンマド六世〈国王〉 君主、預言者の系譜（モロッコ）
6位	スルターン・カブース〈国王〉 君主、イバード派イマーム（オマーン）	スルターン・カブース〈国王〉 君主、イバード派イマーム（オマーン）	シャイフ・ムハンマド・タキ 法学者、デオバンド派（パキスタン）
7位	シャイフ・ムハンマド・タイブ 〈アズハル総長〉法学者（エジプト）	ムハンマド・ナヒヤン〈皇太子〉 君主、部族長（UAE）	アリー・シスターニ 法学者、12 イマーム派（イラク）
8位	アリー・シスターニ 法学者、12 イマーム派（イラク）	エルドアン〈大統領〉 イスラーム系政党・党首（トルコ）	エルドアン〈大統領〉 イスラーム系政党・党首（トルコ）
9位	ユドヨノ〈大統領〉 （インドネシア）	アリー・シスターニ 法学者、12 イマーム派（イラク）	シャイフ・アブダッラ・ビン・バイヤ 法学者、マーリク派（モーリタニア）
10位	シャイフ・アリ・グマア 〈総ムフティ〉法学者（エジプト）	アミール・ムハンマド・ワッハーブ 法学者、ハナフィー派（パキスタン）	アミール・ムハンマド・ワッハーブ 法学者、ハナフィー派（パキスタン）

学者は法規範に沿って裁定することで、信徒を正しく扇動する立場にある。そしてグローバル化が進んだことで、宗教ネットワークを通じた情報発信力が、信徒に大きな影響を与えるようになった。

そのような仕分けを念頭に、二〇一二年、二〇一六年、二〇一七年にリストアップされた上位一〇人の指導者を列挙した（上図参照）。そのうち、直近二〇一七年の顔ぶれを確認したい。

一位は、スンナ派の最高学府と位置付けられるアズハル[※1]（エジプト・カイロ）の総長である。有力者の子弟も含め、世界各地のムスリムが留学してイスラームを学ぶ総合教育機関である。アズハル・モスクのイマームも勤める法学者であり、アズハル・ネットワークを通じて世界に発信する資質を持つ指導者である。

二位のアブドゥッラー二世は、ヨルダンの国家君主であると同時に預言者ムハンマドの系譜ハーシム家の継承者である。イスラエルとの和平合意により、エル

※1　カイロにある一〇世紀に作られたモスクと大学が基礎となった世界最古の最高学府。シーア派のファーティマ朝が作ったが、アイユーブ朝を興したサラーフ・ディーンの代にスンナ派の学府となった。

サレムのイスラーム施設を管理する役も担っている。

三位は石油輸出大国サウジアラビアのサルマン国王である。自身は宗教指導者ではないが、マッカとマディーナという聖地を管理し巡礼者を護る立場から、同国の国王は一九八六年から「二聖モスクの守護者」を自称している。潤沢な資金力で、グローバルに活動する数々のイスラーム団体に対する支援も行なう。

四位のハメネイ師はイスラーム法学者であり、イラン・イスラーム共和国の最高指導者である。ヒエラルキーの強いイランの一二イマーム派社会を束ねる重責を負う。

五位のムハンマド六世はモロッコの国王であり、預言者ムハンマドの血筋を継承するとされるアラウィー朝の継承者である。

六位はパキスタンのデオバンド派法学者であるシャイフ・ムハンマド・タキである。イスラーム法に基づく裁定「ファトワー」を発する「ムフティ」である。デオバンド派は、一九世紀に北インドのデオバンドで設立されたマドラサ（学院）を拠点としたイスラーム改革運動に遡（さかのぼ）り、南アジアで主流のスンナ派である。

七位はイラクで一二イマーム派の信徒を牽引するアリー・シスターニ師で、地域のシーア派社会で最高位の法学者である。イランのスィースターン出身の家柄で、マシュハドとゴムに学び、その後イラクのナジャフに移った。イラン、ペルシア湾岸、パキスタンにも支持層を持ち、資金調達力も高い。一二イマーム派の最高位（マルジャア・タクリード）の一人で、同派最大の支持者数と資金力を有する存在である。イラン・イスラーム国の根幹をなす思想（ウィラーヤト・ファギーフ＝法学者の統治）※2を支持しておらず、イランの最高指導者ハメネイ師とは対立関係にある。

八位はトルコのエルドアン大統領である。オスマン帝国の歴史を継承しながら世俗主義国家となったトルコでイスラーム系政党ＡＫＰを主導し、イスタンブール市長から国政に転じた。近隣諸国に居住するチュルク民族の連帯も後押しする存在である。

九位は北アフリカ・モーリタニアのシャイフ・アブダッラ・ビン・バイヤである。マーリク派の法学者で、複数のイスラーム法学者団体の指導者として活動している。

一〇位に登場するパキスタンのアミール・ムハンマド・ワッハーブは「タブリギ・ジャマアット」という

復古主義者で、非暴力を唱え、布教活動に熱心な学派を主導する。人口の多い南アジア、さらに英国の南アジア出身ムスリムに支持層がある法学派である。

なお、二〇一七年は上位一〇人から外れたが、オマーンのスルターン・カブース（二〇二〇年没）も国家元首であると同時にイバード派を主導するイマームである。

また、影響力の推移を考えさせられる例として、ムスリム同胞団を指導するユーセフ・カラダーウィ師が挙げられる。アズハル出身のエジプト人法学者のカラダーウィ師は一九六三年カタルに移住。メディアやインターネットを通じてグローバルな発信力を高め、世界各地で支持層を拡大した。ムスリム同胞団からモルスィー・エジプト大統領が誕生した二〇一二年にはランキングは一四位だったが、シシ政権の一七年には影響力を失い三一位となった。

一方、地域・国際情勢に伴っても順位は変動する。たとえば、国民人口が少ないヨルダン国王の影響力が高くなったのは、パレスチナ和平協議での調整力、欧米との交渉力、そして預言者の系譜を持つ国王に正義力を期待する声が強いからであろう。

このようにイスラーム社会での評価を分析すると、国家元首が有力であることは当然としても、宗派や学派を牽引する指導者たちには安定した支持層があることが分かる。また、ムスリム人口はアジア・アフリカで増加しているが、牽引力は中東の指導者層にあると言える。

※2　「法学者の統治」とは、一二代イマームが再臨するまで法学者の最高権威者が人々を指導する役割を担うという考え方。

第10章　婚姻事情と家族法

イスラーム社会での国際結婚

アラビア湾岸諸国では多くの外国人が働いているが、イスラーム教徒が外国人と結婚するのは昨今の社会現象である。クルアーンに「多神教の女とは、かの女が信者になるまでは結婚してはならない。……また多神教の男が信者になるまでは、あなたがたの女子をかれらに嫁がせてはならない」（雌牛章二二一節）とあり、イスラーム社会では多神教徒との結婚は認められず、改宗が必要となる。

ムスリム（男性のイスラーム教徒）は啓典の民、つまりイスラーム教徒・ユダヤ教徒・キリスト教徒の女性を妻にできるが、ムスリマ（女性のイスラーム教徒）の結婚相手はムスリムに限られる。現代にあっては、これは著しくバランスを欠いたルールだと受け止められても仕方がない。ただ現実には、イスラーム教徒が人口の大半を占めるアラビア半島諸国の国籍を持つ男性が、ムスリマ以外と結婚する例は限られている。ほとんどは、留学や海外勤務などの折に出会ったケースである。

もし、知り合った女性がムスリマでなくユダヤ教徒かキリスト教徒であった場合、理論的には改宗は必要ない。しかし実際のところ、中東イスラーム社会では女性が改宗するケースが大半を占めている。そうでなければ、妻ないしは夫婦共に、親族との付き合いや地域社会でも孤立することは必然である。また妻は子供の親権を得ることができない。つまり、イスラーム教徒が国民の大半となっている湾岸諸国の婚姻はほぼイスラーム教徒同士ということになる。

ただし、外国人との結婚に関して問題となるのは、アラビア半島にも国家が成立して以降の議論である。サウジアラビアとオマーンを除くと、アラビア半島の部族社会が国家の枠組みに収まったのは今から五〇年ほど前のことでしかなく、それ以前のアラビア半島では異なる部族や宗派間の通婚であった。

イスラーム社会は領域国家単位でなく、ボーダーレスな世界として把握したほうが分かりやすい。つまりイスラーム教徒にとっての国境は、イスラーム法で統治されているか否かが境目となる。そのため部族の血縁関係も一カ国に留まらず、特に言語を共有する中東アラブでは地域をまたぐ婚姻は当然のように存在し、本来イスラーム法のもとで成り立つ婚姻を国家は規制しない。あくまで、国家は結婚の登録や永住権・国籍の付与を行なうのみだが、それは別の議論で述べる。

湾岸諸国の事情

経済活動の盛んな湾岸の産油国には、他のアラブ諸国、ヨルダン、シリア、パレスチナ、エジプト、スーダンなどから人々が集まる。教師や医師、組織の中間管理職、サービス業、農耕に従事する労働者も多い。またフィリピン、インドネシア、インド、パキスタンなどのアジア諸国からも、大勢のイスラーム教徒が中間管理職やブルーカラーの労働者として就労している。ムスリマであればサービス業に従事する人々、ハウスメイド、医師や看護師もいる。彼女たちを産油国に送り出す側の国家にとっては、海外から受け取る外貨送金は重要な収入源となることから、定着できるよう人々にスキルを身につけさせることにも積極的である。

そのように大勢の外国人と共存している社会環境の中で昨今、湾岸諸国では外国人との結婚が社会現象となっている。そこには主に二つの理由があると言われる。一つ目は、伝統的なアラブ部族社会のルールから距離を置きたい若者層の思いである。親族と結婚することは、部族社会の空間の中で一生を縛られることを意味し、しかもアラブの女性は家庭内での発言力が強い。二つ目は経済事情、つまり結婚資金である。親族や同じ社会から妻を娶ることが当然な社会であっても、費用負担は重く、結婚資金を若者たちが準備しきれなくなった。あるいは、そのような資金負担を負いたくない若者や家庭が増えた。さらに、イスラームの婚姻では、妻は衣食住を夫に保証させる権利があるとされる。

婚姻契約金「マフル」

結婚資金とは、婚約式や結婚式など一連の行事を賄う直接費用である。部族社会の見栄もある上に、会場をホテルとするなど祝宴も豪華になり、昨今では費用負担が大きくなった。その上、最大の問題点は男性が女性に支払う「マフル」（日本語の「結納金」に相当）である。これは男性が女性に支払う義務の婚資である。シャリーア（イスラーム法）における婚姻は「契約」であり、マフルはその契約金に当たる。クルアーンには、「あなたがたがもし孤児に対し、公正にしてやれそうにもないならば、あなたがたがよいと思う二人、三人または四人の女を娶れ。だが公平にしてやれそうにもないならば、只一人だけ（娶るか）、またはあなたがたの右手が所有する者（奴隷の女）で我慢しておきなさい。……そして（結婚にさいしては）女にマハル（マフル）を贈り物として与えなさい」（婦人章三～四節）とある。

マフルは宗派によっては「サダーク」とも呼ばれる。イスラームが起こる前、マフルが妻の後見人に払われ、サダークは妻自身に払われたが、イスラーム法によって妻自身が得る個人資産に一本化された。クルアーンでは「あなたがたが一人の妻の代わりに、他と替えようとする時は、仮令かの女に（如何に）巨額を与えていても、その中から何も取り戻してはならない」（婦人章二〇節）とある。

マフルは、新郎個人が負担するものと規定されるので、マフルを準備することが結婚への第一歩となるが、高額になったマフルを用意できない男性が多くなった。近年、アラビア半島の産油国の経済は勢いを失い、今では財政赤字の国ばかりである。たとえば、サウジアラビアでも一九八〇年の一人当たりの実質GDPは一四万八千リヤルだったが二〇一七年には七万九千リヤルとほぼ半減している。たとえ経済規模全体が拡大ないしは維持されていても、バースコントロール

（産児制限）のないイスラーム諸国では新生児数は増え、さらに医療事情の改善で人々の平均余命も延びている。その結果、従来、新卒者でも希望者は皆公務員に採用されてきた産油国で、今では新卒者の雇用機会は限られ、仕事を持たない若年層が増えた。つまり、結婚すべき若年層が収入を得られなくなった。その上、部族の見栄もある社会で経済格差も広がったのである。

家族法に規定される婚姻とマフル

西側諸国が中東やアジアに進出したことで、司法がイスラーム法に委ねられてきた社会でも、欧米の近代法に沿った法制度が各地で導入された。しかし近代法が適用されているイスラーム国家でも、シャリーア（イスラーム法）裁判所は今もなお機能している。ただし、サウジアラビアやブルネイなどイスラーム法を刑法にまで適用しているいくつかの国家を除き、同裁判所が対象とするのは家族法の分野である。この状況は、イスラーム教徒がマイノリティとなっているアジア諸国、たとえばフィリピン、タイ、シンガポール等でも同様である。日本などのようにイスラーム教徒数が少なく、シャリーア裁判所がないところでも、家族法の規定は

オマーン政府に抗議する若者失業者（人材省前）

厳密に順守されている。

イスラーム法では、婚姻契約の当事者は「本人（男性と女性）・後見人・証人」である。当事者が揃うと男性側が申し込み、新婦となる女性が承諾して、女性自身が契約に署名する。ただし、女性側の契約当事者は本人ではなく後見人である。後見人は多くの場合、女性の父親がなるが、後見人は署名はしない。その理由について、『イスラーム家族法』（柳橋博之著、三四～三五頁）は次の四つの側面を指摘している。

①イスラーム期以前に起源を有する未成年者や女性に対する男性父系血族の人格的支配の残滓（ざんし）
②形式上明確な基準による婚姻と姦通の区別
③女性の父系血族の保護（女性の血族が不名誉を被るのを防ぐために存在する。たとえば婚資額が非常に低い場合など）
④本人の利益を保護

婚姻締結に関わる後見人は、第一位が新婦の父親で、父親が死亡している場合は家族法で定められた第二位の権限者がその役割を果たす。それを誰とするかは後見人の役割や宗派で異なり、ハナフィー派の一例では、被後見人（つまり女性）が婚姻強制（結婚するように強制されること）を受ける場合、「父親の男性尊属、親等の小さい順に優先」とある。

婚姻が有効に成立するには証人の立ち合いが必要である。証人の役割については「イスラーム法において契約が有効に成立するために証人の立会いが必要とされることは例外的である。これは、証人が立ち会って、婚姻の成立を世間に知らしめることにより、男女の性交渉が有効な婚姻を前提として、したがって合法に行われたことを明確にするためである」（前掲書、一〇六頁）と説明されている。

マフルは契約条件に織り込まれ、その支払いが実行されない限り婚姻は成立しない。その支払いは一括払いではなく、婚姻契約の成立で支払われる前納と、離婚や死亡などの事由で婚姻関係が解消される際に払われる後納に分けられている。つまり後納のマフルは、言わば離婚保証金のようなものである。金額は当事者の社会的地位や学歴、長男だとか長女であるとか家族内の立場によっても異なる。新郎に資力がない場合、後見人が負担するとしても、あくまで保証として扱われる。

一九世紀半ばに書かれた『現代エジプト人のマナーと習慣』（*Manners and customs of the modern Egyptians*）で著者ウィリアム・レインは、中流層で収入が良い初婚女性の場合で、約一千リヤルと記している。

この金額は女性の代理人を通じた交渉で決まる。たとえば、女性側が一千リヤルを求めると男性側は額を下げようと六百リヤルを申し出、交渉の結果八百リヤルで折り合うといった塩梅（あんばい）である。マフルは三分の二が婚姻契約の前に支払われ、残る三分の一は保留され、妻の同意なく離婚する場合、ないしは夫が死亡した場合に妻に「離婚保証金」として支払われる。その意味ではマフルは離婚後の女性の生活を保護する重要な資金でもある。なお、イスラーム社会では、女性は結婚後も旧姓を失わない、という事情も手伝っている。

（『現代エジプト人のマナーと習慣』一六三頁）

婚資事情が促した外国人との結婚

今、湾岸産油国で社会現象となっているのが、外国人、特に所得水準の異なる地域出身者との結婚である。新婦がイスラーム教徒であれば、マフルの契約条件・金額は相手国の基準に従う。具体的には、アジアやアフリカ諸国の人々の所得水準はアラブ産油国よりも低く、マフルも高額にはならない。相手女性がイスラーム教徒に改宗して結婚する場合も、金額は大きな問題とはならない。仮に、新婦が非イスラーム教徒のままで結婚する場合にはマフル自体が不要になる。

そのような事情により、資力が十分でない男性が外国人女性を妻とするケースが増えている。そうなると

The Islamic Cultural Centre & London Central Mosque
146 Park Road, London, NW8 7RG. Tel: 020-77243363 Fax: 02077240493
[http://www.iccuk.org - email: info@iccuk.org]

Dowry Agreement

Dowry or *Mahr* is the amount to be paid by the groom to the bride at the time of marriage *[nikah]*. It is one of the conditions of marriage which are: consent of both parties, two witnesses, wali [guardian], and dowry. It is a gift for her to spend as she wishes. There is no specific amount of the dowry. It should be given according to the social status of the bride. It can be cash, jewellery or any other valuable gift. The *Mahr* is the right of the wife, and it is not permitted for her father or anyone else to take it except with her approval. If the bride later seeks a divorce which the husband does not wish for, she is allowed to return him the money and seek what is known as a *khul* [divorce]. Normally, if a divorce takes place for the usual reasons, the bride would be entitled to keep the *Mahr*.

Sometimes a bride [or her family] demands an enormous *Mahr*. The Prophet *[pbuh]* set the example of modest sums, and many Muslim women generously use their money to support their husbands and families in some way, although they are not obliged to do so.

If a woman has money of her own, she is not obliged to spend it on her husband or family, but a Muslim husband has the obligation to be able to keep and support his wife and children himself, at his own expense. If a wife goes out to work, or donates money, this is to her credit and is regarded as an act of charity *[sadaqah]*.

Similarly, if the wife foregoes any part of the *Mahr*, the husband is permitted to take it, as Allah says: "… **but if they, of their own good pleasure, remit any part of it, take it, and enjoy it without fear of any harm *[as Allaah has made it lawful]*.**" [4:4]

There are two ways of presenting the *Mahr* to the bride. One is to hand it over at the time of the marriage, in which case it is known as *Mahr* Mu'ajjal, or promptly given dower. The other one is called Mu'khar [delayed].

Based on that we hereby agreed on the dowry [*Mahr*]. Both of us have agreed that *Mahar* [dowry] is to be paid in advance:……………………….and the delayed is:…………………. on the date:
……………………………………………………………………………

We would like the information to /not to appear on our certificates.

Husband Name: …………………… **Wife Name:** ……………………
Signature :…………………… **Signature:**……………………
Date:…………………… **Date:**……………………

婚資「マフル」の契約フォーム「キターブ」。
前払い分と後払い分を記載する欄がある

当然、アラブ人女性が国内で結婚相手と巡り合う機会は減り、女性の未婚率が高まることから、国家としての対応を要する社会問題となった。アラブ首長国連邦（UAE）などでは、国家としてマフルの金額上限を定める措置を講じたものの、それが遵守されているわけではなさそうである。さらに、UAEでは外国人との結婚で生まれた子供たちの言語、たとえばアジア出身の母親のもとに育つ子供の言語に問題が生じているとの指摘がある。二〇一七年、シャイフ・ハリーファ医療センターの小児精神科は、UAEの子供の七％に言語混乱があり、その理由にインターマリッジ（異なる人種間の結婚）を挙げた。加えて、育児を任せる家政婦もまた外国人であることが障害になっているとも指摘されている。

サウジアラビア人男性の外国人女性との婚姻も社会現象になった。現地紙「ワタン」は、外国人妻の出身地比率について「アジア六四％、アフリカ一九％、GCC諸国（サウジアラビア、UAE、バハレーン、オマーン、カタル、クウェイト）四・三％、西側諸国四％」と記し、若者が外国人と結婚する理由として、マフルや結婚費用の高騰、男性の低所得という現実、家族意識の低下などを指摘している。

またサウジアラビア司法省によれば、外国人との婚姻関係にある自国民の女性の数は七〇万人にも上る。既婚女性の実に一〇％相当の女性の夫は自国民以外ということになる。このような事態に対し、政府は外国人との結婚に一定の規則を適用し始めた。二〇一六年には、男性が外国人女性と結婚できる年齢を四〇〜六五歳、相手の外国人女性は二五歳以上で両者の年齢差を三〇歳以内とした。また女性が外国人と結婚する場合の年齢を三〇〜五五歳に制限した。しかし、二〇一

THE LONDON CENTRAL MOSQUE TRUST &
THE ISLAMIC CULTURAL CENTRE
146 Park Road, London NW8 7RG.
Tel: 020 7724 3363 (10 Lines). Fax: 020 7724 0493
Email: info@iccuk.org Website: www.iccuk.org
A Registered Charity

Islamic Marriage (Nikah) Booking Form

Date		Time	

Details		Groom	Bride*
Surname (Last Name)			
First Name			
Date of Birth			
Telephone			
Address	UK		
	Overseas		
	UK Resident?	Yes No	Yes No
Nationality			
Passport Number			
Born Muslim?		Yes No (Embraced)	Yes No (Embraced)

*Has the bride ever got married? No Yes *If yes, please provide us with proof of Divorce.*

Civil Marriage Certificate Details	
Register Office & Country	
Certificate Number	
Date of Civil Marriage	

Full name of Bride's Guardian or Wali	

Names of the Two Muslim Male Witnesses			
1st Witness		2nd Witness	
Nationality		Nationality	

Official Use Only			
Submitted Supporting Documents			
Civil Marriage Certificate	Groom's Passport	Bride's Passport	
Groom's Conversion Cert	Bride's Conversion Cert	Witness 1 Passport	Witness 2 Passport
Processing Fees			
Date	Amount		
Registrar's Signature & Stamp			

結婚登録フォーム。後見人、および二名の男性証人を記載する欄がある

八年にはさらなるルールが施行され、三〇歳以内とした年齢差を一五歳以内へと大幅に狭め、女性が結婚できる年齢上限も五年引き下げ、五〇歳までとした。一方、結婚しても外国人の妻にサウジアラビアが国籍を付与する必要はないと確認する書類に署名することも条件となった。しかも、もし離婚後に外国人と結婚するのであれば、離婚後二年を経過しなければならない。

国家への登録問題

日本社会では、宗教儀式による挙式だけではなく、役所への婚姻届が受理されて初めて夫婦として扱われる。だが中東のイスラーム社会では、イスラーム法の規定による契約が成立すれば、婚姻手続きは完了する。宗教法の「契約」のほうが、市民法の「入籍」より重要であり、国家への登録（入籍）はどちらかと言うと副次的な作業となる。つまり国家は婚姻の届け出を自動的に受理するわけではない。

たとえば、オマーンでは自国民が外国人女性と結婚してもすぐに登録されることはなかった。筆者がオマーン人から直接聞いた話では、非常に稀に（たとえば五年に一度）、カブース国王が外国人妻の登録を認めるタイミングがあり、その際に駆け込みで手続きをしたそうである。むろん政治力も必要だったようだ。

マフルの重要性を知らない日本人女性等が、「形式的なものだ」と考えて極めて安いマフルで結婚し、離婚となった場合に、ほとんど無一文で追い出されるという悲劇的な例も時折見られる。

第11章　離婚のルール

婚姻を通じて有力部族が互いに血縁関係を深める動きは、アラビア半島一円に見られた。部族たちが戦闘を繰り返す中、統治を広げる手段として婚姻を利用した例は、たとえば、サウード家の首長の婚姻に見て取れる。サウード家は過去に二度アラビア半島で勢力を拡大させたことがあるが、覇権は続かなかった。今の首長家の再興を果たしたのは、アブドゥルアズィーズ・イブン・サウードであり、現サウジアラビア国王はその息子の一人である。後継者候補の資格を有する息子は三六人とされるが、母親の出身地はサウジアラビアの外からも、イエメン（三人）、モロッコ（二人）、カフカース（三人）と多様である。二〇一五年に没した前国王アブドゥッラーの母も、シリアやイラクに勢力を持つアラブ最大の部族グループを率いるシャンマリ族の部族長の娘であった。アラブ首長国連邦（UAE）でも首長家同士の婚姻繋がりは多く、アブダビのナヒヤーン家とドバイのマクトゥーム家も婚姻で関係を深めた。

ドバイ首長家のスキャンダル

近年では二〇〇四年、経済的成功を収めたドバイの首長マクトゥーム家に、預言者ムハンマドの子孫系譜であるヨルダンのハーシム家の王女が嫁いだ婚姻が衆目を集めた。当時、ドバイ首長の弟だったムハンマド・マクトゥーム皇太子が結婚した相手は、ヨルダンのフセイン国王の三女ハヤ王女で、皇太子には六度目の婚姻だった。当時兄のドバイ首長が病床にあり、皇太子が実質的に首長の役割を担っていた。なお、彼ら兄弟の母親もアブダビのナヒヤーン家出身である。

ハヤ王女は、現在のアンマン国際空港に名を残すアリアー王妃の長女だが、アリアー王妃自身もフセイン国王の三番目の夫人であり、ハヤ王女はフセイン国王にとっては三女に当たる。王女は馬術の技量でも知られ、結婚前にはシドニーオリンピックに参加した腕前を持つ。一方のドバイ首長家も国際的な競馬場を整えて、ドバイ・ワールドカップを開催するほどの馬術愛

ヨルダンのクィーンアリア国際空港

ドバイ首長がインスタグラムに掲載した自らの詩

好家の一族である。

ところが最近、彼女が一〇歳と七歳の子供を連れてムハンマド首長のもとを離れ、英国で政治亡命を求めている事実が明るみに出た。文人としても知られる首長は、妻に裏切られた思いを自らの詩に込めインスタグラムで公開したと言われる。首長は王女との離婚はいとわない姿勢だとされるが、子供たちを取り戻そうとロンドンで訴訟を起こした。まだ幼い子供たちの結婚を部族の風習にならって首長が強要したことが背景にあるとの報道もあり、ハヤ王女が子供たちを部族の慣習から守ろうとした動きとも見られている。

加えて二〇一八年、首長の第一夫人との間の娘ラティーファ王女がヨットで逃亡を企てて失敗し、軟禁生活に陥っているとする情報も広がり、首長による虐待疑惑も取りざたされている。

離婚成立の条件

さて、イスラーム社会では、前述のように婚姻は契約である。離婚は契約の解消になるが、離婚を宣言できるのは夫のみで、妻は自身の決断だけでは離婚できない。ハヤ王妃の逃亡劇を複雑にしているのも、この離婚方法による。

離婚の方法は一六もあると言われるが、夫による一方的な離婚の具体的な手段は「タラーク離婚」と呼ばれる。「タラーク」という単語は、アラビア語で「解放する、置き去る」という原意を持つ語根「tlq」の派生形である。その手順はシンプルで、夫が妻を「お前はタラークだ」と三度宣言すれば、即座に離婚が成立する。

ただし、クルアーンは妻を離縁しようとする男性に「預言者よ、あなたがたが妻と離婚する時は、定められた期限に離別しその期間を（正確に）計算しなさい。あなたがたの主アッラーを畏れなさい。かの女らに明白な不貞がない限り、（期限満了以前に）家から追い出してはならない」（離婚章一節）と直ちに追い出すことを禁じた。

また、「妻と縁を絶つことを誓う者は、四ケ月間待たねばならない」（雌牛章二二六節）、「離婚された女は、独身のままで三度の月経を待たねばならない。またもしもかの女らが、アッラーと最後の日を信じるならば、アッラーが胎内に創られたものを、隠すのは合法ではない。（この場合）夫たちがもし和解を望み、その期間内にかの女らを復縁させるならば、より権利がある」（雌牛章二二八節）と、離婚の確定までに一定の期間を求めた。それは、胎内に子供がいないことを確認するためである。

これは「イッダ」（待婚）と呼ばれる期間のことである。死別の場合でも、「もしあなたがたの中死後に妻を残す者があれば、かの女らは独身のままで四ケ月と一〇日間を待たなければならない」（雌牛章二三四節）とあるように、女性は再婚までイッダ期間を置かなければならない。

なお、夫の離婚宣言は夫の意向による契約解消であることから、婚資マフルの後納部分の支払い義務が履行されて初めて離婚が有効となる。

男性には自分の意思で離婚する手段が認められているが、女性が婚姻契約を解消できるのは、結婚相手に性的障害があると発覚したケース、「婚資の不払い」のように婚姻契約の義務が履行されないケース、そして、結婚後の「妻や家族への扶養義務」が履行されないケースである。クルアーンでは、結婚後は、夫は妻と子供を、衣食住にわたって扶養する義務が生じるとされるからである。

夫の扶養義務

現代の日本では夫が妻を扶養する法的義務はないが、イスラームの婚姻契約では、夫は衣食住において妻を扶養する義務を負っている。この義務が履行されない場合は、前述のように離婚の対象とされることがある。

夫が果たす扶養義務について、『イスラーム家族法入門』（フランソワ・ポール・ブラン著、八六頁）は、「妻は自分が消費しうる食料の全てを請求する権利がある……夫は自分の住まいとは別の住居を妻に与える義務はないが、少なくとも数室からなる住居あるいは別個の一部屋を与えなければならない。夫はそれぞれの妻に対してこの義務を負い、妻たちに共同生活を強いることはできない。家具類は夫が負担し、妻の社会的な地位や身分に相応しいものでなければならない。更に、妻には一年に二種類の衣類（冬服と夏服）を請求する権利があり、その衣服の価格や生地は、夫の財産、妻の身分およびその地方の慣例によって決められる」と説明している。

さて、妻のほうが別れたい場合、自分から一方的に婚姻解消できないことから、夫婦間で契約の解消に合意する必要が出てくる。この離婚合意は「身請け離婚」と言って「クフル」と呼ばれている。クルアーンには「もしあなたがた両人が、アッラーの定められた掟を守り得ないことを恐れるならば、かの女がその（自由を得る）ために償い金を与えても、両人とも罪にはならない」（雌牛章二二九節）とある。夫が結婚の義務を果たせないと考えられる場合、妻のほうが夫に婚資を返すことで自らを身請けして別れるという離婚方法である。学派により扱いに違いがあるようだが、妻は婚資の権利を放棄することで契約が解消されるが、この方法は極めて難しいとされている。

改宗による契約解消

離婚を目的とする契約解消ではないが、「妻の改宗による契約解消」という事態もある。共にイスラーム教徒ではない夫婦で、妻がイスラームに入信することになった場合、本来ならこの夫婦の結婚継続は許されないことになる（ムスリマはムスリムとしか結婚できない）。

だが、夫婦が望まない離婚を避けるために、イスラーム法学者たちの見解は幅広いものとなる。たとえば、法学者の見解には、妻が先に入信し、彼女が結婚の継続を望むなら、夫の許に留まって彼の入信を待つことができる。夫が入信した時点で女性は改めて妻となる、という融和策も見られる。

古代から続くルール

アラビア半島のイスラーム社会では離婚の主体が男性側にあることはこれまで述べたとおりだが、この慣習は実はメソポタミアやアラビア半島で過去から続いてきたものであることが、地域で出土した判例の記録でも明らかになっている。

たとえば、ハンムラビ法典には離婚を巡る判例が多く記されている。

もしアウィルム（自由人）が、彼に息子たちを産まなかった正妻を離婚しようとするなら、彼は彼女に彼女のテルハトゥム（結納の金品）相当の銀を与え、彼女が自分の父の家（実家）から持参した持参財を元通りにして返し、彼女を離婚することができる。（第一三八条）

もしテルハトゥムが無い場合は、銀一マナ（約五〇〇g）を離婚料として彼女に与えなければならない。

（第一三九条）

もしムシュケーナム（アウィルムより下層の社会階級の人）の場合には、銀三分の一マナを離婚料として彼女に与えなければならない。　（第一四〇条）

結納の金品と解釈される「テルハトゥム」について、『古代法解釈』（佐藤信夫著、四四七頁）では、「基本的には現金で、……花婿あるいは花婿の父親から花嫁の父親に与えられた。このテルハトゥムは、そののち、花嫁の父親から彼女の身につけて夫（あるは夫の父親）に返され、夫（あるは夫の父親）の管理下におかれたが、あくまでも妻に所属する財産の一部で、夫の死後は実質的に妻の所有に帰した」との見方を示している。

旧約聖書では離婚のルールを述べている箇所は限られているようだが、『古代オリエントの法と社会』（H・J・ベッカー著）は、男性からの離婚が容易だったとする見方を述べている。

法の主題として離婚法を判然と取り扱っている例は、旧約聖書にはごくわずかしかない。しかし、離婚の事態を暗示する言及は数多くある。例えば、ホセア書二章四節〔二節〕は離婚宣言定式として引かれる。

彼女は私の妻ではない、私も彼女の夫ではない。

この関連で、最も重要なのは申命記二四章一〜四節aの本文である。

ある人が妻を娶って彼女の夫となったが、彼女に気にさわることがあるのを発見して気に入らなくなり、離縁状を書いて彼女に手渡し彼女を家から立ち去らせた場合、彼女がその家を出て行き他の男の妻となり、その二番目の夫も彼女を嫌いになり、彼女に離縁状を書いて手渡し彼女を家から立ち去らせるか、あるいは彼女を娶ったその人が死んでしまった時、最初に彼女を家から立ち去らせた男は、こうして元の妻が〔自分と〕不浄〔な関係〕になった後に、再び彼女を娶って妻とすることはできない。……

この規定は、正式に離婚した後に他の男の妻となった女性との再婚を禁じている。だがこの規定から、旧約聖書における離婚法について幾つかの指摘がなされている。離婚をするには、夫の側からの方が、比較的簡単であったことを示している。

（『古代オリエントの法と社会』一六五〜一六六頁）

「トリプル・タラク」廃止を支持する女性たち――インド

裁判所から直接メールを受け取れることになった――サウジアラビア

女性の権利を保護する動き

二〇一九年七月三〇日、インド上院議会で「トリプル・タラク」の廃止法案が承認された。このトリプル・タラクとは、一度のタラク宣言を三度の宣言と扱うことで、即席離婚を成立させる手段である。世俗的社会を追及する与党ＢＪＰが、この手法を禁じる法案を議会に提出し、上院議会は「九九票対八四票」の僅差でこの法案を承認した。インドの司法では、イスラーム教徒の婚姻や離婚については、過去において身分法（religious personal law）としてイスラーム法が適用されてきた。しかし、ムスリマの権利を保護するため、インド司法は一般法を加味し、イスラーム法で定められた判断を超える裁定を行なって、新たにムスリマを対象に離婚に関する権利保護法を制定した。今回、議会はトリプル・タラクの慣習を違法とし最大で禁固三年となる罰則規定も設けたのである。ナレンドラ・モディ首相は「中世からの旧態依然とした慣習は最終的に歴史のゴミ箱に収められた。議会はトリプル・タラクを廃止し、ムスリムの女性たちに適用されてきた歴史的な過ちを正した。ジェンダー正義の勝利だ」とツイートした。

サウジアラビアでも二〇一九年一月、離婚が成立すると妻には裁判所から直接メールで通知されるルールが制定された。唖然とさせられるが、これまでは妻が知らぬままに「秘密の離婚」も横行していたのである。前年に女性の運転免許を認めたサウジアラビアは二〇一九年八月、女性の公的な立場を容認する規制緩和に踏み切った。たとえば、これまで旅券の発給や更新に必要だった父親や夫をはじめとする男性親族後見人からの許可は不要とした。また、公的機関に対して女性が出産や婚姻を届け出る権利、未成年の子供の保護者として認められる権利も容認した。厳格なイスラーム社会であるだけでなく、保守的な慣習も維持されてきたサウジアラビアでも、社会変革に向けた動きと共に、女性の権利保護を主張する活動が、地域住民の賛同を得て広がりつつある。

第12章　来世と聖者廟（びょう）

質素な墓と葬儀

湾岸諸国で葬られるイスラーム教徒の墓地は驚くほど素朴である。アラビア半島を車で移動していると時々、地方集落の近くに共同墓地を見かける。囲いは、あったとしても至って簡易なもので、各々の墓にはやや大きめの石板やブロックしか置かれていない。飾り気が少ないため、意識して探さないと気づかずに通り過ぎてしまう殺風景さである。次頁の写真はアルアイン（アラブ首長国連邦、ＵＡＥ）のハフィート山麓の集落の外れにある共同墓地だが、ＵＡＥやサウジアラビアで見かける墓はこのようにシンプルである。

サウジアラビアで各地に設けられている公設墓地を訪れてみると、各々の墓は長方形の区画で仕切られているだけで墓石も立てられていない。誰のものかを特定できる目印は墓番だけである。ジェッダ旧市街の公設墓地には、アダムの妻エバの墓とされる墓がある。かつてそこにはエバの墓廟が建設されていたが、ワッハーブ派が破壊した。今では、そのエバの墓は公設墓地の一区画が割り当てられただけである。墓守である管理人にエバの墓はどれかと尋ねると、入口近くの「四番」に案内してくれた。

歴史は大きく遡る(さかのぼ)が、古代の墓はそうではなく、たとえば、同じハフィート山麓やオマーン東北部には、いくつもの円形積石塚墓群が点在している。かつては青銅器時代のものと考えられていたが、最近になって一部はシュメールやハラッパー文明より古い紀元前三千年期に築かれたことが分かり、アラビア半島東部の考古学に関心が高まっている。二〇一一年にはアルアインの文化的遺跡群の一つとして世界遺産に登録された。

さて砂漠での埋葬の慣習について、ウィリアム・レインは著書『現代エジプトのマナーと習慣』（*Manners and Customs of the modern Egyption* 五〇三～五〇四頁）で、「（当時の）イスラーム教徒が戦争や長旅で、特に砂漠に向かう場合は共通に、『埋葬で用いる布』（Grave-Linen）を携えていく」と当時の慣習を記録している。そして、「砂漠で疲労や飢餓、致命的な病に倒れて回復できない場合、砂漠に穴を掘り、沐浴をしてこの布地を巻いて横たわる。顔の部分を除いて身体を砂で覆って、安心して死を待つ。埋葬は風に任せて完全になる」とその目的を説明する。旅先での事態といえども、これこそが砂漠に生きる人々の習わしだったのであろ

ハフィート山麓の共同墓地（UAE）

う。

　確かにアラビア半島のイスラーム社会では葬儀も質素である。筆者も、取引先や知人の親族等の訃報を知らされるとすぐに葬儀場となるモスクや自宅に駆け付けた。大方の場合、不幸のあった翌日には慌ただしく葬儀が執り行なわれる。死亡から二四時間以内の埋葬が推奨されるので、早朝に亡くなればその日の午後ということもある。遺体の腐食が始まる前に弔うのである。そして、モスクや自宅でイマームによる儀式が終わると棺は埋葬地に運ばれていく。

　一方、アラビア半島以外の地では慣習が異なり、エジプトやヨルダンでは、場合によっては空き地や通りの一部に天幕が整えられて会葬が行なわれることもある。それでもイスラームの葬送儀礼は非常に簡素である。そんな光景と頻繁に遭遇した。

来世は天国に

　故人の肉体は土葬される。布地に巻かれた亡骸は、頭部をマッカに向けて伸葬で葬られる。それが砂漠の風景と重なると、まさに人は砂漠の土に還るのだと実感する。

　イスラームでは、聖書と同様、人間は土から創られたとされるので土に戻される。クルアーンは、「あなたの主が、天使たちに、『われは泥から人間を創ろうとしている』と仰せられた時を思え。『それでわれが、かれ（人間）を形作り、それに霊を吹き込んだならば、あなたがたは伏してかれにサジダしなさい』。そこで天使たちは、皆一斉にサジダしたが、イブリース（悪魔）だけはそうしなかった。かれは高慢で、信仰を拒む者となった」（サード章七一～七四節）と記す。

　来世については、清算の日（つまり最後の審判の日）、神が天国か火獄かを定める。火獄は、クルアーンでは「（かれらは）焼け焦がすような風と、煮え立つ湯の中、黒煙の影に、涼しくもなく、爽やかでもない（中にいる）。かれらはそれ以前、裕福で（享楽に耽り）。大罪を敢て犯していた」（出来事章四二～四六節）と描かれ、天国については、「（それは）永遠の楽園であり、その凡ての門はかれらのために開かれる。その中でかれらは（安楽に寝床に）寄りかかり、沢山の果実や飲み物が、望み放題である。また傍には、伏し目がちの同じ年頃の（乙女）が侍る。これらは清算の日のために、あなたがたに約束されるものである。本当にこれは、尽きることのない（あなたがたへの）賜物である」（サード章五〇～五四節）と描写される。そして、「（主を畏れる者は）このようである。だが反逆の徒には、悪い帰り所があろう。それは地獄である。かれらはそこで焼かれよう。何と悪い臥所であろうか」（サード章五五～五六節）と続く。つまり、火獄に堕ちるかどうかは神の裁きで定まり、人間が遺体を火葬する行為は許されない。

死後に天国に昇るか地獄に堕ちるかという思想がイスラームにあることは、ムハンマドがキリスト教の終末論に影響された事実を暗示している。一方ユダヤ教では聖書の創世紀（四二章三八節、四四章二九節）にあるように、人間は亡くなると「よみ（シェオール）に下る」とだけ記され、よみの世界、死後の世界観は何も語られていない。イスラームの具体的な天国と地獄の描写は、中世のキリスト教に大きな影響を与えたことは興味深い。

イスラームの預言者たち

日本人がイスラーム諸国で墓の存在を意識するとしたら、モスク等の宗教建造物でたまたま埋葬施設に遭遇する時、あるいは（アラビア半島では機会が少ないが）観光化された偉人たちの墓廟に足を運ぶ時くらいのものであろう。

イスラームの預言者はムハンマドだと日本人は承知しているが、クルアーンに描かれる預言者は二五人いる。左頁の表のとおり、彼らの内二〇人は、旧約聖書・新約聖書にも登場する。たとえば、「ムーサ」は「モーセ」、「スライマーン」は「ソロモン」、また、「イーサー」は「イエス」である。残る五人の預言者は、ムハンマドを除くと「フード」「サーリフ」「シュアイブ」「ズー・ル・キフル」で、キリスト教・ユダヤ教社会には馴染みのない名である。恐らくは、当時のアラビア半島に残っていた伝承に由来する名であろう。

聖典に名を残す預言者たちが実在していたかどうかは不明である。しかし、彼らの名を冠する墓廟は各地に点在し、信徒を惹きつける。

預言者ムハンマドの墓廟はマディーナにある預言者モスクに現存する。ムハンマドは住んでいた家に葬られたが、ウマイヤ朝カリフ、アル・ワリードがモスクの拡張時に敷地内に組み込んで今に至っている。なお、マディーナにある「ジャンナト・アル・バキーウ墓地」にはムハンマドの娘ファーティマ、近親者、預言者に近かった教友たち、そして、シーア派の五代・六代イマームの墓も残されている。

そもそもイスラームの初期においては、預言者廟への墓参は許されなかった。しかし、その後、預言者廟だけでなく、預言者の血を受け継ぐ子孫（サイイド）、そして聖者たちの墓や遺物に人々が集まるようになった。そこには「バラカ」が宿ると信じられるようになったからである。バラカとは「本質的には神に由来する聖なる力、恵みの意。物理的には豊饒さ、精神的には幸福を意味する」（『岩波イスラーム辞典』大塚和夫ほか編、七八三頁）言葉である。聖者とは一般的には「シャリーフ」、あるいは「サイイド」といった尊称を持つに至った長老やリーダーたちを指し、彼らの墓廟で墓に触れることでバラカを享受する思想がスーフィズム（イスラーム神秘主義）と共に各地で浸透した。

モロッコとインドネシアのイスラーム社会を紐解く『二つのイスラーム社会』（クリフォード・ギーアツ著、七三～七四頁）は「古典期のモロッコでは、誰がバラカの保持者かを決める問題こそがいろいろな点で……神学問題の中心を占めていた。それに加えて、大別

イスラームの預言者	聖書
アーダム	アダム
イドリース	エノク
ヌーフ	ノア
フード	《該当なし》
サーリフ	《該当なし》
イブラヒーム	アブラハム
イスマーイール	イシュマエル
イスハーク	イサク
ルオト	ロト
ヤアクーブ	ヤコブ
ユースフ	ヨセフ
シュアイブ	《該当なし》
アイユーブ	ヨブ
ズー・ル・キフル	《該当なし》
ムーサ	モーセ
ハールーン	アロン
ダウード	ダビデ
スライマーン	ソロモン
イルヤース	エリヤ
アルヤサウ	エリシャ
ユーヌス	ヨナ
ザカリヤ	ザカリヤ
ヤヒヤー	ヨハネ
イーサー	イエス
ムハンマド	《該当なし》

すれば二様の回答が与えられていて、時に両者は別々に、時に同時に提出される例であるが、その回答は、言うならば神秘論と系譜論とである。マラブー（注・marabout＝聖者）たること、バラカの保持者たること、は、奇跡を行うこと、……それとも預言者直系の子孫と考えられているか、が目安になる」とバラカの保持者を決める重要性を論じている。このバラカの語根「brk」は、アラブ社会では祝意を表す語として日常的に使われる。たとえば、祝福するには「マブルーク（おめでとう）」と言う。祝祭日を祝う慣用句「イード・ムバーラク」のムバーラクも同じ語根である。「めでたい」は〝バラカのお陰〟ということだろう。ヘブライ語でも同じ語根は祝意を表す語である（例・ベラフ「祝福する」）。

そしてイスラーム社会には、厳格なイスラーム主義の宗派を別として現世的な利益、たとえば病気や災いを免れるなどのご利益を願うような聖者崇拝も広がった。特に一二イマーム派のイマームやサイイドの墓廟参詣はその典型だと言える。一二人のイマームたちや直系親族の墓所は、「エマームザーデ」と呼ばれる聖者廟となっており、参詣者が集う。イランではマスジド（モスク）よりもエマームザーデの数のほうが多いようである。聖者廟は通常「マシュハド」と称されるが、スーフィズムの広がった地域の聖者廟は「マザール」と呼ばれている場合が多い。マザールとは「訪問するところ」、つまりは、「詣でる場所」を意味する語である。日本であれば差し詰め「霊廟」に相当するのかも知れない。

預言者フード廟

南アラビアではタリーム（イエメンのハドラマウト地方）に近い場所に、預言者フードの墓「カブル・フード」がある（カブルはアラビア語で「墓」の意）。インド洋の海岸線から一四〇㎞ほど内陸に入った辺りである。預言者フードはアラブの系譜において、ノアから五代目の直系子孫で、彼の息子ヨクタン（カハタン）が南アラビアの系譜の祖に当たる。それ故に、預言者フードはアラビア半島の部族社会では高い位置づけにあり、クルアーンには「（われは）アードの民に、その同胞のフードを（遣わした）。かれは言った。『わたしの人びとよ、アッラーに仕えなさい。あなたがたには、かれの外(ほか)に神はないのである。あなたがたは（神々を）捏造しているに過ぎない』」（フード章五〇節）とある。

クルアーンで固有名詞として扱われるフードは、アラビア語では「هود (hwd)」であるが、この単語は、興味深いことに、イスラームが興った当時、同じ地域に生活していたユダヤ人（イェフディ יְהוּדִי）を指す用語としても用いられた。

『巡礼と貿易とワディ・マシル、イエメンの風景』（*A landscape of pilgrimage and trade and Wadi Masil, Yemen* リン・S・ニュートン著、八五〜九一頁）によると、このフード廟には、年に一度、イスラーム暦八月に当たるシャアバーン月に人々が集まる。周辺の住居はその参詣の折にのみ使用され、通常は無人集落だと記されている。研究者たちの報告によれば、その場所はイスラーム以前、収穫期に人々が集まる場所だったが、現在この墓廟を管理するバ・アッバード（Ba Abbad）族がこの墓を自分たちの支配下に置いた一〇世紀以降、参詣の時期をシャアバーン月に固定した。

ルールを変更して、長老たちが祭祀を司ることで、ハドラマウトの部族は自らの信用力を高め、調停力を強化し、統治下の部族に守られる社会構造まで生み出した。そして古代からの交易路は参詣道になり、宗教祭祀を執り行なうシャイフたちが参詣道でのモノとサ

ハドラマウト地方の預言者フード廟

ービスの提供を取り扱い、社会的にも経済的にも権力を得るようになったと考えられている。つまり祭祀を司る部族の長老たちは権力を固め、墓固有の歴史をも横取りし、預言者の末裔と称されるようになったのだろう。それは、クライシュ族がマッカを各地の地方神を奉る巡礼地とし、部族の巡礼をすることで、交易の拠点として経済力を強めた歴史と似ている。

ハドラマウトにはタリームやその近郊を中心に聖者廟が多い。一五世紀、この地でスーフィズムのアラウィー派の宗教儀式を確立したアブドルラフマーン・サッカーフは、タリームの聖者廟の数は一万にも及ぶと述べた。今はオマーン国内になっているが、やはりハドラマウトであるドファール地方、サラーラの北に位置するカラ山近郊には、預言者ヨブ（アイユーブ）の墓がある。付随する礼拝所は、ムハンマドがマッカに向かって礼拝するようになる以前に建てられたとされ、マッカではなくエルサレムに向かっていたと伝わる。そこには預言者ヨブのものと伝えられる聖足蹟も残され、来訪者は絶えない。

また、ヨルダン南部には預言者アロン（ハールーン）が亡くなったと伝わる場所がある。聖書の民数記二〇

ハールーン山頂の預言者アロン廟

章二五〜二六節では、モーセはアロンとその子エルアザルを連れてホル山に登り、アロンはそこで亡くなったとあるが、それがペトラ近郊にあるハールーン山だとされる。山頂には一四世紀に建てられたイスラームの聖者廟があるが、今ではイスラーム教徒だけでなく、キリスト教徒やユダヤ教徒も訪れる。クルアーンではモーセ（ムーサ）がここで神に懇願する場面がある。

「しかしわたしの兄のハールーンはわたしよりも雄弁です。それでわたしの言葉が信じられる援助者として、かれをわたしと一緒に遣わして下さい。わたしは、かれらに虚言の徒とされることを恐れます」。かれは仰せられた。「われはあなたの兄を、あなたの片腕とし、またあなたがた両人に権威を授けよう。そうすればわが印によってかれらはあなたがたに危害を与えられないであろう」（物語章三四〜三五節）

世界遺産の、ダマスカス（シリア）旧市街の中心的存在「ウマイヤ・モスク」[※1]には「ヤヒヤー（ヨハネ）廟」がある。そのモスクはビザンツ帝国時代に建てられた聖ヨハネ教会の上に、ウマイヤ朝カリフのアル・ワリードが建てた。聖ヨハネ教会は、洗礼者ヨハネの首塚が見つかった場所に建てられたとされ、そこにあった「ヨハネ廟」は今も「ヨハネ聖堂」として残されている。

歴史の浅いアラビア半島には、統治者等の名を冠したモスクがあり、そこには首長やその家族が埋葬されている場合が多い。国家予算で建てられたものもあるかも知れないが、イスラーム世界では財をなした人々は、喜捨としてモスクや学校を寄進することが常である。そのような善行を実践することで、来世は天国で過ごすことになると人々は信じている。

※1　ウマイヤ朝カリフ、ワリード・アブドゥルマリク（ワリード一世、在位七〇五〜七一五年）がダマスカスに建造した。現存する最古のモスクとされる。一五一六年にオスマン帝国がエジプトのマムルーク朝との戦いでダマスカスを掌握すると皇帝セリム一世は最初の金曜礼拝を同モスクで行なった。二〇〇一年にはヴァチカンのヨハネ・パウロ二世がウマイヤ・モスクを訪れた。聖ヨハネの遺物参拝を目的としたが、ローマ・カトリック教会の教皇によるモスク訪問はその意義が注目された。建築やモザイク装飾の美でもその名が知られる。

第13章　モスクの基本構造

有力者が寄進するモスク

財をなしたムスリムがモスクを寄進することは前章でも述べたが、サウジアラビア紅海側の交易都市ジェッダにはビン・ラーデン家が寄進したモスクがある。内陸部のリヤドには、泥土の城塞跡や住居跡を除くと歴史的な建造物はないが、港町ジェッダの旧市街にはイスラーム都市の面影が残る住居群や歴史あるモスクが多く存在する。かつては修行所だったはずのザーウィヤ[※1]も今は礼拝所として続いている。ビン・ラーデン・モスクはその一角にある。

ビン・ラーデン家はイエメンのハドラマウト出身でハドラミー商人として卓越した存在だった。しかし身内のオサマ・ビン・ラーデンが首謀したとされる九・一一事件により、一族の名声は失われた。加えて、油価下落による不況が彼らの主要ビジネスだった建設部門を直撃し、工事中の事業さえも中断に追い込まれた。さらに追い打ちをかけるように、聖地マッカで彼らが

※1　スーフィーの修行所。アラビア語での本来の意味は「隅」だが、修行者の修行所や礼拝所を示す語となった。

請負った案件で使用していたクレーンが転倒事故を起こし、工事請負業者としての責任も負わされた。その影響かどうかは不明だが、ジェッダの旧市街にあるビン・ラーデン・モスクを探し歩いても、それを示す案内が見当たることはなかった。モスクに辿り着いてみれば、二〇一九年のことである。モスク名のプレートは劣化して文字が判別できないほどだった。

一方、現代になって寄進されたサウジアラビア最大のモスクと言えばラージヒー家がリヤドに建設したラージヒー・モスクだろう。日本では聞き慣れないファミリーかもしれないが、ラージヒー家はイスラーム金融で世界有数の事業を営み、世界最大規模のイスラーム銀行に成長したラージヒー銀行を傘下に擁する。

ラージヒー家の成功の礎は、マッカやマディーナへの巡礼者の両替や海外送金の取り扱いで築かれた。その後、石油経済で潤ったサウジアラビアで急増したアジア人労働者の海外送金の取り扱いで成長を遂げ、金融事業では一九八三年にサウジアラビアでは初めてのイスラーム銀行ライセンスを取得した。今では多岐にわたるプロジェクト案件でも欠かせないサウジアラビ

ジェッダのビン・ラーデン・モスク

アのイスラーム金融を背負う存在である。背景にはサウジアラビアという国家自体が、イスラーム金融を国家の柱に成長させる戦略をとってきた事実もある。

ラージヒー家は、金融で得た財力でセメント産業や農業でも事業を拡大した。彼らが経営するナツメヤシ農園の一つバティナ・プロジェクト（五四六六ヘクタールの土地に四五種二〇万本のナツメヤシが茂る）が世界最大のナツメヤシ園としてギネスブックに登録されたことからも、その経営規模の大きさを窺い知ることができる。そして彼らは一部の事業をワクフ運用の財源として拠出している。

ワクフの種類

ワクフとは、イスラーム共同体のための国有地や宗教的な寄進のことである（第8章参照）。ラージヒー家の活動には、慈善基金やワクフ財団の運営が付随している。宗教施設としてのモスクの寄進も数百に上り、教育支援として、クルアーン学習や学校設立を含めた初等・中等教育の推進、イスラームの伝道など、イスラーム社会を底辺で支える姿勢が窺える。

ラージヒー家は、宗教ワクフ・慈善ワクフ・家族ワクフを寄進しており、農園も一部はワクフ運営のための資産となっているのだろう。そして運用を行なう責任者を一家から選任し、権限を代々継承していく。家族ワクフは財産を家族に固定して維持する手段でもある。

モスクの構造

モスクは、アラビア語でマスジドと呼ばれる。そこはサジダ（跪拝〔きはい〕）する場所であり、信徒の義務である五行の一つ、礼拝の場を提供している。マッカの方向に向けて信徒たちは作法に則り礼拝する。モスクは礼拝のための建造物でしかないため、造作物は限定され、構造はシンプルである。とりわけサウジアラビアでは、その宗教的な性格からサウード家時代に入ってからの建造物は飾り気がない。

礼拝所としての役割という視点で、モスクの施設と配置を見てみよう。

モスクの活動はまず、アザーン（礼拝の時刻を告げる呼び声）を通じて礼拝を呼びかけ、信徒にその準備を促すことである。大半のモスクには、アラビア語でマナール（光の塔、灯台）、英語ではミナレットと呼ばれる高い塔がある。モスクを探す際にはよい目印になる。礼拝に来るよう呼び掛けるアザーンが、ミナレットに据えられたスピーカーから四方に拡声される。レコーダーの登場以前は、「ムアッジン」と呼ばれる男性がミナレットの上段でアザーンを呼びかけていた。このアザーンは次のような決まり文句で構成されている。

Allah Akbar「アッラーは偉大なり」（四回）
Ashhahad Anna La Ilāh Illā Allāh「アッラー以外に神は無しと私は証言する」（二回）
Ashhahad Anna Muḥammadan Rasul Allāh「ムハンマドはアッラーの使徒であると私は証言する」（二回）
Ḥayya ʻAla s-Salāt「祈りに来たれ」（二回）
Ḥayya ʻAla l-Flāḥ「救済に来たれ」（二回）
〈夜明け前のアザーンでは、ここにAs-Ṣalāt Khair Min Naum「祈りは睡眠にまさる」（二回）が加わる〉
Allah Akbar「アッラーは偉大なり」（二回）

礼拝に向かう信徒はまずモスクの入口で履物を脱ぎ、下足箱に入れる。そして、身を清めるために「ウドゥ」を行なう。ウドゥは「小沐浴」と訳され、まず両手を洗い、口をゆすぎ、鼻孔と顔を洗う……といった手順で身を清める。ウドゥの場がミーダーアである。

ラージヒー・モスクのミーダーア

一般的なモスクでは、ミーダーアは下足箱の奥に配されているが、カイロなど、中庭（サフン）のあるモスクでは庭の中央に貯水槽が置かれている。小沐浴も宗派で手順が違い、ウィリアム・レインは著書『現代エジプト人のマナーと習慣』（*Manners and Customs of the modern Egyptians* 七三頁）で、「小沐浴はモスクでも家庭でも行なわれる。すべてのモスクにはミーダーアと呼ばれる水盤か、ハナフィーエと呼ばれる周囲に水孔のついた貯水槽がある。中には両方を備えるモスクもある。ハナフィー派は後者で小沐浴を行なうのでその名がある」と説明している。

エジプトでは口語で、水道の蛇口をハナフィーヤという。カイロ留学時代にはなはだ不思議な呼び名だと思っていた単語の一つだったが、それがハナフィー派が流水を使ったことに由来することが分かり、納得した懐かしい思い出がある。

ミフラーブ

身を清めた後は礼拝場所に移る。そこはモスク内にあるぽっかりとした空間で、内壁に施されたミフラーブ（聖龕）前のスペースである。ぽっかりしていると感じるのは、大体の場合、天井部がドーム設計になっていて周囲の天井よりも高い空間に仕上げられているためで、礼拝者が縦横に整列して礼拝できるよう四方型に整えられているのが一般的である。

ミフラーブは、マッカの方向、すなわちキブラを示す方向の内壁に窪みを設けた形状で、縦長の上部はアーチ状になっている。マッカより北にあるモスクではミフラーブは南側の内壁にあり、東にあれば西側にある。当然ながらモスク建築自体もキブラを意識して設計される。他の宗教にある祭壇のような位置づけはされず、あくまで祈る方向を示すだけだが、礼拝所においては重要な部分である。

ミフラーブの脇にはミンバルという説教壇がある。これは金曜礼拝でのイマームなどによる説教で使われる演壇で、小規模のモスクには見られない。中東にいると、大モスクでの金曜礼拝の折、イマームやイスラーム法学者が社会問題などを論じているシーンが、国営放送やケーブルテレビでよく放映されているが、その壇である。

次頁の写真右はラージヒー・モスクの内部で、ミフラーブには何の装飾もない。サウジアラビア以外では、ミフラーブにクルアーンからの引句のカリグラフィーや装飾文様が施されていることが多い。

たとえば、イバード派のオマーンに残るモスクについて、『プライド――オマーンのスルターンのモスク』(*Pride, Mosques of Sultanate of Oman* 三六頁)の中でヘインズ・ファウベ博士は、古都ニズワの金曜サアル・モスクに残るミフラーブが一三世紀(一二五二年)で国内最古と説明している。下の写真左に見るように、スタッコ(化粧漆喰)作りで細かな装飾が施された格調の高いミフラーブで、当時の北オマーンの繁栄が垣間見える。このミフラーブの形式と技術がどこから由来したかは未だに議論になっているが、スタッコのミフラーブが築かれたエジプトとイランいずれかの由来と考えられている。

ところで、「ミフラーブ mihrāb」とは「戦闘」をあらわす「ḥrb」を語根とする派生語である。クルアーンの中でミフラーブは「聖所」(イムラーン家章三七節、マルヤム章一一節)と解釈されているが、『日亜対訳クルアーン』(中田考監修、八三頁)は「そこでの神の崇拝が、悪魔との『戦い(マハーリブ)』であるため、そう名づけられた、とも言われる」と内面的な視点があること

金曜サアル・モスクのミフラーブ

ラージヒー・モスク内部の礼拝空間

を脚注で指摘している。ミフラーブという呼称は戦いに由来するのだろう。歴史をもっと遡（さかのぼ）る聖書ヘブライ語でも、同じ語根から派生した「ヘレヴ hereb」は「刀剣」の意味である。また、モーセが神と出会った山「ホレヴ horeb」（出エジプト記三章一節）も同じ語根である。

アラビア半島で「ハルブ」と言う固有名詞を挙げると、紅海側、北部のヒジャーズ地方から南部にまで広がる「ハルブ族」を連想する。アラブの部族事典でも多くの支族や居住地が記されている大部族集団であり、預言者ムハンマドが暮らしたマディーナ界隈でも最大の部族勢力である。

変化した構造

現在はモスクといえば円形ドームを載せた建築で、ドームの下部に礼拝の場が設けられている構造が多い。元々、礼拝所の基本構成はマディーナにあった預言者ムハンマドの家の構造に由来する。四角形の家で中心には中庭があった。ミナレットもなかった。

その形はイスラームがアラブ世界に広がった初期の礼拝所に残っているとされるが、アラビア半島ではオマーンにその名残を見ることができる。ファウベ博士の前掲書では、「ヒジュラ（六二二年マディーナへの移住）の後、間もなくムハンマドは屋根から礼拝を呼びかけることを決定した。それから一世紀を経てミナレットが建てられ始め、次第にイスラーム信仰の輝かしいシンボルの一つとなった。だが、オマーンでは革新的な動きは決して採用されなかった、礼拝の呼びかけは前庭から行なわれるという当初のデザインが維持され、屋根にアクセスするデザインが典型的な特徴として残った」（五四頁）と説明されている。建物の内壁に段を設けて屋根に登るモスクもある。イラクから逃れてオマーンに移ったイバード派は自分たちのスタイルを長年にわたり堅持したのであろう。オマーン北部の内陸部に残る古いモスクにはミナレットがない。

預言者ムハンマドの家の基本構造を残すモスクの代表的な存在が、エジプトのイブン・トゥールーン・モスクである。バグダード（イラク）のアッバース朝がエジプトに派遣したイブン・トゥールーンがアッバース朝から独立し、カイロに建設した。西暦八七九年の建設で、エジプトに残るモスクでは三番目に古いが、最初の二つは再建されており創建当時のものではない。このモスクも後世に何度か手が加えられたが、四辺をなす方形の構造物は当時のままである。

　中心に洗い場のある中庭を囲む建物は、いくつもの柱が天井を支える多柱構造となっている。イブン・トゥールーン・モスクの外見で特徴的なのは、境内の外にある螺旋（らせん）階段のミナレットである。上部が小さくなる円錐形で、アザーンのために登る階段が外壁を巡る。螺旋階段で登り、最上段でオールド・カイロを一望する風景はモスクと共に観光客を魅了してきた。ただし、このミナレットは創建時にはなかったもので、一三世紀になってバグダード近郊のサーマッラのモスクのミナレットの構造を模して増設されたものである。

　サウジアラビアの都市部ではほとんどのモスクにミナレットが付随しているが、外見に迫力のあるデザインは少なく、戦いを繰り返して広がったイスラームの覇権を感じさせるものではない。しかし、幾多のイスラーム王朝が興亡した歴史を持つカイロなどの地は異なる。『カイロのミナレット』（*The Minarets of Cairo* ドリス・アブユーセフ著、一二頁）はカイロのミナレットの役割について、「マナール（ミナレット）とは象徴的な語である」と語り、「マクリーズィー（マムルーク朝時代の歴史家）は、先端が太陽の光を反射させるオベリ

カイロのイブン・トゥールーン・モスク

スクをマナールと称した。マナールは躍進や勝利を象徴的に示している。アイユーブ朝のフセイン・モスクのマナールには、建立のスポンサーだったアブー・アル・カーシム・スッカリの名と共に、『イスラームのマナールを上げよ』と刻まれている。それは、イスラームをプロモートし、勝利を達成せよという意味である」と説明している。

インドにはデリー奴隷王朝最初のスルターンが建設したクトゥブ・モスクがある。そこには世界で最も高い（七二・五ｍもある）クトゥブ・ミナール[※2]というミナレットが屹立している。一一九二年に着工された円筒形のミナレットで外壁に施された装飾は壮麗である。破壊したヒンドゥー寺院の石材を資材に活用したミナレットは、戦闘の勝利を記念して建立が決められたという。完工後には、「マスジド・クーワト・アル・イスラーム（イスラ

デリーのクトゥブ・ミナール

※2　『インド・イスラーム王朝の物語とその建築物』（宮原辰夫著）がインド各地を訪問して確認したイスラーム建築を写真付きで詳細に解説している。クトゥブ・ミナールは、奴隷王朝（一二〇六～一二九〇）を創始したクトゥブ・ディーン・アイバクがデリーで建設に着手したモスクの南東部に建設された。イブン・バットゥータもこの大モスクを訪れて、「モスクの北側の広場には、イスラーム諸国では他に類を見ない一つのミナレットがある。それはモスクの他のすべての部分の石とは違って、赤色の石で建てたものである。……しかもそのミナレットの石には文字が彫り込まれている。それは天を突くように聳え、ミナレットの塔頂は白亜に輝く大理石で造られ、そのリンゴ状の球体部は純金製である」と述べている。

ーム・パワーのモスク)」と呼ばれるようになり、イスラーム王朝の威厳を高めた。地域や時代にもよるだろうが、ミナレットも勝利の象徴としての役を担ったことがあったのだろう。

第14章　イスラーム都市の歴史的景観

歴史の街カイロ

歴史あるイスラーム都市を散策すると、モスクやマドラサ（学院）、ハンマーム[※1]などイスラーム王朝時代の建造物や公共施設を見かける。中でもお薦めは建築やデザインの芸術的な側面や、歴史的な変遷を満喫できるカイロ旧市街（イスラミック・カイロ）である。

エジプトの住民の多くはもともとコプト教徒（エジプトのキリスト教徒）だったが、バグダード（イラク）のアッバース朝が、軍事要塞を現在のカイロ旧市街の一画にあるフスタート[※2]に築造したことでイスラーム王朝が始まった。その後、一二五八年に蒙古勢力によりバ

※1　公共浴場。アラブがビザンティン帝国領を占領し、ローマ風の共同浴場を取り入れて発展させた。いわゆる蒸し風呂で、ワクフ（宗教寄進財）として盛んに建設された。たとえばカイロ旧市街やダマスカス旧市街などの古都では、今もかつてのままのハンマームが営業を続けている。

※2　もとはアラブが征服地に造営した軍営都市（ミスル）の一つであるが、エジプトではイスラーム時代最初の都となり、現在オールド・カイロと呼ばれる一画にある。フスタートの語源は「馬毛のテント」だが、テントの集落が都市をなしてフスタートと呼ばれるようになり、それが「町・都市」を表す語に転じた。

グダードのアッバース朝が滅亡すると、イスラーム文化を支えていた工人、職人等がエジプトに移り、フスタートが文化の中心になった。前章に登場したイブン・トゥールーン・モスクはそのフスタートの北に建設された。

さらにその後、北アフリカから拠点を移したイスマーイール派（シーア派）のファーティマ朝が築いた新都が「アル・カーヒラ」（カイロ）である。後にアイユーブ朝、マムルーク朝、オスマン帝国とイスラーム王朝の統治は変遷するが、この旧市街には今もなお千年を越えて見事なイスラーム建築が残っている。ファーティマ朝が造ったこの都市は、堅牢な石造りの外壁で周囲を囲まれ、中心の南北を大路が貫く。北の二つの門は、バーブ・アル・フトゥーフとバーブ・アル・ナスル、南門はバーブ・ズワイラである（バーブは門の意）。

その南方にはファーティマ朝以前のイスラーム王朝の都市部があり、さらにそこに隣接して「死者の街」として有名な墓廟都市カラーファがある。[※3] 舗装道が少ないこの一画はいつも砂埃が舞い、不衛生な印象も強いためか、訪れる外国人の姿は稀である。エジプトにはピラミッドやマスタバ（長方形で台状の石積の墳墓）等、

カラーファ（マーチンサヴェージ画）

考古学遺産は多いが、カラーファの墓地群も比類なき独特の世界であろう。今日でも墓地としての役割を果たしており、イスラーム教徒だけでなく、コプト教徒、ユダヤ人も埋葬されていて、[※4] 各々の墓所には管理人である墓守り家族が代々住み着いている。

前頁は筆者が知り合った英国人画家がカラーファを描いた水彩画である。マシュハドやトゥルバという大型の聖廟建築が描かれ、クッバと呼ばれる特徴的な円蓋屋根も見える。この「死者の街」は現在、復興プロジェクトが進行している。

特徴あるミナレット建築

さて、カイロにある多彩なイスラーム建築の時代を

※3　この地区で住民が急増した背景に、近くの石灰岩の採石場や燃焼炉で働く労働者が住み着いたこと、またイスラエルとの戦争で家を失った人々が移り住んだ事情がある。

※4　カラーファにはイブン・トゥールーンの時代（九世紀）に遡るユダヤ人墓地「バサティン（bassatine）」が残っている。かつては一四五エーカーの広さがあった墓地だが、都市開発などによる破壊が進み、今や三八エーカーを残すのみとなったが、今日では、文化保存のための米国大使基金（AFCP）による保存・修復作業が進められている。

ファーティマ朝かアイユーブ朝のマブハラ型ミナレット

マムルーク朝のミナレット

オスマン帝国時代のミナレット

一目で判別したいなら、目印はミナレット（尖塔）である。旧市街にある歴史的なミナレットは、非イスラーム教徒の外国人にも開放されていることが多い。モスクの門番や案内人に心づけ（バクシーシという）を手渡せば、昇降用の階段に繋がる施錠された戸口に案内してくれる。そこはまさしく中世イスラーム世界に続く扉である。

旧市街のモスクは、統治の変遷により、外観に顕著な違いがある。数で言えば、マムルーク朝以降に建てられたものが多いが、ミナレットの外観上の違いは明白で、前頁の写真は左からファーティマ朝かアイユーブ朝、中央はマムルーク朝、右端はオスマン帝国時代の典型的な形である。

筆者にとってとりわけ興味深いのは、アイユーブ朝以前のマブハラ型である。マブハラとは「香炉」のことで、最上部には香煙を焚き出すかのような縦枠があることがそのいわれとなっている。

香の伝統

香はイスラーム以前からアラブ社会では貴重であり、役割も重要だった。香は香木を粉状にしたものでブハール（左写真の前列右端）と総称されるが、大半が南アジアから持ち込まれている。露店や専門店では容器に小分けされて売られ、種類も豊富である。複数種を混ぜ合わせたブレンドもある。特に南アラビアでは現在も日常的に使用されており、来客を薫香で迎えることは一般的な習わしである。

たとえば、オマーン人は正装にディスダーシャ（裾までを覆う白色の服）を着用するが、それにあらかじめ香を焚き込めるためのマスナドという三角錐型の木枠もある。加えて、人によっては襟元あたりに香袋を忍ばせておく習慣さえある。

筆者がオマーンで勤務していた時、スーダン人の国語教師にアラビア語を指導しても

南アラビアで使われる香炉
（前列はイエメン、後列右からオマーン、サウジ、エチオピア）

らったことがあったが、この教師が使った中学生用の教科書には、香を焚いて客を迎える嗜(たしな)みを教える興味深い章があった。余談になるが、その教科書には、海洋国家オマーンの生き方、海岸線や自然を維持する必要性など、次世代に自国の伝統や社会ルールを継承させようとする啓発的な内容も多く盛り込まれていることに感嘆した。

なお、南アラビアでは他に乳香※5や没薬(もつやく)も焚かれる。いずれも昔は高価な輸出品で、乳香は今ではオマーンのドファール地方が主な産地となっている。没薬はミルラ（ヘブライ語でモール）と称され、乳香と同様に樹皮から滲み出した樹脂の塊りで、数多くの種類がある。防腐作用が強く、エジプトでのミイラ作りにも多く使用された。新約聖書には、イエスが生まれた際に東方から訪れた博士が捧げ物として持参したのが、この乳香と没薬であったと記されている（マタイ二章一一節）。『聖書植物大事典』（ウィリアム・スミス編纂、三〇三頁）には、「ヘロドトス（『歴史』iii: 一〇七）やディオスコリデス（『薬物誌』i: 七七）、テオプラストス（『植物誌』ix: 四・一）、ディオドロス・シクロス（『世界史』ii: 九）、ストラボン、プリニウスらの証言によれば、没薬を滲出する樹木はアラビアに自生するという」と記されている。

イスラーム建築と調和するイエメン諸都市

イスラーム建築が歴史的な町並みと調和し、美しさが際立つのは、イエメンの伝統的佇まいが残る旧都や集落である。周囲に広がる茶褐色の土地、緑の棚田や農作地、集落には石積みか泥土の建築物、それらが融合する眺望の中にミナレットが浮き上がる。イエメン人には日常であっても、日本人には別世界である。

とりわけその風情が印象的な都市はジブラだ。そこは、イスマーイール派のスライヒ家が一一世紀に拠点とした都市である。一一世紀はエジプトのファーティマ朝が、イスマーイール派の統治を確立していた時代で、そのイスマーイール派が南アラビアにも勢力を広げていた。スライヒ家は、シーア派のザイド朝が支配

※5　カンラン科の植物樹脂で、焚くと芳香を放つ。宗教儀式に使われる香煙の最高品で薬効も多く、噛めば口臭を防ぎ、歯痛、消化器・呼吸器疾患、肌荒れにも効果があるとされる。アラビア語では「リバーン（乳白色）」、ヘブライ語では「レヴォナ（白）」と称され、双方の語根は「lbn」で共通している。聖書にも香料の一つとして度々登場する（出エジプト記三〇章三四節、イザヤ書六〇章六節等）。

していたザビードやサナアを制し、二代後に現れた女王アルワがこのジブラを本拠地にした。イエメンでは旧約聖書時代の「シバの女王」が有名だが、アルワはイスラーム以降イエメンに誕生した初めての女性統治者である。

市内には今もアルワの名を冠したモスクがあり、その屹立（きつりつ）するミナレットは赤味の強い煉瓦色である。山の斜面に沿った中心地には、間口の狭い作業場や商店が複層的に連なる市場がある。通路の天蓋は頭をぶつけてしまいそうなくらいに低いが、実は住民たちの背丈も低い。数世紀前を思わせる社会があり、そこには幻想的な空間が広がる。これまでイエメン各地を訪ねたが、ジブラほど歴史と街の空間が調和した魅惑的な街は他になかった。

付け加えるなら、ザビードも印象深い町だった。そこはバグダードのアッバース朝が八一九年に知事を派遣した歴史ある都市で、一四～一六世紀にはイスラームの学術都市として繁栄した。往時には八〇を超えるイスラーム学校やモスクがあったとされる。旧市街は狭いが、住居の外壁は眩（まばゆ）いばかりの白色で塗られ、モスクに入れば漆喰の装飾が見事だった。

日没前のジブラ

第2部　インド洋を渡った南アラビア人

第15章　海洋交易で広がったイスラーム

古代の海洋交易の中継地

紅海とペルシア湾、そしてインド洋に面するアラビア半島は、イスラームが台頭する以前から東西を結ぶ海洋交易の中継地だった。オマーンでは海岸線に沿って青銅器時代に遡る遺跡や住居跡が点在している。中でも代表的なラス・アル・ジンズ岬にある初期青銅器時代の遺跡からは、インダス文明の都市ハラッパー（紀元前三〇世紀～二五世紀）との交流を裏付ける文様を持つ壺も出土した。南アラビアで諸王朝が台頭した紀元前一〇世紀～紀元六世紀の当時も、南アラビアのイン

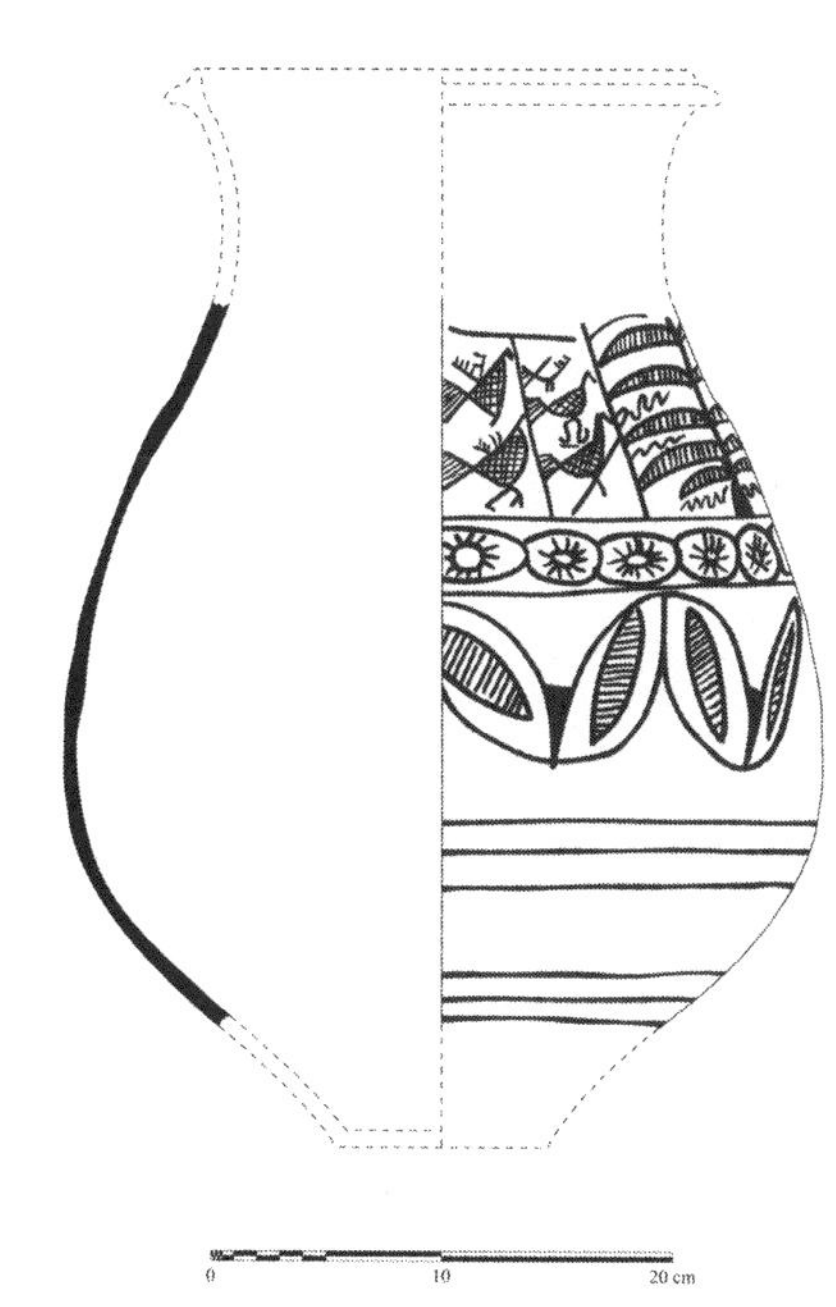

ラス・アル・ジンズ岬から出土した壺の文様
〔*The Journal of Oman Studies*〕

ド洋沿岸との東西交易は活発だった。

イスラーム以降の交易地

ペルシア湾とアラビア海やインド洋とを結ぶ物流は、バグダード（イラク）が中心となったアッバース朝時代（紀元八～一六世紀）には、ペルシア湾内のバスラやスィラーフが主な交易港だったが、アッバース朝が衰退した一〇世紀以降には、ホルムズ（イラン）やオマーン湾のソハールとマスカットが主役になった。一方、バグダードに代わってイスラーム世界の中心となったエジプトも、紅海とインド洋交易に進出する。主に香辛料交易で成功したカーリミーと呼ばれる貿易商人たちの活動がファーティマ朝からマムルーク朝まで続いた。その後、南アラビアからオマーンが台頭する。一六世紀にポルトガルに占領されたが、一七世紀に占領者を追い出して東アフリカに進出、ザンジバルを征服し、インド洋西部の覇権を争う海洋国家を築いた。

ハドラミーの台頭

一八世紀になると、イエメンのハドラマウトを出自とする人々が活躍するようになった。「ハドラミー」

砂漠の摩天楼シバーム

と呼ばれる彼らは、敬虔なイスラーム教徒で、武力でも評価が高かったようである。インドのムガール朝が衰退すると彼らはインド各地で傭兵として成功を収めた。指揮官となって富と経験を得ると、郷里でも台頭した。たとえば、ハイデラバード王国で財と軍事経験を獲得したカスィーリ家、そしてクアイティ家はその後ハドラマウトで覇権を握り、各々自らの首長国を築いた。

ところでハドラマウトとは、イエメンの南部地域を指すが、その特性から地域は南北に二分される。南部はインド洋に面する一帯で、ムカッラ等の港町を拠点として貿易で繁栄した。

北部は、ルブゥ・アル・ハーリという大砂漠に北側を遮断されている内陸地である。そこには、海岸線にほぼ並行する長さ二〇〇㎞に及ぶワディ・ハドラマウトがある。その広大なワディ[※1]にある、由緒ある三都市の一つが、ニューヨークのマンハッタンと比較されて「砂漠の摩天楼」と称されるシバームである。泥土で造られた高層建築が屹立（きつりつ）する楼閣都市で、世界遺産に認定されている。かつてそこは、ハドラマウト地方の中心地だった。

しかし、一五世紀末にハドラマウトの北部を制したカスィーリ家は、首都を宗教都市タリームに移し、その後サユーンに遷都（せんと）した。サユーンは南イエメンが一九六七年に独立するまでの四〇〇年余り、カスィーリ・スルターン首長国の首都だった。タリームは今も宗教・学術都市として、教育の分野でも重要な役割を担っている。

ハドラマウトとスーフィー

イエメンでは北部のザイド派を除けば、スンナ派ではシャーフィイー派が主流だが、スーフィズム（イスラーム神秘主義）が浸透していたこともよく知られている。ハドラマウトにはスーフィーの聖者廟がいくつも残っている。インドのイスラーム各朝が支持していたスーフィズムがイエメンにも伝わり、一四世紀には複

※1　日本語で「涸れ川」。水のない乾季の間は、地域住民の交通路として使われていることがある。雨季にワディ上流で降った雨が鉄砲水として流れて惨事が起こることもあり、オマーンでは「ワディで寝るな」という格言もある。ワディの近くには水脈もあり、集落も多い。

数のタリーカ[※2]（スーフィー教団）が確立されていた。
交易港モカ（al-Mukhā）は、南西アラビアにあったタリーカのシャーズィリーヤ教団の指導者が夜通しの修行にも覚醒し続けられるよう、エチオピアのコーヒーを初めて持ち込んだ地という逸話もある。スーフィーの修行や儀式に用いられたコーヒーは、一五世紀半ばにはイエメン全体に浸透し、一六世紀にはイエメンの主要な輸出品となり、モカは交易拠点として栄えた。イエメンのイスラーム王朝はコーヒー豆取引の独占維持を図ったが、紅海―インド交易に参入してモカに商館を構えた西側列強に苗木を持ち出されてしまった。オランダ人は植民地のスリランカやジャワ島に、またフランス人がカリブ海のマルティニーク島に移植した。その後、ブラジルではその苗木からコーヒーが栽培され始めたと言われている。

旧約聖書のハドラマウト

ハドラマウトという名は聖書にも登場する。ノアの息子セムの末裔に当たるヨクタンの息子として、創世記に登場する「ハツァルマヴェト」（一〇章二六節）である。この語彙は固有名詞と捉（とら）えられるが、単語自身は「ハツェル」と「マヴト」という二語が結び付いている。ヘブライ語の「ハツェル」はアラビア語の「ハダル」とルーツを共通にしており、「居所、文明」の意を持つセム語である。ヘブライ文字「ツァディ צ」は、アラビア語の子音「サード ص」、あるいは「ダード ض」に相当する。「ハツェル」の「ツェ」はヘブライ文字の「ツァディ」で、それがアラビア文字では「ダード」に相当するので、アラビア語では「ハダル」と発音することになる。

アラビア語の子音数はヘブライ語より多いが、それは地域固有の発音に合わせ、「点」を加えた文字を増やしたためだとされている。筆者は、サウジアラビア滞在時にそれを実感した。ヘブライ語では「ヘット ח」という［kh］に相当する摩擦音がある。アラビア語ではこの摩擦音がح［h］とخ［kh］に分けられているのだが、サウジアラビア南部の集落に住む老人と世間話をした折、彼が［h］音を［kh］で発音したことから認識を改めた。

創世紀一〇章七節には、「ハム」の末裔として「シェバとデダン」が記されているが、これも「シバの女王」で知られる「シェバ」に相当する。「デダン」という固有名詞も、アラビア半島で古代に繁栄した交易都市であろう。

東南アジアに広がったイスラーム

アジア各地に進出したイスラームは、土着の信仰、仏教・ヒンドゥー教などと対立と融合を繰り返しながら各地に浸透していった。一四世紀〜一五世紀には、マレー半島にイスラーム王朝が築かれ、マラッカが主要拠点となった。マラッカは地域におけるイスラーム諸学の中心地であり、そこから布教活動が展開され各地でイスラーム改宗が進んだ。

しかし、一五一一年、ポルトガルがマラッカを占領すると、スマトラ島のアチェ、マレー半島のパタニ、ミンダナオ島とボルネオ島を結ぶ諸島のスールー等にイスラーム王朝が興った。イスラームの東南アジア進出の北限はルソン島だったらしい。一説には、イスラームはこの二〇〇年の間に、はじめは通商、次は婚姻、最後は武力によってスマトラ北部を支配し、やがて広大な東インド諸島の各港を大部分勢力下に収めたようである。

ルソン島にあるフィリピンの首都マニラには一五七一年、ラジャー・ソリマンのイスラーム王国が存在したが、スペインの進出でイスラームはミンダナオ島まで押し戻された。それ故なのか、「マニラ」の語源はタガログ語やスペイン語に求められている。しかし、イスラーム教徒社会には、アラビア語のアマン・アッラー（amān Allāh）が語源だとする説もある。「アッラーの御加護」という意味である。

マレー世界のハドラミー

マレー世界、すなわち現在のインドネシア、タイ、マレーシア、フィリピンに築かれた諸都市には、モスクや学校などイスラーム法で運営される共同体の施設が整えられていたが、一八世紀半ばになると東インド会社の東西交易に後押しされたイエメンのハドラミーが本格的に進出し始めた。ハドラマウトには、預言者の末裔を称する「サイイド」、また聖者として「シャイフ」という呼称で尊敬を受ける家柄の人々もおり、

※2　原意は「道」。スーフィーの「修行の道」を示していたが、その後、「スーフィー教団」を指す語に転じた。

そういった系譜を持つ宗教指導者の活動は、マレー世界でのハドラミーの地位を押し上げた。

サイドへの尊敬は彼らがマレー世界で布教を進めた時代から続くものだったが、今もマレーシアを訪れるとその名残を感じる時がある。それは、預言者の娘「ファーティマ」と娘婿「イマーム・アリー」の名を冠したハーブ、カシプ・ファーティマ（Kacip Fatimah）とトンガット・アリ（Tongkat Ali）の名に触れる時である。精力剤のような効能が謳われるハーブだが、マレーシアではコーヒーやお茶に加えて日常的に愛飲されている。

スエズ運河が一八六九年に開通すると、アデン経由の航路を使ったハドラミー商人の移住はさらに広がり、ハドラマウト地方自体も送金を通じて経済的恩恵を受けて繁栄した。そして、現地に同化したことでハドラミーの人口はさらに増加した。オランダ領東インドの人口調査によると、一八八五年当時のアラブ人は二万五〇一一人、それが、一九三〇年には七万一三三五人となっている。今では、インドネシアで「アラブ」と呼ばれるイスラーム教徒の九割はハドラミーの末裔と言われ、その人口規模は四〇〇万人に達しているという。マレー世界のアラブ系住民は大半がハドラミーの末裔なのである。

ハドラミー社会の教育

ハドラミー社会は子弟教育を重視する。移住先では経済的立場を堅持し、自らの文化や言語の維持を図り、そして世界の近代化の流れに追従できるよう、宗教指導者の主導により、商活動の収益を学校教育等の文化資本にワクフ（宗教寄進財）として投じた。

イスラームを通じたアラビア語教育は無論、過去においては、ハドラマウト地方の教育機関に子弟を留学させることも一般的だった。先述の宗教・学術都市であるタリーム、そしてインド洋沿いのムカッラ等に設立されている教育機関への留学である。一九六七年に社会主義国として南イエメンが独立して以降は、ハドラミーの留学生は減少したものの、南北イエメンの統合が実現すると復活した。また、ハドラマウトの宗教指導者がアジアに派遣されるようにもなった。

フィリピンでの話だが、スールーのスルターン国にルーツを持つイスラーム教徒一家との四方山話で、親戚の誰々が休暇を使ってイエメンに息子を勉強に行かせるという話題に耳を傾けた記憶がある。イスラーム教育や語学習得の機会として子弟を故郷に留学させるのである。治安が悪化した今は停止されているかも知れないが、里帰りや留学など、東南アジアのハドラミー社会はイエメンと緊密な往来を続けている。

現在、東南アジアのイスラーム教徒留学生を最も多く受け入れているのはカイロのアズハル大学かもしれない。ハドラミーではないが、インドネシアのワヒド元大統領もアズハル大学で学んだ。六〇年代、アズハルの学生寮で過ごしたある日本人イスラーム教徒が、「マレーシアはエリート留学生をアズハルに送り込んでいた。他国の学生とは生活を共にせず、ベイト・マレイ（マレーハウス）という寄宿舎に滞在。学業で優秀な卒業生はアズハルを卒業するとイギリスに派遣され、そこで金融を学んだ。アズハルとイギリスで学んだ留学生たちの活躍がイスラーム金融の基盤を築いた」とイスラーム金融センターとして機能するマレーシアのサクセス・ストーリを語っていた。

イエメン・ハドラマウト地方からの移民の流れ〔ビジネスアイ〕

現代も活躍するハドラミー

ハドラミーは紅海沿岸部での商活動にも従事していた。サウジアラビアに移住したハドラミー商人たちは、石油収入で成長するサウジアラビアの恩恵を享受した。ハドラミーには不名誉な話かも知れないが、九・一一事件の首謀者オサマ・ビン・ラーデンの出自であるビン・ラーデン一族は、ハドラミー商人の代表格である。彼らはサウード家の隆盛と共に、政府案件のコントラクター（請負業者）として成長を遂げた。ビン・ラーデン以外にもサウジアラビアで財をなしたハドラミー一族は多い。たとえば、アル・アムーディは、資産規模でビン・ラーデンを上回るコントラクターである。商業ではバグシャン、金融ではビン・マフフーズといったビジネスグループもある。彼らは、多額の投資や喜捨を通じて資金を自らの郷里に還流させ、地域経済にとって大事なスポンサーとなってきた。資金の一部が過激派に流れていると批判されたこともある。

前述のように、ハドラミーに限らずイエメン出自のビジネスマンはサウジアラビアに多いが、その中には日本企業のパートナーもいる。[※3] 筆者がリヤドで勤務した財閥もその一つだった。幹部たちはハドラマウトや英国の交易拠点だったアデン出身のサウジアラビア人である。彼らは敬虔で、温情も豊かである。浪花節的な文化を持ちあわせ、日本人には組みやすいパートナーと言える。

※3 「AlYemni」(ISUZU)、「Bakhashab」(ISUZU)、「Bamarouf」(スズキ)、「Al'esayi」(三菱自動車、FUSO)、「Bin Zagr」(ダンロップ・タイヤ)などが知られる。

第16章　環インド洋沿岸域に根付いたイスラーム社会

ハドラミーの一大拠点・シンガポール

インド洋沿岸部や東南アジアの島嶼に交易拠点を築いたハドラミー社会が教育を重視し、交易などの収益をワクフ（宗教寄進財）として文化資本にも投じたことは前章で触れた。ハドラミーが拠点とした都市の中でも、シンガポールは、人口は少ないものの、とりわけ重要な役割を果たすようになった。インド等を経由していた定期航路がアデン（イエメン）とシンガポールを直接結ぶようになり、シンガポールが地域を結ぶハブ機能を果たすことで、ハドラミー社会の発展に向けた基盤を整えたのである。彼らの取り組みを説明する『ハドラミーのディアスポラ』（*The Hadrami Diaspora* リーフ・メンジャ著）はハドラミー社会の理解を深める参考資料として有用である。一部を抜粋要約する。

交易はハドラミーに最も重要だったが、シンガポールでの成功は、住宅・不動産投資にあった。一八八五年、ハドラミーの地域における不動産投資は、その二五％がシンガポール、一八・八％がジャワ島のスラバヤ、そして一五・六％がバタヴィア（今のジャカルタ）だった。一九二〇年にはシンガポールのアラブの八割は賃貸収入で生活していた。人口で僅か〇・三四%を占めるだけの彼らは、一九三一年にはシンガポール最大の不動産オーナーだった。インドネシアやインドのハドラミーも、シンガポールの不動産に投資した。

(『ハドラミーのディアスポラ』二八〜二九頁)

ハドラミーの基盤はワクフ

ハドラミーの将来を築いた基盤は、有力ファミリーたちが拠出したワクフだった。ハドラマウトからの宗教指導者が主導的な役割を果たし、ワクフに対する投資は相続における資産分割を防ぐ有効な対策と位置付けられた。

ワクフ活用の具体例として前掲書は、有力ハドラミーのムハンマド・サッカフが興した「サイイド・ムハンマド・アハマド基金」を通じた活動を概説している。

その基金は一八九三年、一二万シンガポール・ドルを生んだが、それは、「ファーティマ・モスクの運営資金」、「シンガポールとハドラマウト以外に住む貧困な親族への支援」、「サユーンとサユーン以外のハドラマウトの貧困層支援」、「サユーンのムハンマド法学校の学生支援」、「マッカ・マディーナの貧困層支援」、「シンガポールのアルサゴッフ学校支援」、「ムハンマド・サッカフ名を冠するクルアーン学校の運営(シンガポール・マッカ・サユーン)」などに分けられていた。

(『ハドラミーのディアスポラ』二九〜三〇頁)

シンガポールはイスラームネットワークの中心

東南アジアの島嶼でイスラーム学を志す学生たちは、マッカに行くか、さもなければシンガポールで学んだ。というのも、ハドラマウト、パタニ、アチェ、パレンバンなどからイスラーム法学者たちがシンガポールに集まるからであり、またその地は、アラビア半島と東南アジアを結ぶイスラーム・コミュニケーション・ネットワークの中心としての機能を果たしていたからである。ハドラミー社会は、シンガポールでイスラーム関連の書籍の出版も手がけ、人々のアラビア語の読み書き能力の向上に寄与した。たとえば、「タリーカ・

アル・アレウィア」というスーフィー教団は、郷里ハドラマウトで読み書きのできない部族の教育に、シンガポールで作成した教科書を利用した。それらの教科書は、海外に離散したハドラミーたちにも提供され、東南アジアではマライ語に、また東アフリカではザンジバルでスワヒリ語に訳された。

一九世紀末にはシンガポールで文学作品も出版されるようになり、エジプト人作家の作品や有力誌もリプリントされるようになった。イスラーム改革の機関誌として有名なエジプトの「マナール」も、一八九八～一九三六年の期間、印刷された。

シンガポールでの移民規制

一九三六年にシンガポールで在留外国人条例が発布されると、移民規制が始まり、一船当たりのアラブ人の渡航人数も二五人までと制限された。その結果、ハドラミー社会の現地同化傾向が強まった。

アラブ社会、特にアラビア半島のような血縁重視の部族社会では親族内結婚が一般的である。それは現在も変わっていない。これまで見聞きした範囲で言えば、最も多いのは従兄婚で、時折、又従兄との婚姻もある。従兄婚の中でも、有力者の家長にとって「家の後継者」である長男を、兄弟姉妹の「長女」と組み合わせるケースが理想的とされる。親族の結束を堅持し、ファミリーの資産を護るには最善な組み合わせということだろう。筆者が長年付き合っているイエメン財閥でもオーナーの長男は従兄婚だ。

近年、紛争を避けてヨルダンに疎開中のオーナーとその家族に久しぶりに再会したが、英国在住の娘とイエメン屈指の財閥の御曹司との婚約に喜びを隠さなかった。家同志が結束を固める結婚もある。

しかし、シンガポールの移民規制は、当然ながら、郷里ハドラマウトとの血縁関係の維持を難しくし、婚姻のパターンを変化させた。

先述したサッカフ家は、一族の結婚について、「従兄婚一三件、サッカフ家の親族婚三七件、サッカフ家でないアラブ人との婚姻七件、非アラブ系ムスリムとの婚姻一三件」という記録を残している。記録された時期は不明だが、移民規制の強化は、ハドラミーの現地同化を促し、マレー人として現地社会で発言力を持つ存在にした。

東アフリカでの浸透

東アフリカでイスラームを最初に広める役割を果たしたのは、交易活動に従事したアラブ人やペルシア人である。彼らイスラーム商人の活動を通じて、八世紀には沿岸部でイスラームが広がり始めた。加えて、移民として根付いた商人たちと地元民の通婚が、イスラームの浸透を後押しした。

ところで当時、東アフリカ沿岸部各都市では、アフリカの広い範囲で話されるバントゥ諸語が使われていたが、そこは今ではスワヒリ語の社会である。

その地は、イスラーム教徒との交流が始まってから、アラビア語で「海岸」を意味する「サーヒル」の複数形「サワーヒル」と呼ばれるようになった。「スワヒリ」はサワーヒルに由来する言葉であるが、『岩波イスラーム辞典』(大塚和夫ほか編)では、「スワヒリ」について次の説明がなされている。

> スワヒリは、一義的な定義を容易に受けつけないカテゴリーである。しかし一般的には、次のような要素の組合せのなかにスワヒリのイメージが結節する。
>
> まず地理的にはソマリア南部からモザンビーク北部にかけての海岸地方(スワヒリ・コースト)や島嶼部に暮す人びとである。社会的属性としては、アラビア半島南岸およびペルシア湾岸諸地域さらにはインドといったインド洋世界と東アフリカ内陸部とを結ぶ交易によって栄えた、商業的都市民であるとされる。言語的には、バントゥー系の言語体系を基盤に、アラビア語を中心とする外来語を大幅に語彙に取入れた広域共通語であるスワヒリ語を母語とする人びとであり、宗教的にはほぼ全体がムスリムである。
>
> (『岩波イスラーム辞典』五四九頁)

「サワーヒル」の名を残す文献

これらの地名を残す文献に、邦訳では『三大陸周遊記』『大旅行記』などで知られる『イブン・バットゥータの旅行記』(*Rihla Ibn Baṭṭūṭa*)がある。イブン・バットゥータは一四世紀前半、アデン(イエメン)から対岸のザイラウ(ソマリア)に渡り、マクダシャウ(ソマリアの首都モガディシュ)経由でマンバサー(ケニアのモンバサ）に達した行程を次のように記している。

私はアデンの町から四日の航海でザイラウに到着した。そこは「バラービラ人」（注・ソマリア北東部の町ベルベラの出身者であろう）の都市だった。彼らは、スーダン地方出身のグループで、シャーフィイー法学派であった。……それから我々は、一五晩の航海でマクダシャウに着いた。……それから、「ザヌージュ人」たちの国であるキルワの町を目指し、マクダシャウから船に乗り、「サワーヒル」の国に向けた。そして我々はマンバサー島に到着した。それは大きい島で、サワーヒルの土地とは二日の航海を要す距離がある。大陸側にマンバサーは土地をもたない。島にはバナナやレモンの木があり、ジャムーナというオリーブ似のフルーツもある。……この島の人々に穀類はなく、サワーヒルから持ち込んでいる。彼らが最も食するのはバナナと魚であり。人々はシャーフィイー学派で、信仰心の篤い人々だ。

（『イブン・バットゥータの旅行記』一六七～一七一頁）

「ザヌージュ人」は、ザンジバル島に由来する人々であり、キルワはそのザンジバルより南に位置する港町である。シャーフィイー法学派の浸透を示す記述は、一四世紀の東アフリカ沿岸部に、南アラビア社会の影響があったことを窺わせる。また、スワヒリ語に取り込まれたアラビア語由来の語彙は、全体の三分の一程にも及ぶと言われる。それは、アラビア半島との交流や移民社会の存在を示す証左でもある。

一五世紀になると、ハドラミーは東アフリカ沿岸部や島嶼へ進出した。東南アジア同様、彼らの移住は宗教指導者や布教活動、そして教育を伴った。イエメン全体で盛んだったスーフィズムも持ち込まれた。東アフリカは今もスーフィー教団の活動が盛んな地である。東アフリカ南部はイエメンやインドから、スーダンなど北部地域はエジプトから伝わったスーフィズムと考えられる。

東アフリカのイスラーム拠点・ハラール

アフリカの角とアラビア半島を結ぶ交易路上に、現在はエチオピア領となっているハラールという城塞都市がある。日本では紹介される機会が少ないが、イスラーム統治時代の様子をそのままに残し、「歴史的城塞都市ハラール・ジュゴル」の名で、二〇〇六年に世界遺産にも認定された歴史都市である。そこは、イブン・バットゥータの記述に登場する港町ザイラウや「バラービラ人の町」と内陸を結ぶ高原の交易都市として栄えた地だった。ハラールの様子を最初に西側世界に知らしめたのは「千夜一夜物語」の訳者として知られるリチャード・バートンだった。自らをハラール入りした最初の欧州人と位置付けていた彼は、その体験を、一八五六年「東アフリカでの第一歩」で紹介した。『探検家リチャード・バートン』（藤野幸雄著）からハラール行きに関する記述を引用する。

> 東海岸奥地のハラル（ハラール）は、回教徒のもう一つの聖地であり、ヨーロッパ人を憎む太守に保護されていて、ここを訪れたヨーロッパ人の記録はなかった。……
>
> ハラルの城門と町を望んで、彼はこの聖都がメッカと比べ「二つのみすぼらしい灰色の塔（ミナレット）のほか、何ら人目をひく光景のない」のに驚いているが、「この石累の中にまだ誰も入っていない」ことで緊張していた。……
>
> ここは回教の東アフリカでの拠点であり、ハラルで訓練を受けた修行僧が各地に伝道のため散っていた。
>
> （『探検家リチャード・バートン』七四、七六、七七頁）

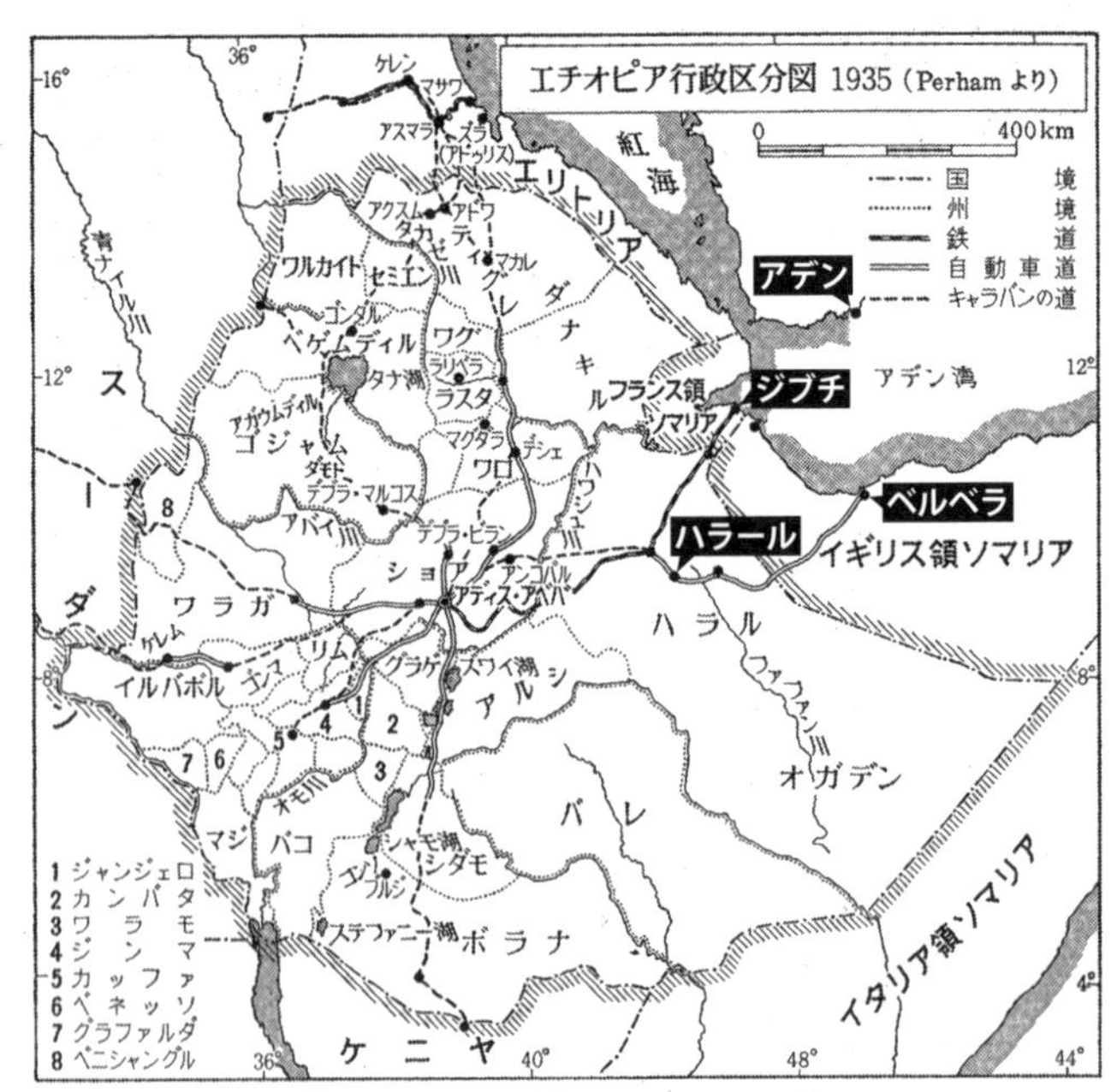

〔『エチオピア王国誌』（アルヴァレス著）〕

現代のハラール

ハラールには今もスーフィズムが浸透している。筆者が訪れたのは二〇一三年、リチャード・バートンが足を踏み入れて一五〇年を経た後のことになる。

案内人の説明によれば、人口約三万人のハラール城内には三六八の通り、四〇〇〇の家、八二のモスクがある。だが、元々は九九あったモスクが八二に減ったのだという。エチオピアのイスラームは大半がスーフィズムであり、ハラールは「カーディリ教団」だと教えられた。城塞内には一四〇を超える聖者廟があるが、そのうち、四〇はアラビア半島から来た聖者の墓廟である。木曜の夜になると、ズィクル（アッラーの唱名を伴う修行）が行なわれる。その聖者廟の一つを訪ねた。修験者のような様相の奏者が、太鼓を叩いてズィクルの雰囲気を再現し、私たちは、気持ちばかりの神への喜捨をもって、演者に謝意を示した。

案内人に、ハラールのイスラームが直面する今の課題を問うと、それはワッハーブ主義[※1]の拡大だと不満げな表情を示した。二〇年来、ハラール界隈でもアラビア半島の宗教指導者による取り組みが進んでいたが、昨今、信徒の宗派鞍替えが急速に進み、物議を醸しているという。政府に苦情を申し入れても、湾岸産油国から支援を受けている政府には止められない動きだと残念がり、政治課題ともなっていると説明した。ワッハーブ主義のモスクも新設され、布教や教育のためにアラビア半島から人と資金が集まってきている。その動きの背後にはサウジアラビア政府がいると言う。

城塞都市ハラールの城門

※1　一八世紀にアラビア半島内陸のナジュドに起こったイスラームの改革運動で、サウジアラビアの国是。

案内人に、政府が規制する可能性はないのかと尋ねると、「信仰の自由が保証されているエチオピアでは、宗教活動のための送金や喜捨、宗教人の派遣などの規制を国家は行なえない」とのこと。ところで、「人々はエジプトかサウジアラビア、どちらで学ぶのか」との問いには、「留学先で最も多いのはパキスタン。それはエチオピア革命前に大勢のインド人やパキスタン人が居住していた歴史に遡る」と思いもかけぬ回答をした。東アフリカはやはり環インド洋文化圏で捉える視点が欠かせない。エチオピア革命とは、一九七四年に皇帝ハイレ・セラシエが廃位され、社会主義独裁体制に移った革命である。

エチオピアの現在の動きは当時ソマリアで起こっていたイスラーム社会での対立を思い起こさせた。サラーフィズム、つまり、ワッハーブ主義のような復古的なイスラーム主義の布教活動は、地方に根付いたスーフィズムも否定する。

イスラームの宗派人口は、個人情報の集計ではなく、地域にあるモスク単位で推計するのが一般的である。モスクのイマーム（宗教指導者）が促す活動や金曜礼拝の説教、さらにマドラサ（学院）の教育が変わることで、宗派勢力図も徐々に様相を変えてしまうのである。なお、エチオピアではキリスト教徒が人口の六三%を占め、ムスリムは三四%である。

第17章　東アフリカに進出したオマーンとイバード派

オマーンが統治したザンジバル

喜望峰からインド洋に進出したポルトガルはインドを拠点として、東アフリカのインド洋沿岸部にあったイスラーム諸都市を制して交易を進めた。

アラビア半島のオマーンもそのポルトガルの支配を受けた時代があったが、一六五〇年にポルトガルを駆逐すると、その後、海洋国としてペルシア湾とインド洋に進出した。バンダル・アッバースやバハレーンを手中にし、パキスタン南西部のバルチスターン、そして東アフリカに勢力を伸ばした。バルチスターンの港町グワーダルはパキスタンに売却される一九五八年まではオマーンに帰属していたのである。オマーンは東アフリカではザンジバル島を拠点にして沿岸部のポルトガルの植民都市を奪い、一六九八年にモンバサを制して確固たる地位を築いた。前章に記したイブン・バットゥータのモンバサ訪問から約二六〇年後のことである。オマーンによる統治はイバード派の進出を促した。

一八三二年に、オマーンのサイード国王はザンジバルに王宮を建設し、遷都（せんと）した。だが、サイードの死後は息子兄弟に不和が生じ、弟が本国を、英国の支援を受けた兄はザンジバルを統治した。そしてその後、ザンジバルは英国保護領として一八六一年にオマーンから離れた。

『エリュトラー海案内記』に登場するオマーン

ホルムズ海峡の航路を領海内とするオマーンには二千キロに及ぶ海岸がある。オマーン湾にはソハールとマスカット、インド洋にはスールとサラーラという地政学的な優位性を誇る交易港もある。

オマーンの名は『エリュトラー海案内記』に登場する。紀元一～二世紀頃の紅海とアラビア半島の交易の様子を窺い知ることができる案内記の一部を引用する。なお、エリュトラー海とは「紅海」を指す。

> スュアグロスの次にすぐ続いて湾があり、陸地に深く入り込んでいる。オマナ（湾）で、その横断は六〇〇スタディオン（約一〇・八km）である。その次には高くて岩だらけの険しい山々があり、さらに五〇〇スタディオン（約九km）にわたって人々は洞穴で暮らしている。その次にはサカリテースの乳香の積み込みに指定された碇泊地があり、……
>
> この湾の口を沿岸航行して六日航程の後に、オンマナと呼ばれるペルシスの別の交易地がある。ここへ、通常バリュガザからペルシスのこれら両交易地に向けて、銅、チーク材、梁財、桁財、シッソ財、黒檀を積んだ大型の船が仕立てられる。オマナへはまたカネーから乳香が、オマナからアラビアへは、マダラテと呼ばれるこの土地独

特の縫合小舟が（それぞれ送られる）」

（『エリュトラー海案内記』三四、三六〜三七頁）

記述からは、当時のオマーンを経由する交易品を知ることができる。航海記に登場するオマナ湾は、ドファール地方の都市サラーラの正面に広がるカマル湾、また、「岩だらけの険しい山々」とは、サラーラを囲むカマル山地である（ただし、現在では「カマル山地」と「カラ山地」に呼称が分けられている）。

ザンジバルのイバード派

タンザニアに属しているザンジバルは自治権を認められた地方政府である。筆者は二〇一七年、ザンジバル島の中心都市ストーンタウンを訪れた。目抜き通り沿いにはモンスーン気候の生活に適合するよう設計された建物が立ち並び、市内には至る所にモスクがある。住民の約九五%がイスラーム教徒である。オマーンでは仕事中の着用が義務付けられる白いディスダーシャ装束（白地の裾まで長い服）は、学生を除くとあまり見られない。

男性は概ねオマーンと同じクンマ帽を被っており、マスカット旧市街の景観を思い起こさせた。しかし案内人と島内を車で一回りしてみると様相は異なり、クンマ帽姿はストーンタウンだけの光景だということが分かった。服装だけで宗派を特定はできないが、クンマ帽の住民はイバード派であろう。案内人の説明によると、ストーンタウンでは人口の約半分がイバード派だが、ザンジバル全体では少数派とのことだった。

クンマ帽売り

ストーンタウンの海岸線に位置するかつての王宮は今では「驚異の家（House of Wonder）」と称され、博物館として一般公開されている。しばらく前にオマーンの拠出で修復工事が行なわれたようで、壁に貼られていた完工式典の記念写真には、オマーン政府の代表者として親日派のルムヒ石油相の姿もあり、オマーンとザンジバルの間に続く緊密さを示していた。さらに、ストーンタウンからの幹線道路沿いには、翌年初めの開所を待つ「スルターン・カブース・モスク」もあった。恐らくは政府援助ではなく、カブース国王自身の基金による支援であろう。現在もオマーンはザンジバルのイバード派住民に対する支援を続けている。

ただし、援助を通じてザンジバルのイスラーム社会に影響力を確保しようとしたのはオマーンだけではない。かつてリビアのカッザーフィ（カダフィ）指導者が寄贈したモスクもあった。

多様なイスラーム社会

ストーンタウンの旧市街の様子から、ザンジバルは多様なイスラーム宗派が共存している社会と言えた。市街の中心部には一二イマーム派（シーア派）グループの施設が散見された。豊かな財源の存在を感じさせる建築もあった。多くはモスクなどの礼拝所か信徒たちの集会所だったが、宗教財団が運営する子女教育機関、特に女学生を対象とする初等・中等の教育施設が目を引いた。

町の一角にあるショップや住居の玄関口などには「ヤー・フサイン（おお、フサイン様よ）」とアラビア文字で記されたバナーが貼られていた。「フサイン」とは、シーア派の第三代イマームである。また、アガ・ハー

カッザーフィ寄贈モスク

ンの壮麗なモスクもあった。アガ・ハーンとは、イスマーイール派（シーア派）の分派であるニザール派の指導者の称号である。パキスタンで影響力を有するが、現在の指導者アガ・ハーン四世は、パリを拠点に社会事業などを各地で展開している。その管理人にザンジバルのシーア派について尋ねたところ、イスラームには七三のセクトがあることや、モスクの建築等に積極的に資金を投じているという答えが返ってきた。アガ・ハーン以外では、ボフラ派やアガ・ハーン系のホジャ派の宗教施設も際立っていた。ボフラ派のモスクでは「ヤー・フサイン」の文字が正面ドアにも刻まれていた。

彼らは南アジアに支持層があるシーア派グループだが、共にインドのグジャラート[※1]で浸透した信仰とされる。環インド洋を巡る交易や移動の歴史から、東アフリカ沿岸部に南アジアの信仰が定着する流れは必然だったと言える。ハドラミー商人と同様に、グジャラー

ボフラ派のモスク。ドアに「ヤー・フサイン」の文字

※1　インドのグジャラート地方では一五～一六世紀にかけてグジャラート・スルターン朝が栄えた。西海岸のカンペイ湾を中心とした交易は、商人活動を規制せず、ムスリムやヒンドゥー教徒やジャイナ教徒の商人たちが交易を行なっていた。グジャラートの最も重要な貿易はアデン（イエメン）とマラッカ（マレーシア）を繋ぐものだった。イタリア・ギリシアおよびダマスカス（シリア）からの品物や貨幣はカイロ（エジプト）やジェッダ（サウジアラビア）の商人の手によって紅海を運ばれ、アデンにもたらされた。これらの品物が、グジャラート船が運んできた品物と交換されるか、あるいはアラブ船でさらにグジャラートに運ばれた。

ト商人もまた東アフリカに定住した人々だった。

交易拠点としての繁栄

ザンジバルやモンバサは当時、喜望峰を経由する東西交易の拠点として莫大な富を得ていた。スパイスのクローブ（丁子）や象牙、そして、奴隷取引が富の源泉だった。『イスラームの黒人奴隷』（ロナルド・シーガル著）から引用する。

沿岸のオマーン人はザンジバルに拠点を置き、一七八〇年代半ばにキルワの支配権を握ると奴隷と象牙貿易の大半をその島に向かうようにした。一八三四年までに、本土から連れてこられた奴隷の輸出は年間六五〇〇人に達し、一八四〇年代にはその数は一万三〇〇〇人から一万五〇〇〇人にまでのぼった。これらの奴隷の一部は中東の市場へ送られたが、大半はザンジバルへ向けられた。そこでは丁子の労働集約栽培が、一八一〇年からほどなくして始まり、世界的需要の高まりに応えて急速に広がっていた。一八五〇年代の、島の人口には六万人以上の奴隷が含まれたと推定される。

輸出前の奴隷収容施設

（『イスラームの黒人奴隷』二〇六〜二〇八頁）

ザンジバルでは当時の奴隷取引に使用された収容所などの施設も公開されている。しかし、繁栄は長くは続かず、スエズ運河の開通が東アフリカの交易都市を失墜させた。

最近、東アフリカとオマーンの交流を示すゲームの存在を知った。それは、ボードに開けた列状の穴に駒を配していくマンカラと呼ばれるゲームの一種だが、岩や地面を削ってボードとした痕跡がオマーンのドファール地方で見つかった。同じゲームがモザンビークで今も存在している事実から、奴隷貿易時代に東アフリカからオマーンに伝わったとする説がある。

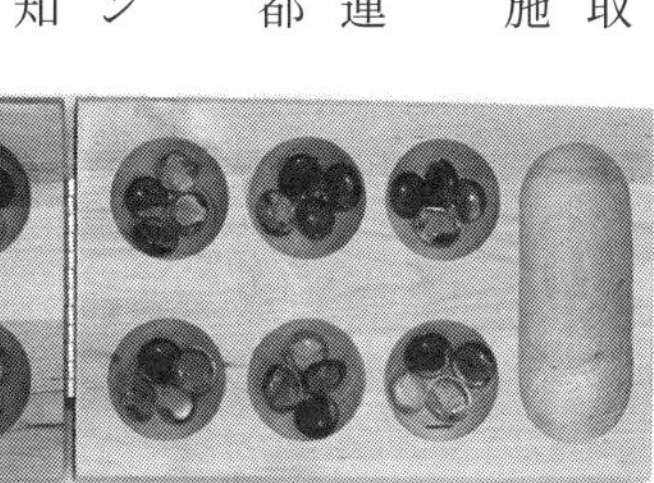
木製ボードのマンカラ

さて、第二次大戦が終わると、アフリカ諸国では独立の機運が高まった。ザンジバルも一九六三年に英国から独立したが、国内で発生した暴動でアラブ系住人一万二千人が殺害されたと言われる。多くのアラブ系住民が脱出し、スルターン（国王）も逃亡[※2]、オマーンのザンジバル統治は過去のものとなった。

イバード派と部族統治

オマーンでは九世紀から、内陸部ニズワを拠点に、イマームと称されるイバード派の指導者が統治を続けてきた。ポルトガル支配を打破したのもイバード派のイマームだった。歴史的経緯はさておき、現在のオマーンを統治するブーサイード家はソハール知事だった家柄である。一旦イマームを継承したブーサイード家の指導者はマスカットに移ると、イマームを放棄し、首長の称号の一つである「スルターン」を自称した。一方、イマーム制の復活を願うヒナイ族を中心とする

※2　ザンジバル王国のスルターン、ジャムシッド・ビン・アブドゥッラーは、一九六四年に起こった革命でザンジバルを追われ、その後、英国に居住し続けた。オマーンへの帰国要請は認められてこなかったが、二〇二〇年九月（スルターンは九一歳）、ハイサム新国王により帰国が承認された。

部族連合は内陸部でイマーム国を形成した。第二次大戦後、内陸の石油探鉱を進めたい英国と国王は、内陸のイマーム制を支持する部族連合を制圧した。サウジアラビアに追放されたイマームは、その後、オマーン南部のドファール地方で独立運動をしかけるが、今の国王、カブース・ビン・サイードによって制圧された。

　オマーンの資料によると、国内には二二六部族が存在するが、内陸部には今もイマーム国の復活を願う人々がいる。筆者がマスカットで生活していた二〇〇五年、三〇人余りの集団が一斉に検挙される事件があった。武器を所持し、イマーム制の復活を目論んでいたと発表され、新聞紙面には有罪判決を受けた人々の名前と部族名が掲載された。[※3]

　そのような部族の動きを警戒する政府は、特徴ある統治手法を採っている。その一つは、慎重な治安管理態勢である。慎重というのは、治安部隊の中心に元々は傭兵だったバルチスターン（パキスタン）等を出自とする非アラブ系の人材を登用している点である。内陸部族とも、また近隣諸国の部族とも迎合する可能性は低い。二つ目は、政府や幹部ポストに有力部族出身者をバランスよく配置する融和策である。是非論はあるが、部族の権益にも結び付く。そして三つ目は、「ミート・ザ・ピープル・ツアー」である。まさに部族社会ならではの手法だが、国王のカブース自身が国内各地を巡幸し、地元の部族長や知事と直接面談の機会を設定する。キャラバン隊を伴った国王が年に一度、地方で影響力を持つ部族長の表敬や陳情を受けるのである。と同時に、部族長から臣従の誓いとなる「バイア（忠誠）」の儀式を行なっているとされる。

　カブース国王は鎖国に近かったオマーン社会の近代化を目指したが、急速な改革は進めなかった。伝統的な部族社会を保持したまま、緩やかな近代化で部族社会を徐々に現代に適合させようとしている。なお、カブース国王は二〇二〇年一月に崩御し、従兄弟のハイサム・ビン・ターリクが新国王に即位した。

帰国したザンジバリーの貢献

　この国家立ち上げに等しいプロセスに貢献したのはザンジバルからの帰国民だった。英国保護領という世俗的な環境で商業に従事してきた彼らは、教育も語学力も兼ね備え、国家のニーズとマッチした人材だったのである。

彼らはオマーンでは「ザンジバリー」と呼ばれる。サッカーのナショナルチームにも、アフリカ大陸での同化を感じさせる体形の選手が多い。また、国営銀行や省庁の窓口で、アラブ人特有のアクセントや発音がない流暢な英語で応対するオマーン人は、ほぼザンジバリーである。自宅ではスワヒリ語（アフリカ東岸部の公用語）で生活している家族もある。筆者の住まいもオーナーはザンジバリー家族だった。実務能力と語学力を求めてスタッフを公募すれば必ずザンジバリー一家からの応募があり、中にはタンザニアの西に位置するブルンディ出身者もいた。東アフリカで続いた移民の定住先はザンジバルだけではなかった。

ザンジバリーの女性スタッフと実際に仕事をして驚くことが多かった。英語力は高く、生活習慣では男女の垣根が極めて低い。若い男女スタッフが声を掛け合ってレストランでランチを共にし、世間話に興じる様は、アラビア半島社会では見られない世界だった。

筆者はマスカットで、仏大使館文化センターの語学教室に通った。フィリピン人やインド人も学んでいたが、進級するのはオマーン人の女性ばかりだった。優秀な結果を残したオマーン人には仏留学という誘因もあったからである。それはさておき、欧米からの帰国子女も多かったが、彼女たちの振る舞いは教室内と外では違った。教室内では自由闊達に意見交換をし、社会批判を繰り返しても、一歩外に出れば伝統的なアラブ社会の女性に戻る。しかし、東アフリカで同化が進んだザンジバリーはそうではない。一緒に仕事をして、彼女たちこそが、オマーンの近代化に貢献した人材であることを実感した。

※3　実刑判決（懲役七〜二〇年）を受けた人々のフルネームが公開された。うち二名は王族であるAl Busaidiの出自だった。

第18章　イスラーム世界の奴隷

「千夜一夜物語」の港町

海洋国家としてのオマーンが奴隷貿易で富を得た歴史は前章で触れた。イスラーム商人が海洋交易で繁栄した歴史は、「千夜一夜物語」で活躍するシンドバードで知られるところである。ホルムズ海峡に突き出るムサンダム半島の付け根の都市ソハールは、オマーンではシンドバードの港町としても紹介される。ソハールは今では石油化学産業も芽生えた工業都市として知られるようになったが、二〇〇二年に筆者がオマーンで生活し始めた頃は、柔らかな海風に吹かれる漁村だ

ソハールの海岸

った。漁師たちが魚網を引き揚げ、小型トラックの荷台に網から小魚を流し込む景色が、今も目に焼きついている。シンドバードが拠点とした港に想いを巡らせる地だった。

シェヘラザードがシャフーリアル王に夜な夜な繰り出す千夜一夜の寝物語は、バグダードを中心として栄えたアッバース朝やカイロのファーティマ朝の時代にあった口承の逸話集だとされる。シンドバードの航海記は、一八世紀初めに東洋学者であるフランスのアントワーヌ・ガランがアラビア語の写本を翻訳し、千夜一夜物語の一部だと見なして、発刊した完訳に盛り込んだ。ただし、シンドバードの航海記の逸話自体にソハールの地名は残されていない。港町として登場するのは、アッバース朝バグダードとの交易窓口として栄えたイラクのバスラである。

バスラの黒人奴隷「ザンジュ」

中東ではかなり以前の時代から「黒人奴隷」がいた。アッバース朝時代、西暦八六九年のバスラでは、預言者の娘婿で第四代カリフだったアリーの子孫と称するアリー・ムハンマドが、カリフに対して反乱を起こした。反乱軍は、各地で解放した奴隷たちを兵力にして、フーゼスターンの都市アフワーズ、そしてバスラも制したが、結局はアッバース朝のカリフ軍に敗北した。この蜂起は、反乱に同調したグループが主に黒人奴隷「ザンジュ」だったことから、「ザンジュの乱」と呼ばれる。ザンジュは東アフリカの「ザンジバル島」

の名前のルーツであり、東アフリカにあった地域を示すとされる。そこを出自とする黒人たちが、プランテーション労働やチグリス・ユーフラテス河口の塩害地で土壌の入れ替え作業に従事していた。今のバスラにも見渡す限り塩害で傷んだ荒れ地は多い。塩害はこれまで灌漑システムにより克服されていたが、イラン・イラク戦争、湾岸戦争、国連の経済制裁、イラク戦争などで電力インフラが崩壊したことで灌漑能力も失われ、豊かな耕作地として整備されてきた農地も荒れてしまった。

「千夜一夜物語」の黒人奴隷

千夜一夜物語には複数の版があり、織り込まれた逸話にも違いがあるが、黒人奴隷が登場する物語は多い。エチオピアのハラールを訪れたリチャード・バートンが翻訳した「バートン版」には、「信心深い黒人奴隷」という逸話がある。これは、旱魃に苦しみ雨乞いを祈願するが叶えられないとき、敬虔な黒人奴隷の祈願が雨を降らせるというストーリーである。『バートン版千夜一夜物語6』から引用する。

> 日暮れになって、目鼻立ちのととのった、脛の細い、腹の大きな黒ん坊がひとり、毛のずぼんをはいて、わたしどものほうへ近づいてまいりました。その男の身につけているものを全部値踏みしたところで、ディルハム銀貨二枚にもならないくらいでした。
> 黒ん坊は水を持ってきて小沐浴をすると、碧龕にすすみよって、鮮かに二度拝跪しました。……「おお、わが神よ、主よ、あなたさまの主権を少しも傷つけることのない事柄に対し、いつまであなたさまは、下僕の祈願をお拒みになるのでございますか？……あなたさまのわたくしに対するご慈愛にかけて、お願い申しあげます。なにとぞ慈雨を降らせたまわんことを！」すると、その言葉が終わるか終わらないうちに、一天にわかにかき曇って、さながら水嚢の口を切ったように、ざっと雨が降り出しました。
> ……
> わたしどもは遠くのほうから後をつけていって、黒ん坊が奴隷商の家へはいるのを見とどけました。
> （『バートン版　千夜一夜物語6』一五～一六頁）

この逸話から、バスラに奴隷商があり、黒人奴隷も売買されていたこと、また、黒人奴隷の中に敬虔なイスラーム教徒がいたことが分かる。
クルアーンは「信仰する者よ、あなたがたには殺害に対する報復が定められた。自由人には自由人、奴隷には奴隷、婦人には婦人と」（雌牛章一七八節）と記している。預言者ムハンマドは、社会に存在した「奴隷制」を社会構成員としてそのまま認めた。

古代からあった奴隷制度

では、この地域の奴隷はいつ頃には存在していたのか。歴史は古く、ハンムラビ法典では、奴隷が動物と同じように売買の対象となっていたことが示されている。『原典訳ハンムラビ「法典」』にも次のように記されている。

§7　もし人が銀、金、男奴隷、女奴隷、牛、羊、ロバ、あるいは（その他）いかなる物であれ、（他の）人の息子あるいは（他の）人の奴隷の手から証人および契約なしに購入し、あるいは保管のために受け取ったなら、その人は盗人であり、彼は殺されなければならない。

§17　もし人が逃亡中の男奴隷あるいは女奴隷を荒野で捕え、その所有者まで連れてきたなら、奴隷の所有者は銀二シキル（約一六・七グラム）を彼に与えなければならない。

（『原典訳ハンムラビ「法典」』一一、一三頁、傍点筆者）

当時のメソポタミアは「自由人」と「非自由人」というステータスの異なる住民で構成される社会だったが、恐らく都市国家同士の戦闘で捕虜になった人々は、非自由人として奴隷化させられていたのであろう。そして一旦奴隷になると、奴隷同士の婚姻で生まれる子も生来の奴隷となる。数千年を経て、社会がイスラーム化しても、奴隷は自由人として解放されない限りは売買対象の所有物と同等の立場だった。しかも、アラビア半島でイスラームが勃興し、カリフの指導するイスラーム諸王朝が短期間で中央アジアから北アフリカを征服した時代には、大勢の戦争捕虜が奴隷化した。
ただ、クルアーンに「過失で信者を殺した者は、一名の信者の奴隷を解放し、且つ（被害者の）家族に対し血の代償を支払え、だがかれらが見逃す場合は別である」（婦人章九二節）、「あなたがたが誓って約束したことに対してはその責任を問う。その贖罪には、あなたがたの家族を養う通常の食事で、一〇名の貧者を養え、またはこれに衣類を支給し、あるいは奴隷一名を解放しなさい。（これらのことが）出来ない者は、三日間の斎戒をしなさい」（食卓章八九節）などと記されているように、預言者は奴隷解放をイスラーム教徒の善行として奨励した。

アラビア語とヘブライ語の類似

　アラビア語で奴隷を意味し、最も頻繁に使われる単語は「アブド ‘abd」である。ただ、イスラーム社会では「下僕」の意味で使用されることが大半で、名前によく用いられる。ヨルダン国王「アブドッラー」の名も「アブド」と「アッラー」の二語を組み合わせ、「アッラー（神）の下僕」の意である。ヘブライ語でも、やはり同じ三子音を語根とする単語は「仕える、働く、奉仕する」という意味を示しており、「エヴェド ‘ebed」は「下僕、奴隷」を表している。つまり、「神に仕える下僕」という意味を共通にするアラビア語とヘブライ語は、信仰のルーツを同じくする可能性を窺わせている。

　アラビア語では、たとえば、祈りの場であるモスクにも、同じ語根から派生する「マアバド ma‘bad」が使われる。これはアブドを場所名詞に変化させた派生形で「祈る場所」の意味である。他にも、モスクは「マスジド masjid」とも呼ばれることが多い。これは「頭を下げる」という意味の語根「sjd」を場所名詞化させたものである。クルアーンでは「あなたは見ないのか、天にある凡てのものが、アッラーにサジダするのを。また地にある凡てのものも、太陽も月も、群星も山々も、木々も獣類も、また人間の多くの者がサジダするのを見ないのか」（巡礼章一八節）と記している。アッラーに拝するとか伏するという本来の意味が「礼拝」に繋がったのである。

　なお、大型のモスク（金曜礼拝のできるモスク）は「集まる」を原意とするアラビア語から派生して「ジャーミウ jāmi‘」とも略称される。トルコ語文化圏では一般的な呼称となっており、トルコ政府の支援を受けて東京の代々木上原に建てられたモスクは「東京ジャーミイ」と名づけられている。

マムルーク

イスラーム王朝を支えた奴隷制に関わる語として、「所有される者」という意味の「マムルーク」がある。それは「奴隷」がまさに所有物だったことを示す。千夜一夜物語などの逸話で幾度もお目にかかる語で、「白人奴隷」や「軍事奴隷」等、主に中央アジアのチュルク系の地域やクルディスタンを出自とする人々を指す。

エジプトでイスマーイール派（シーア派）のファーティマ朝からスンナ派のアイユーブ朝を興したのはクルド人のサラーフディーンである。十字軍からエルサレムを奪還した人物で、クルド人の歴史で最大の英雄であろう。そのアイユーブ朝が軍事目的で調達した兵力も、軍事奴隷マムルークだった。その彼らがクーデターを起こしてアイユーブ朝を倒し、エジプト統治を始めた。それが約三〇〇年続いたマムルーク朝である。マムルーク朝もまた奴隷を買い、自らの機関で教育を施すことで人材を育成し、軍人や官僚として起用した。「宮仕え」は、すなわち奴隷なのである。その制度が有効だったことは、マムルーク朝を滅ぼしたオスマン朝が、マムルーク朝の社会制度を取り込んで組織を築きあげ、広大な地を長く統治した事実からも窺い知ることができる。

やはり千夜一夜物語を訳した英国人東洋学者ウィリアム・レインは著書『現代エジプト人のマナーと習慣』（*Manners and Customs of the Modern Egyptians*）で、一九世紀前半のオスマン帝国下のエジプト人家庭の構成を次のように説明している。

> 女性の家「ハリーム」には、一番目に妻、または、妻たちがいる。第二に女奴隷がいる。白人かアビシニア人は通常は側女である。黒人の女奴隷は、料理か世話作業である。三番目は、側女でない自由人の女召使である。男性の扶養家族は、白人と黒人の奴隷、そして最も多いのは自由人の召使である。少ないが、複数の妻を持つものもいる。……エジプト人でマムルークを所有する人はあまりいない。大部分は富裕なオスマンリー（トルコ人）が所有している。
>
> （『現代エジプト人のマナーと習慣』一三八頁）

「アンタル・イブン・シャッダード」の物語

アラブで人気を博す「アンタル・イブン・シャッダード」の物語は、泣かせる英雄伝である。映画化された作品が数本あるが、エジプト映画『アンタル――ザ・ブラック・プリンス』(Antar, the Black prince) は推奨の一作である。遊牧民の部族社会にいる黒人の奴隷女の息子で武力に長けたアンタルが、他部族の攻撃から部族長の家族を守って武功をあげる。社会差別と人種差別に苦しんできたアンタルだったが、実は彼は部族長が奴隷女に産ませた子だった。母親に詰め寄って「なぜ生まれた子供は奴隷になることを知りながら、自分を生んだのか」と責めると、「遊牧部族民間の戦闘で負けて、囚人として自分は連れて来られたが、部族長に気に入られ、彼のものになった」と母は過去を告白する。その事実が明らかになると、武勲を得たアンタルは奴隷身分から解放されて自由人となり、遂には部族長の後継ぎに抜擢されるという拍手喝采劇である。この映画では、「黒人奴隷」にはアブドの派生形である「アビード」という単語が用いられている。

映画『アンタル――ザ・ブラック・プリンス』

現代のアフリカ系住民社会

さて、イラクのバスラには今でもアフリカ系の住民社会が残っている。彼らの多くはイラク南部に連れて来られた人々の末裔であろう。イスラーム社会のイスラーム教徒はみな平等であり、中東ではイスラーム教徒が肌の色で差別されることはない。しかし、アラブ社会の大半は血縁が強い部族社会である故に、彼らの一部は社会差別に苦しんでいる。部族意識が根付いている地域では、血統で繋がるアラブ人社会に圧倒的な支配力があり、アフリカから移り住んだ人々やその末裔の社会での発言力は、地域の有力部族に到底及ぶものではない。たとえば、イラク南部ではアフリカ系住民が社会差別の是正を求める運動を起こし、内政参加を求めている。そのアフリカ系イラク人社会を代表する団体の一つに「自由イラク人運動」（Anṣār al-ḥurrīya al-insānīya）があるが、二〇一三年には指導者のジャラル・ディアブが自動車テロで爆殺された。最近、イラク高等人権委員会が、中央議会の代表枠をこのアフリカ系イラク人グループに割り当てるべきとする是正案を政府に進言した。宗派や民族を巡る対立が存在するイラクでは、少数派に平等な権利を政府がいかに保障するかは難しい政治課題であるが、宗派や民族間の対立などの範疇とは多少異なるこのような社会差別の解消も容易ではなさそうである。

　黒人奴隷の末裔が多いのはイラクだけではない。筆者が勤務したオマーン企業では、外見からブラックアフリカ出身と思しき同僚が何人もいた。彼らは西南部のドファール地方出身だったが、ザンジバルから帰国したオマーン人の家族とは肌も異なり、伝統的な部族に属してもいなかった。オマーンのイスラーム社会も肌の色による差別はないが、部族の血縁は大いに重視される。そのため専ら黒人奴隷の末裔は社会で冷遇されているとの見方だった。しかし、学歴と実力を目指して自らを研磨する彼らは、日本人の我々から見れば実に敬愛される対象であり、国際ビジネスで発揮できる能力が、部族社会における社会格差をある程度は埋め得ると感じさせた。

第19章　外国人労働者の境遇とビジネス環境

奴隷制度が残っていたアラブ

アラビア半島では近年まで奴隷が社会制度として残っていたが、国際社会がその事実を認識したのは一九六二年、サウジアラビアの自由派王子たちの運動による。タラール・ビン・アブドゥルアズィーズ王子（大富豪で知られるワリード・ビン・タラールの父親）を含む王子たちはベイルート（レバノン）で会見を開き、近代化できないサウード家の体質を批判し、立憲民主国家への転身の必要性を訴えた。その際、王子自身が「三二人の妾（めかけ）と五〇人の奴隷がいる」と明かした上で、「自分の妾と奴隷の解放を決定した」と宣言した。自由派王子たちに対して当時のサウジアラビア国王ファイサルは、王子籍とパスポートを剥奪したので、五人の王子たちはエジプトのナーセル政権に身を寄せた。

その後ファイサル国王が発表した内政の基本政策一〇カ条には、奴隷制廃止と奴隷解放が織り込まれた。奴隷所有者には、奴隷を解放した補償金が支払われることとなり、その補償額は、男性は七〇〇ドル、女性は一〇〇〇ドルだったと言われる。だが、実際に解放したと明らかにしたのはサウード家だけで、しかも、解放された奴隷たちはそのままサウード家に住み続けたようである。そのことから、奉公人としての彼らの暮らしが劣悪な環境にあるわけではなかったことが窺われる。妾として主の子を産めば彼女の立場は奴隷でなくなり、子供も認知される。子供に家長としての継承権が認められなくとも、家族の一員として育てられるのが通例である。現在のサウード朝の初代国王アブドゥルアズィーズ・イブン・サウードは実に三六人の息子を王子として認めたが、その中には、妾腹の王子たちもいる。

いずれにせよ、世界で人権が尊重される時代となり、サウジアラビアをはじめ、他の産油国でも奴隷はいなくなった。ところが、現代の今も奴隷制は残ったままだと批判する声がある。

独特な外国人労働契約

アラビア半島の産油国は概ね、外国人労働力に国家運営を委ねてきた。中間管理職のアラブ人、ブルーカラーとして現場作業に従事する大勢の南アジア出身者、住み込みで働くアジアやアフリカ出身者等、職種も出身地も多岐にわたる。その彼らの労働許可は「カファーラ（kafālah）」（保証や責任という概念を示す語根からの派生語）という独特の保証制度で発行されてきた。中東に特有な労働契約とされるカファーラ制とは、雇用主による保証をもって当局が外国人に滞在許可を発行する仕組みである。この場合、雇用主はスポンサーと位置付けられるため「スポンサーシップ契約」とも呼ばれる。労働者の転職や逃亡を防ぐ狙いもあるのか、身元引受人がパスポートを預かるルールもあり、外国人は自らの意志だけでは出国ができなくなる。しかも住み込み生活が求められるメイドや料理人の場合、日常が二四時間、監視されることになる。

総じて政治課題が多い中東諸国ではどの国も出入国管理が厳しい。入国ビザや滞在ビザは大半の国で不可欠な上、出国にも内務省や警察の事前許可を要する国もある。その場合、仮にパスポートを肌身離さず持っていたとしても、出国ビザが必要となる。

国際社会からの批判

このところ、外国人労働者の劣悪な生活環境、あるいは、ハウスメイドへの虐待等に国際社会が批判を浴びせ始めた。

たとえば、二〇二二年のＦＩＦＡワールドカップ開催に向けて競技場やホテル建設ブームに沸くカタルの労働事情はＩＬＯ（国際労働機関）条約に違反しているとの疑いが二〇一四年のＩＬＯ総会で申し立てられた。加えて、労働者への虐待問題、労働者の帰国の自由が制限されていることも問題視された。カタル政府が労働環境の改善を約束すると、ＩＬＯは二〇一八年四月に首都ドーハに事務所を開いた。政府はその後カファーラ制を見直し、次いで投資法を改正することで、外資が一〇〇％の企業活動の容認を決定した。外国人在留者の出入国を規制する法律を見直す準備も進んでいる。折しも、サウジアラビアやバハレーン、アラブ首長国連邦（ＵＡＥ）がカタルと断交したタイミングに重なったこともあり、カタルは経済活動を自由化させ、西側諸国からの支援を取り付けやすくした。カタルの外国人の労働環境は大きく改善している。

一方、家庭内の労働問題も顕在化している。直近では二〇一八年にクウェイトで家政婦への虐待疑惑を巡ってフィリピンとの間に国際紛糾が起こった。海外に労働者（Overseas Filipino Workers = OFW）を送り出すフィリピンにとって、湾岸産油国と米国から受領する労働者送金は外貨収入源として重要である。しかし二〇一八年一月、フィリピン人家政婦がクウェイトで雇用主の虐待から自殺に追い込まれたとされる事態が問題化すると、フィリピンはクウェイトへの労働者派遣を凍結することを決定した。クウェイト政府は、「事件はあくまで個別事案だ、国内のフィリピン人二七万六千人は適切な労働環境にある」と反論。その後、フィリピン大使館が自国民の救済活動を秘密裏に開始した事態が発覚して、両国関係は緊張を高めた。国民人気の高いドゥテルテ大統領自らも乗り出した結果、「パスポートは雇用主ではなくフィリピン大使館が預かる」「労働者用ホットラインを確保する」「労働者の睡眠・食事・休憩などを確保する」等の合意を織り込んだ労働協約が

カタルの競技場で働く外国人労働者

交わされ、事態は一旦収拾した。国際社会のグローバル化やＳＮＳなどの情報発信手段が広がり、劣悪な労働環境や不当な事件がたちまち世界で共有される時代である。

取り組みが難しいビジネス環境

経済機会を期待できるオイルリッチな湾岸諸国への進出は外資が願うところである。ＵＡＥのドバイは地の利を生かした国際物流ハブ機能の充実を図り、フリーゾーンを展開し、外国企業の進出を促した。今では、ドバイを筆頭に各国に建設されたフリーゾーンで多くの外国企業が経済活動を行なっている。フリーゾーンでは法人登記はもとより、就労・滞在ビザの取得も容易で、従業員の雇用においても規制は少ない。メディアの宣伝もあって華々しく見えるが、そこは国内法が適用されない特殊ゾーンで、国内ビジネスの場ではない。

　実際に、経済成長が顕著な中東の内需に取り組むには、宗教の要素が組み込まれているイスラーム金融を軸とした経済活動は不可欠である。しかし、イスラーム金融を扱う西側諸国の銀行や日本の銀行の活動は限定的であり、地に足のついた経済活動を実践することは、日本企業には非常に難しい。加えて、政治不安や戦争リスク、治安問題やテロ対策、部族社会での商慣習等をマネージする必要もある。また実務面では、イスラーム社会のルールを遵守しなければならない。たとえば、サウジアラビアのように職場スペースを男女で仕切る設営を余儀なくさせられる国もある。さもないと、当局の営業許可が発行されない。学校や食堂も同様である。

　市中ではイスラーム社会が健全に維持されているか、日常を監視し続ける宗教警察の目もある。筆者がサウジアラビアのリヤドにあるイスラーム銀行（リヤド・バンク）で会合した際、銀行側からパレスチナ人マネージャーと、両目の部分だけが開いた「ニカーブ」を被ったアバーヤ姿の女性スタッフたちが議論に参加し

イスラーム金融サービス産業、地域比較（2017 年）

地域	比率
中東（GCC 諸国※）	42.0%
中東・北アフリカ（GCC 諸国を除く）	29.1%
アジア	24.4%
アフリカ（北アフリカを除く）	1.5%
他地域	3.0%

〔*Islamic Finance Service Industry Stability Report*〕

※サウジアラビア、UAE、バハレーン、オマーン、カタル、クウェイトを指す。

たことがあった。ある意味、見えない相手との論戦である。このような社会にあるビジネス環境に適応し続けられる外資は限られ、加えて、イスラームに馴染みの薄い日本企業が単独で市場に進出することは難しいと言わざるを得ない。それ故に、企業には、信頼できる現地パートナーを選定し、彼らの能力に市場展開を委ねる選択が現実的である。一方、経済の多角化、産業の育成を目指す中東産油国は、最近になって、国内市場で外国企業が活動しやすくなるよう、商慣習や投資ルールを見直しつつある。労働問題で国際批

イスラーム銀行の資産（1ドル＝110円換算）

第1四半期	2014年	2017年
総資産	1兆213億ドル（133兆円）	1兆480億ドル（163兆円）
イスラーム金融の総資産	7,480億ドル（82兆円）	9,670億ドル（106兆円）
イスラーム銀行数	165行	172行
支店数	28,810店	29,667店
職員	351,413名	382,331名

〔MEED 2017〕

判を受けたカタルが政策を転じている動きも実はその流れの一環にある。

自動車ビジネスでの実例

各地でビジネス経験を積んだ筆者も多くの苦労や思わぬ失敗を経験してきた。その中から、イスラームに関連する自動車ビジネス[※1]での事例を紹介したい。

どの市場でも自動車の購入資金は大体のところ、融資を通じて工面される。お金持ちが即金で買うという商談もあるが、産油国でも日本車の現金取引は稀である。そのため、融資条件は商談を左右する重要な要件となる。買い手は、

※1　アラビア半島では、簡易な組立や架装を除くと、自動車産業部門での工業化は非常に限定的である。いずれの国家も、完成車の輸入・販売市場のままである。しかし中東全体を見ると、人口規模が大きく工業化を志向してきたイラン、エジプト、トルコでは、国策として自動車製造業が発展しており、今では国家の主要産業に成長している。トルコについて言えば、ＥＵや中央アジアへの輸出拠点にもなっている。

自動車の販売店や提携金融機関、あるいは職場から融資を受けるか、リース契約を選択するのだが、近年の特徴として、中東一円で、イスラーム銀行やイスラーム系基金の融資が増加している事実は特筆される。個人向けだけではなく、団体・組織、具体的には官庁や産業共同体向けも扱われるようになり、イスラーム金融のマーケットシェア拡大を支えている。農業協同組合なども好例である。背景には、住民たちのイスラーム社会への依存度を高める動きがある。

オマーンでの自動車販売店では、個人客に割賦販売した自動車の代金回収が滞り、トラブルになったケースがあった。代金の完済まで所有権は移らないので、販売店としては通常の手法として自動車の返還を求めた。しかし、ユーザーが手放さなかったため、司法判断を仰いだが、取り戻すことは認められなかった。オマーンでの割賦販売では金利分が織り込まれて支払い条件が設定されており、支払い遅延が発生すれば、売り手の金利負担に繋がる。にもかかわらず、買い手が「払わない」と明言しない限り、販売店は自己名義であっても商品を回収できない。残る代金はまさに「あるとき払い」のような形にならざるを得ないのである。

また、イスラームでは利息が認められていないため、延滞金利も認められない。

クルアーンでは金利が次のように語られている。

利息を貪る者は、悪魔にとりつかれて倒れたものがするような起き方しか出来ないであろう。それはかれらが「商売は利息をとるようなものだ。」と言うからである。しかしアッラーは、商売を許し、利息（高利）を禁じておられる。 （雌牛章二七五節）

預言者ムハンマドが意図したのは「高利」の禁止であったが、その後の解釈を経て「金利」はイスラーム社会では認められないものとなった。一定の期間、資金を借りれば利息は当然と感じる日本人には奇異に感じられるが、「イスラームでは不労所得は認められない」。つまり、お金は運用されてこそ収益があがり、収益があってこそ、その一部が還元される。資金の預託は事業投資の精神なのである。貸付金利で潤う金融ビジネスでは想定されない事業形態だが、根本の思想は実に健全と言える。

トラブルで学んだこと

筆者もオマーンではこのようなトラブルを幾度か経験したが、そこから貴重な学びもあった。

一つは、敬虔なイスラーム教徒で社会的立場の高いアラブ人は、今もビジネス・ルールより名誉や評判を重んじるという現実である。先述のケースでも長老のオーナーは同胞から厳しく取り立てるような無作法は好まなかった。周囲から不寛容な人だと見られかねないからである。アラブには、ビジネスであっても、このような生き方を理想とする社会が残っている。

もう一つは、法廷次第で判断が異なる可能性もあるということである。そもそも民事の場合には、一般裁判所かイスラーム裁判所か、線引きがはっきりしない。イスラーム裁判所に申し立てられると、イスラーム色の強い結論に導かれ、都市部から離れた遠隔地であれば地域色も反映される。その他、イスラームに関わらない事案でも想定外の事態が度々発生し、ビジネスリスクに対する備えも、日本企業の常識だけではとても対応しきれない社会だと再認識させられた。

産油国の自国民労働力

ところで、これまで大いに外国人に依存してきた産油国でも、労働力の自国民化は国家戦略上、重要な課題になった。理由はいくつかある。一つは人口増による失業率の増加である。特に、国家の将来を担う若年層の就業率は低い。二つ目は油価低迷による財政事情の悪化である。雇用対策でもある公務員枠の拡大は限界に近いため、石油後の将来に向け、経済の多様化と技術移転が不可欠になった。このような理由から、アラビア半島の産油国は、企業に一定枠の自国民採用を義務付けた。この政策は、サウジアラビアであれば「サウダイゼーション」[※2]、オマーンでは「オマナイゼーション」と称されている。

※2　民間企業における国民雇用を促すサウジアラビアの国家政策である。国家労働監視局（National Labor Observatory）の最新の報告書では、二〇二〇年第一四半期の民間部門のサウダイゼーション達成率は二〇・三七％（前年同期比〇・一六％増）だった。社会保険局に登録されている民間部門のサウジ人の就労者数は一七一万二五七一人（その内の女性比率は三三・二二％）となっている。最も進んでいる分野は金融・保険部門で、達成率は八三・〇一％となっている。

しかし、その結果、時として企業は労働意欲を持たないスタッフを雇用することになりがちである。勤務実態のない労働力に、生活保護手当のように給与が払われる場合も少なくない。サウジアラビアでの経験だが、新規に採用した若者がほとんど出勤しないケースもあった。勤務実態がなくとも給与は支払われ、給与水準も外国人より大幅に高く設定される。しかも、そのようなスタッフが加われば業務効率は悪化する。

雇用のミスマッチという課題も大きい。GCC（湾岸協力会議）では大卒の若年層が増えているが、彼らは公務員を目指すか、あるいは民間部門で管理・マーケティング・金融・ITなどの職を志向するのが常である。しかし、公務員枠は限定され、彼らが目指す民間での職種も市場が限られている。また、自国民が外国人に委ねてきたブルーカラー業務、あるいは第一次産業に従事する社会とはなっておらず、いきおい就労しない若年層も多くなっている。

このような状況では、人材育成という目標が掲げられても、雇用は企業活動のための社会コストと位置付けられてしまう。さらに残念なことに、企業が自国民化の目標を達成できていないと、外国人の労働許可の更新に支障が生じる場合もあった。隠れたペナルティである。資源で得られる富の配分を受けてきた産油国の部族民が企業で意欲的に働く社会になるまでには、まだまだ時間がかかるのが現実である。

第3部　宗教マイノリティと帰属意識

第20章　ザイド派の部族社会

これまで中東で大多数を占めるイスラーム教徒の社会を描いてきたが、中東にはもちろんイスラーム主流派以外の宗教社会も存在している。キリスト教・ユダヤ教はもとより、その地域だけに根付いて苦難を生き長らえてきた宗教も残っている。

第3部では、筆者のこれまでの視察や体験などを踏まえ、中東に実在する宗教マイノリティ（少数派）を論じていきたい。

ザイド派を率いるフーシー族

イエメン北部でサウジアラビアとの国境近くにサアダという古都がある。かつてはイエメンの東西とアラビア半島の南北を繋ぐ陸上交易の要衝だったが、今は、サウジアラビアと戦うフーシー族の拠点として知られる。その小都市は泥土の家並みや城壁のシルエットが柔らかで、歴史的な景観の美しさが際立つ。イエメン全体では石造りの建築物が目立つが、北西部からサウジアラビア南部一円は煉瓦と泥土の住居が多くなる。中心にあるモスクのミナレット（尖塔）はシンボル的存在だったが、サウジアラビア軍の攻撃で上部が破壊されてしまった。サアダだけではなく、サウジアラビア軍主導の空爆によって、イエメン各地で歴史的建造物が破壊され、廃墟と化した集落も多いと聞く。嘆かわしいことである。

さて、そのサアダを拠点とするフーシー族が、サウジアラビアやイエメン共和国と衝突してきた歴史背景や宗教事情を付記しておきたい。

イエメン北部にはザイド派（シーア派）が統治するイスラーム王朝があった。指導者はイマームで、その統治は実に九世紀まで遡り、栄枯衰退はあっても脈々と続いてきた。このイマームは世襲制ではなく、部族社会で守られてきた。

オスマン帝国支配の末期、一九〇八年にムハンマド・アリー・イドリースィーが、今のサウジアラビア南西部のジャーザーンおよびアスィール地方にイドリース首長国を創設し、オスマン帝国に反旗を翻していた。イエメンの支配者、ザイド派イマームはこれに対抗したが、第一次世界大戦中にはイギリスがこの首長国を支援したために、建国者のムハンマドが一九二〇年に亡くなるまで栄えていた。一九二六年のマッカ条約でイドリース首長国の領土の大半がサウジアラビアに併合された。その地は現在のサウジアラビアの紅海沿い三州、バーハ州、アスィール州、ジャーザーン州に当たる。一方、ザイド派イマームはサアダを本拠地にして部族に守られる鎖国態勢をとったものの、一九六二年にイマームは退位することとなり、イマーム制も廃された。[※1]

とはいえ、ザイド派は消滅したわけではなく、彼らはサウジアラビアとイエメン共和国の政策に反発し続けてきた。今、そのザイド派を率いるのがフーシー族である。預言者の系譜にあるとされるフーシー一族は、イマームも輩出してきた有力部族であり、今は「アンサール・アッラー（アッラーの支持者たち）」という組織を主導し、政府やサウジアラビアと戦う部族民や市民を主導している。サウジアラビアとイエメン共和国は独立国家となっているが、ザイド派は両国の間に位置する厄介者として扱われ、反政府勢力のレッテルを貼られている。しかし、彼らはザイド派としての統治の復活を希求し続けている。

ザイド派イマームについて西側に残る記録としては一七六〇年代にデンマークが派遣した調査団で唯一人生還した団員ニープールの報告書が知られるが、そこには、調査団がイマームに拝謁したときの様子が綴られている。

謁見はアーチ型天井を持つ長方形の大広間で行われた。中央には十四フィートも水を吹き上げる噴水があった。池の向こうに高いひな壇があり、そのまだ向こうにイマームの玉座の据えられた台座があった。……イマームの右側には息子たち、左側には兄弟が立っていた。ひな壇には、彼の前方に国務大臣(ワジール)のファキフ・アーメッド、その一段下に、われわれが立った。両横の壁沿いに扉の所まで、アラビア人の文武百官が、長い列をつくって並んだ。

（『幸福のアラビア探険記』トーキル・ハンセン著、二九五〜二九六頁）

サウジアラビアに残るイエメン

筆者は以前、サウジアラビア南部の集落などを精力的に駆け巡った。その際、かつてのイドリース首長国、特に南部の山岳地帯では、人々の意識はイエメン人のままだと強く感じることがあった。たとえば、イエメン各地で栽培されるカーツ（覚醒作用のある葉、サウジアラビアでは非合法）は、バニー・マーリクやファイファなどの山地で今も住民が常用していた。何丁もの銃を隠し持っている家まであった。そこは、ザイド派イマームがサウード家と戦った地であり、ひと山を超えるとイエメンで、イラクのマーリキー元首相の祖先の出身地でもある。その山中の狭い隘路(あいろ)を四駆で下っていると、「麓の集落まで」と乗り込んできた若者は、仕事は地元の警察だと言い、ご禁制のカーツも自分たちの部族の山で栽培されていると自慢気だった。それは二〇〇六年頃のことだが、国家警察の監督が及ばず、治安管理は地域社会に委ねられているのが現実のようだった。

イエメン側でも紅海側の町から国境沿いをサアダに向かって進むと、集落の住民は軽トラックでサウジアラビアと自由に行き来する様子が見られた。これは両国間で一九三四年に交わされたターイフ条約（二〇年

※1　北イエメン革命が起こり、エジプトのナーセル大統領が「自由イエメン運動」を支援、イエメン自由将校団が誕生した。イマーム（ムハンマド・バドル）は退位し、サアダへ拠点を移した。その後、一九七〇年にイマーム支持派と共和国派が和解した。

毎に更新される合意）により、地域の部族民は、自由往来や交易・巡礼を保証されたからだろうと思われた。その条約では内陸部の国境線の協議は先送りにされたが、背景には、部族の土地や社会を国境で分断できないという事情があった。さらに、内陸部のエネルギー資源の開発権も合意を先送りする要因となった。

その後、サウジアラビアはザイド派の部族地域に、ワッハーブ派のモスクを増やし、イエメンの部族民にもパスポートを発給するといった手法で、一部の部族民の忠誠心を求める策を弄した。しかし、そのような行為は、ザイド派にとってはサウード家とワッハーブ派による侵略以外の何物でもない。

その後、イエメン共和国とサウジアラビア間の国境線は二〇〇〇年に締結されたジェッダ条約で決着した。しかし、ザイド派の部族社会はイエメン共和国の政策に納得しているわけではない。歴史あるザイド派も国家単位で見れば、統治には厄介なマイノリティになる。宗派や民族対立を乗り越えてイエメンをまとめる統治は容易ではないということだが、それは、アラビア半島に限らず、部族社会が強い中東が抱える共通の問題である。やはり中東を理解するには、宗教と部族・民族という括り（くく）は欠かせない。

第21章　北イラクのクルド人

イラク第三の勢力

筆者は企業マンの時代、中東各地で多様な社会に触れてきたが、わけてもイラク、特に北イラクのクルディスタンでの日々は興味深く貴重な経験となった。イラクはアラビア半島の北東に位置する国である。最近では、シーア派とスンナ派の住民が共存する社会として世界に認識されるようになった。きっかけは米国がサッダーム・フセイン政権を倒したイラク戦争である。世俗主義を主張しながらも、スンナ派住民が支持していた政権が倒れ、アメリカの支援のもとで民主的な議会選が行なわれると、人口の約六割を占めるシーア派が過半数を超える議席を得た。そしてその後、周辺国の干渉などもあり、シーア派とスンナ派の対立意識が住民たちの中で高まった。

イラク社会を考える場合、人口の六〇%のシーア派と約四〇%を占めるスンナ派という宗派の要素だけでなく、そこにアラブ人、クルド人、トルクマン人といった民族要素が加わる。最大の民族勢力はむろんアラブ人だが、それに次ぐのがクルド人である。

クルド人は大多数がスンナ派であるが、民族意識の強さは、スンナ派という宗派グループとしての一体感を大きく凌ぐ。したがって、政治的な分類としてはシーア派六〇％、スンナ派二〇％、クルド人一七％という三勢力の構成となる。

そんなクルド人の多い北イラクには特定の地域にキリスト教会など非イスラーム教徒の共同体も存在している。同様な状況は、隣り合うイラン北西部、トルコ東部、シリア北部にもある。

なぜそのようなマイノリティ社会が存在するのか推察すると、そこには覇権争いの狭間となる場所があり、マイノリティ社会が生き長らえる環境があったと言える。

クルディスタンのクルド人

そもそも「クルド人」とはイラン・イラク・シリア・トルコにまたがる「クルディスタン」と呼ばれる地に居住する地域住民を指す。

第一次大戦後にオスマン帝国が分割された際、クルド人は国家として独立できる機会を得られなかった。現在の人口規模は推定で三千万人とも言われ、「国家を持たない最大の民族」と揶揄される。イラン・イラク・シリア・トルコいずれの国家でもクルド人は一定数の人口を占め、民族アイデンティティが極めて強く、自分たちの権利や自治をめぐって政権と対峙する場合も多い。加えて、母語であるクルド語が民族意識を維持する要因の一つになっている。

複雑なクルド語

クルド語は、印欧語族のイラン語派に属す言語で、ペルシア語に非常に近い。クルド語には大きく分けて四つの方言（クルマンジー、ソーラーニー、ゴーラーニー、ザザ）が存在し、語彙にかなりの違いがある。出身地が違えば、クルド人同士であっても意思疎通が簡単ではないと言われる。

『アラビア語言語学百科事典』（*Encyclopedia of Arabic Language and Linguistics* 六〇四頁）によれば、これら四つの方言のうちの最大人口はクルマンジー方言で、「トルコ、シリア、カフカース、イラン北西のウルミア湖の後背地、そしてイラクのクルド地方の約半分の地」で使用されている。それに次ぐのはソーラーニー方言で、「スレイマニア、キルクーク、エルビル周辺、そして、マハーバードからサナンダジュにかけてのイラン」で話されている。

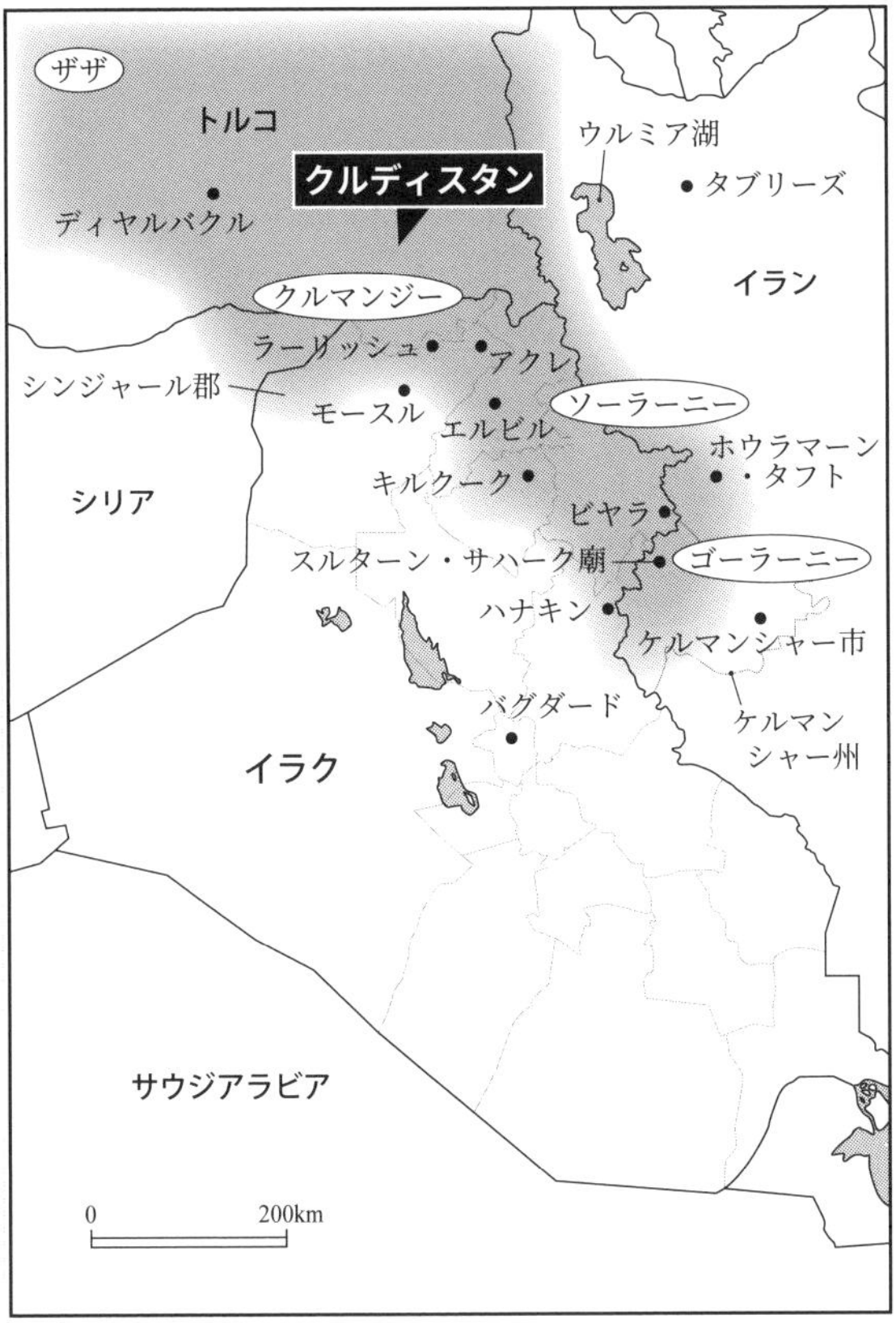

ゴーラーニー方言は、「クルド自治政府とイランの境界にまたがって広がるホウラマーン山岳地帯」に古来から残る言葉である。筆者がその地を訪ねた際に同行したクルド人通訳は、「ホウラマーンの言葉は難しく、ルーツが不明な単語が多い。ここはゾロアスター教が長く信奉されてきた地であり、ユダヤ人社会もあったため、古代の語彙が今も残っているのだろう」と彼自身の見方を説明した。

もう一つの方言ザザは、トルコのアナトリア地方に住むアレヴィ教徒（シーア派の一宗派）社会で話されている。しかしこの言葉はクルド語と同じ言語グループではないという説もある。「彼らはクルド民族で、ザザ語もクルド語の方言の一つである」としてクルド人の人口推計に組み込まれがちなのだが、実際のところ、ザザ語はクルド語と同じ言語グループでなく、彼ら自身もクルド人だというアイデンティティはないとのことである。

この解釈の違いでクルド人の推定人口が違ってくる。アレヴィ教徒を除くなら、二千万人を下回るだろう。なお、トルコ政府は自国の世俗主義政策により民族構成を示す資料は明らかにしていない。

これらの方言が互いの意思疎通を難しくしているのだが、もう一つの問題は文字である。クルド語には独自の文字がない。北イラクではアラビア文字が使用され、イランではペルシア文字、アラビア文字が放棄されたトルコではラテン文字、クルド人口が少ないアルメニアにおいてはアルメニア文字が使われている。独自の共通文字を持たないことがクルド語をより煩雑にしていると言えるだろう。

クルディスタンの地勢と歴史

クルド人が多く住む北イラクのクルディスタン地域は、急峻な山岳地が広がっており、生活するには厳しい自然環境である。しかしその半面、隠れ住むにも逃避先としても都合がよい。今も、トルコ政府と衝突を繰り返している反政府勢力ＰＫＫ（クルディスタン労働者党）の戦闘員などが、この地域やイランの山岳地帯を潜伏先としている。

一方でクルディスタンは、宗教や文化が交錯・共存した地でもあった。中東の北部ではかつて、覇権をめぐって民族・部族・宗教の対立が繰り返されてきた。時代を遡（さかのぼ）れば、チグリス・ユーフラテス川沿いに栄えた都市国家は互いに争い、東からアーリア人、西からセム系民族が覇権を競った。

イラン高原ではアーリア人のメディア王国、アケメネス朝ペルシアが台頭し、セム系のアッシリア、次いで新バビロニアと衝突した。その際、新バビロニアを攻略したアケメネス朝のキュロス二世は、旧約聖書に記されているように、捕囚されていたユダヤ人を解放した。その後、マケドニアのアレキサンダー大王の東進でアケメネス朝が滅び、ヘレニズム文化が広がった。さらにイラン高原からはパルティア、そしてゾロアスター教を国教としたサーサーン朝ペルシアの統治が地中海地域に広がると、キリスト教を信奉するビザンツと各地で衝突した。

交易社会の発展に伴って、共通語としてセム語族のアラム語が広く使われるようになった。アラム文字だけを借用していたペルシア語の社会は、イスラームの広がりと共にアラビア語がアラム語に取って代わり、アラビア文字が使われるようになった。

クルディスタンの一部の地域はこうした興亡が繰り返されてきた地であり、その一方で、険しい山々に囲まれた山岳地域は安全地帯でもあった。

火と太陽の祭儀

クルディスタンの地域信仰における祭儀の特徴は

「火」と「太陽」である。それは、イスラーム化する前のクルド人の多くがサーサーン朝の影響下にあったことに由来する。サーサーン朝はゾロアスター教を国教とし、「火」と「水」が祭儀の対象となっていた。

イラン暦の新年の祝祭「ノウルーズ」では、クルド人は火を燃やし続けて新年を祝う。火の祭儀は、時代によって信奉する宗教が異なっても、古来よりクルド人に根付いてきた慣習として今も残る。

ノウルーズで火の祭儀が盛大に執り行なわれるのは北イラクにあるアクレという町である。アクレにはケラ山という小高い山があり、その斜面にはこの地域独特の町並みが広がる。祝祭当日には、クルディスタン各地から大挙して人々が押し寄せ、松明（たいまつ）を片手に列をなしてケラ山の頂に向かう。彼らの信仰するイスラームには、火にまつわる祭儀はない。この儀式について住民に尋ねると、「アクレはゾロアスター教の始祖ザルダシットが伝道活動の拠点にしていた所だ」と自慢げに話すことに驚かされた。

太陽については、古代からクルド人の地域信仰において重要なシンボルだったと信じられており、北イラクで自治権を有するクルド自治政府の民族旗も、二一の光線を放つ太陽をその中心に描いている。

クルディスタン東部にある旧都タブリーズに行った折、鉄器時代の墓地遺跡を見学した。タブリーズ市内にあるブルーモスクの拡張工事の際

ケラ山のノウルーズ

クルドの民族旗

に発見された土坑群で、土坑に収められた遺骸はいずれも頭部を東に向けて横たえられていた。遺跡を管理する解説員はこの点に触れ、この地の住民は鉄器時代の当時から太陽信仰の民族だったと力説した。

クルディスタンの人口構成

さてここでクルディスタンの住民構成を確認したい。北イラクに特化した人口構成は明らかにされていないが、イラクの国勢調査資料でイラク全体の人口構成を知ることができる。記録に残るところでは、第二次大戦後の一九四七年に実施された国勢調査がある。イラクがまだ「イラク王国」だった時代である（下表参照）。

この資料によると、イスラーム教徒が九割以上を占めている。宗派でスンナ派とシーア派に分けられた上で、さらに民族別にアラブ、クルド、ペルシア、トルクマン、ファイリー・クルドと整理されている。トルクマンはチュルク系の住民で、ファイリー・クルドはイラン国境近くに居住するシーア派グループのことである。

非イスラーム教徒は、宗教別に括られており、最大勢力はキリスト教徒で、次にユダヤ教徒となっている。

		都市部	比率(%)	地方	比率(%)	合計	比率(%)
イスラーム	アラブ・シーア派	673	41.9	1671	56.5	2344	51.4
	アラブ・スンナ派	428	26.7	472	16.0	900	19.7
	クルド・スンナ派	176	10.9	664	22.4	840	18.4
	ペルシア・シーア派	49	3.1	3	0.1	52	1.2
	トルクマン・スンナ派	39	2.5	11	0.3	50	1.1
	トルクマン・シーア派	11	0.7	31	1.1	42	0.9
	ファイリー・クルド・シーア派	14	0.9	16	0.5	30	0.6
非イスラーム	キリスト教徒	94	5.9	55	1.8	149	3.1
	ユダヤ教徒	113	7.0	4	0.2	117	2.6
	ヤズィーディー、シャバク	2	0.1	31	1.0	33	0.8
	サービア教徒	5	0.3	2	0.1	7	0.2
合計		1604	100.0	2960	100.0	4564	100.0

イラクの国勢調査（1947年）、宗教・民族構成（単位：千人）

ただし都市部に限るとユダヤ教徒は七％を占め、キリスト教徒を上回る存在だった。その他、ヤズィーディー教徒、シャバク教徒、サービア教徒と続いている。

現在クルド自治政府のあるクルディスタン地域では、イスラーム教徒のクルド人が人口の大半を占めている。その大部分はスンナ派で、シーア派はイランと隣接する地域に多い。非イスラーム教徒は、この地域の部族社会において、クルド人として扱われなかった。啓典の民（ユダヤ教徒、キリスト教徒）を除いた非イスラーム教徒は、異教徒として従属させられるか迫害されてきた歴史もある。

マイノリティ保護法

二〇一四年、イラクにＩＳ（イスラーム国）という残忍な過激派集団が現れ、クルディスタンに近接するモースルをはじめとする都市や集落を制圧した。この地域はモースルを筆頭に、様々な宗派が混在する歴史的な場所である。急進的なイスラーム教徒でもあるＩＳの進出を脅威と認識した住民の一部は、安全な場所を求めて居住地を離れ、大勢がクルド自治政府に向かった。それまでもクルド自治政府は、内戦状態に陥ったシリアから逃れてきた難民を受け入れてきた。そして自治政府が保有する軍事組織ペシュメルガをＩＳとの戦いに投入し、国際社会から絶大な支援と評価を得た。

二〇一五年、クルド自治政府はクルディスタン地域内に居住するマイノリティ社会に平等の権利を保証する法律を制定した。イラク中央政府では立法化されなかったマイノリティ保護法である。

同法は冒頭の第一条で、「民族グループ」と「宗教グループ」に分け、公認するマイノリティ社会を明示した。民族として公認されたのは、トルクマン（スンナ派）、キルダーニ（カルディア教会）、アッシリア（アッシリア教会）、シリアン（シリア正教会）、アルメニアン（アルメニア正教会）である。トルクマン以外はいずれもキリスト教の宗派で、発言力の強い存在である。そして宗教としては、キリスト教、ヤズィーディー教、マンダ・サービア教、カカイ教、シャバク教、ファイリー教、ゾロアスター教などが列挙されている。彼らこそが、この地域での宗教マイノリティに当たる人々である。

さらに第三条で「有効で完全な平等」、「政治・文化・社会・経済生活における公平で均等な機会」を保証し、第四条で「公認されたすべての個人が宗教アイデンティティを表明する権利を有すると共に、民族アイデンティティも保護される」と規定した。裏を返すと、法律で認定されない民族や宗教・宗派に属する住民たちは、自らのアイデンティティを表明することもできず、保護されることもない立場ということになる。

筆者はクルド自治政府の意向を知ろうと思い、二〇一六年五月、エルビルにある宗教事項ワクフ省の担当マリワン・ナクシュバンディ局長を訪ねた。局長は、この法律を「少数民族社会や宗教社会の権利を自治政府が保証する法律であり、宗教コミュニティの形成を容認する措置である」と位置づけた。そしてリストにないユダヤ人について尋ねると、「ユダヤ人も対象だ」と力説した。すべてのマイノリティ社会を公認し、等しく住民の権利を認めたクルド自治政府の思惑には、クルド人に対する国際社会からの支援を高めたい、あるいは、将来のクルド人国家樹立に向けて国際社会の賛同を得られる環境を構築したいという強い思いが織り込まれていることは疑いない。

ナクシュバンディ局長（右）と筆者

第22章　クルド人とヤズィーディー

ヤズィーディーの始まり

ヤズィーディー教（以降、ヤズィーディー）の聖地は、北イラクのラーリッシュにある聖者シャイフ・アディの墓廟である。一二世紀、シャイフ・アディはバグダードで興ったスーフィズム（イスラーム神秘主義）のカーディリー教団で学び、北イラクで自身のスーフィズム「アダウィーヤ（アディの信徒の意）教団」を広めた人物である。北イラクの山岳地には古代からの習慣や祭儀が根付いていたため、そもそもイスラームの伝道も容易ではなかったのだろう。

シャイフ・アディの末裔によると、その地域はイランの古代信仰とヤズィード・ビン・ムアーウィヤ（ウマイヤ朝の第二代カリフ）の影響が混ざり合った農民社会であり、そこを拠点にしたのは、カーディリー教団で共に学んだ仲間の出身地だったからとされる。

修道場（ザーウィヤ）がラーリッシュの地に設けられると、アディと弟子たちの禁欲主義的な生活や彼らが行なった奇跡が住民を惹きつけ、教団の立場は高まった。アディの遺体はラーリッシュに葬られたが、彼の墓所はムスリム・非ムスリムを問わず人々の参詣先となった。祈りの方向であるキブラまでも、マッカからラーリッシュに方向が変えられた。

名前の由来

ヤズィーディーの由来となっている「ヤズド」という名は、中期ペルシア語やクルド語で「神」を意味する「yazdan」や「izad」から派生したとされるのが通説である。だが他にも、火を崇拝するゾロアスター教のイランの都市ヤズドから派生したとする説や、アラブ人が主張するヤズィード・ビン・ムアーウィヤの名に由来するとの説がある。ただし、カルバラーの戦い(六八〇年)でシーア派のイマーム・フサインを死なせた人物の名はシーア派の恨みをかうことから、ヤズィーディーは否定している。そして、自分たちの信仰は古代に失われた宗教に起源があると信じ、イスラーム化される前のクルド人は皆ヤズィーディー教徒だったと考えている。

ヤズィーディー社会

ヤズィーディーはクルド語のクルマンジー方言を話す。人口の大多数は聖地ラーリッシュのある北イラクに集まっており、二〇一〇年時点の推定人口は約五一万八千人とされる。ニーナワー県のシンジャール郡に最も多く、次いでラーリッシュがあるシャイハン地区が続く。ただしこれは二〇一四年に現れたＩＳ（イス

聖地ラーリッシュ

ラーム国）がヤズィーディーを異端者と扱い、シンジャール郡で殺戮や誘拐・奴隷化といった蛮行を繰り返す前の話で、不幸にも彼らの人口は今や大幅に減じている。イラク以外ではトルコ、シリア、アルメニア、ジョージアにヤズィーディーの社会がある。

　ヤズィーディーはゾロアスター教と同様に、火と水の祭儀を続けてきた。ラーリッシュにあるアディの聖廟前の中庭や周辺には、ところどころに拝火台があり、歩道脇にはオイルで黒焦げに焼けた芯が点在している。ここでは火が聖なるものだと実感させられる。

　彼らの伝承によると、シャイフ・アディがこの地に来た時、太陽を信仰していたシャムサーニーと呼ばれるマニ教の一族がいたという。「シャムス」とは「太陽」そのものを指す語であり、シャムサーニーは「太陽族」と訳せよう。後述のとおり、ヤズィーディー社会の宗教指導者層の一つは今もシャムサーニーである。

拝火台

ヤズィーディーの教義

　ヤズィーディーの教義は口伝で継承されてきた。一九世紀後半になって『ミスヘファ・レシュ（黒い書物）』と『キテーベ・ジルウェ（黙示録）』という聖典の存在が世界に知られたが、編纂された時代は定かではない。よそ者には謎に包まれた教義だった。

　ここで『ヤズィーディー――コミュニティ、文化、宗教の歴史』（*The Yazidis, The History of a Community, Culture and Religion* ビルギュル・アチキリディス著、三一、三三、五四、七一～七二、八六、八八、九一、九九、一〇三～一〇四、一一二頁）より、ヤズィーディーの特徴を書き連ねてみたい。

神話

　ヤズィーディーの神話は、①宇宙創造、②天使創造、③人間とヤズィーディー族の創造、④洪水、以上の四つで構成されている。

最初に白真珠とアンファルという鳥が登場する。白真珠は四万年、アンファルの背にあった。神は世界を卵の形に創造した。神はフェーデ（Xwede）と言い、七日と七天使を創造し、天使に権限を与えた。一日目（日曜）の天使アザザエルが孔雀（クジャク）天使（ターウーシ・メレク）として現れ、氷に覆われていた大地の氷を砕いた。そしてアザザエルは宇宙の創造を代表する存在となり、神との仲介者となった。神が七天使に各々名前を与えると、天使たちは人間の姿となって現れた。それがシャイフ・アディの一家か、シャムサーニーのシャイフなのである。他の天使たちの詳細は左表のとおりである。

	天使	人間
二日	ダルダイル	シャイフ・ハサン
三日	イスラフィール	シャイフ・シャムス
四日	ジブライル	シャイフ・アブー・ベキル
五日	エズライール	サジャディーン
六日	シェムナイール	ナスル・アルディン
七日	ヌライール	ファクル・ディーン

神が次に創造したのは七つの天、大地、太陽、月、そして人類、動物、鳥だった。神はアンファルの背にあった白真珠を落とし割り、「大地の下・天国の入口」および「太陽・月」に置いた。それから神はアダムとエヴと人間を創造した。

そのアダムの腰から出てきたのがシェヒード・ジェルで、そこから一つの集団が生まれた。それがアザザエルの人々で、それがヤズィーディーに繋がっていく。そして神はシャイフ・アディを遣わした。

カースト（身分制度）

ヤズィーディーにはカースト制が存在する。聖職者カーストはシャイフとピールの二つで、シャイフが上位にある。シャイフはさらにシャムサーニー、アダニー、カタニーの三階層に分けられ、この三グループの人々は通婚が禁じられている。ちなみにピールは四支族で構成されている。シャイフとピールは「来世の兄弟」としてヤズィーディー一人一人に定められる。

シャイフの役割は宗教教育と道徳的な教えを行なうことで、誕生、結婚、葬儀などの通過儀礼に関わる。そして、聖職者以外はムーリッドという一般人カーストである。最近まで読み書きが認められたのは聖職者カーストだけだった。

礼拝

祈りは一日三度（日の出、朝、日没）だが、宗教義務ではない。人々は手と顔を洗い、それから顔を太陽に向けて手を広げて祈る。

断食

断食は年に一度、一二月に催される太陽祭の期間（三日間）に行なわれる。この期間の断食は宗教義務ではないが、敬虔な人々やシニア層を中心に行なわれている。一方、シャムサーニーの精神的指導者であるババ・シャイフなど一部の指導者たちは、年に二度、夏と冬に各々四〇日間の断食を行なう。

参詣

最大の参詣先はラーリッシュにあるシャイフ・アディの墓廟で、その期間は九月二三日～三〇日である。ヤズィーディーの参詣先は多岐にわたり、聖なる人々の墓廟やシャイフやピールなど聖職者の家、さらには樹木、岩、洞穴、泉も対象となっている。

通過儀礼

ヤズィーディーの通過儀礼は断髪、洗礼、割礼、結婚、死などがある。断髪は、誕生より半年から一年の頃に前髪を少し切る儀式である。断髪役は、その子供の来世の兄弟と定められたシャイフかピールである。洗礼の儀式には子供と両親が参加し、シャイフ・アディ廟の地下にあるザムザムの泉の水で執り行なわれる。洗礼後二〇日が経つと、男児には割礼が行なわれる。

ヤズィーディーは輪廻転生と天国と地獄の存在を信じており、人が死ぬとその魂は肉体を離れ、その後、別の肉体で魂が再生する。最後の審判の後も、故人の魂は別の肉体で再生することになる。なお、仏教にある輪廻転生の思想は、アーリア人にもセム語族の宗教にも見られないが、中東ではシリアやレバノンのアラウィー派やドルーズ派に見られる。

タブー

ヤズィーディーが純粋なものとして重視する四つの要素「大地・空気・火・水」に関してタブーが存在す

る。たとえば、火を水で消してはならず、地面や土で消す。飲水には敬意が求められ、うがいは許されない。

食物規定もある。肉では豚肉、魚、雄鶏、ガゼル、野菜では、レタス、オクラ、カリフラワー、キャベツ、かぼちゃを食さない。

色では青が忌み嫌われ、青色の装束は禁じられている。クルド語で「死」を意味するshinという単語が「青色」を示しているからである。

聖地ラーリッシュ

ヤズィーディーの改革者シャイフ・アディ墓廟を中心とする聖地ラーリッシュは、エルビルとドホークの間にあるシャイハン地区にある。シャイハンは新たな石油生産拠点となっている場所で、ラーリッシュに向かう道路の分岐点には、まさに拝火施設を連想させる随伴ガスの燃焼施設があった。そこから聖所に向かう道沿いに「光を放射する太陽」を門に掲げた共同墓地があり、墓参の家族がゲートと自分たちの墓の間を裸足で小走りに往復する姿があった。尋ねると、「しきたり」だという。

そこから少し先にラーリッシュの聖所はあり、敷地内に履物で足を踏み入れることは禁じられている。内部の地面は概（おおむ）ね石畳か整地され、通路に沿って歩くと

共同墓地の門を裸足で走る家族

円錐型の尖塔を持つ墓廟がいくつか見えてくる。

敷地の中心にある広場には、拝火台や石造の貯水泉、そして通路脇には水路が張り巡らされている。大きな貯水泉は網枠で覆われ、人々はそこからの流水で顔や手足を洗い清めていた。ポリ袋で水を汲む姿もあった。

シャイフ・アディ墓廟はこの広場に面しているが、入口の脇には異様な姿の黒蛇が浮き彫りされている。理由を尋ねると、蛇はクルド人にとってパワーを示すシンボルで、ヤズィーディーは蛇に敬意を払うのだと言われた。それは大洪水の折、大蛇が人類の生き残りを助けたことに由来するとのことだった。

シャイフ・アディ廟入口の黒蛇（右）

流水で洗い清めるヤズィーディーの家族

アディ墓廟の建物の中を進むと、地下に繋がる入口に辿り着く。狭い階段を下ると岩窟が突然現れ、泉から水流が注ぎ込む池があった。様子を窺っていると、子連れの女性たちがザガーリートしながら現れた。ザガーリートとは、女性が「ロロロロ」と舌を打ち鳴らして祝意を表す行為である。彼女らは、池から水をすくっては投げる動作を繰り返した。この泉はマッカのマスジド・ハラームの井戸と同じく「ザムザム」と名付けられており、洗礼に使われる聖水の水源となっている。

シャイハンの住民によると、この地区に住むヤズィーディーは約五万人である。行く先々で出くわす墓廟には黒蛇が彫られていて、孔雀天使の像が建てられている。トルコでもアナトリアのクルド人の町に行くと、顔は女王ながら身体は六足の大蛇姿のシンボル「シャフマラン」に出会う。この人面蛇をモチーフとした土産物も多く、写真はトルコのディヤルバクルで売られていた「ダフ」というタンバリンで、シャフラマンが手描きされている。

シャイハンからモースルに向かう道は、マイノリティが混在するニナーワ平原を走る幹線である。筆者は途中の分岐点でモースルではなくエルビル方面に向かったが、遠景には円錐型尖塔の墓廟や孔雀天使像が点在していた。

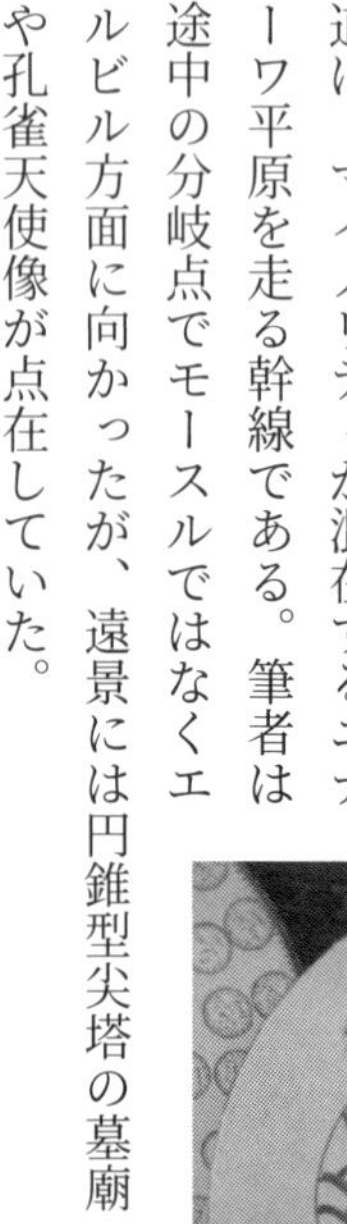

オスマン、ISとの戦い

オスマン帝国が一八七三年、支配下にあった北イラクのヤズィーディーを徴兵しようと動いたが、ヤズィーディーはオスマン帝国法廷に一四の理由を添えて免除を訴え出た。その記録が興味深い。

「年三度（四月・九月・一一月）に孔雀天使を崇拝しなければならない。そうでないと不信仰者と扱われる」、「九月一五～二〇日にはシャイフ・アディ廟を参詣しなければいけない」、「毎朝、ムスリム、ユダヤ教徒、キリスト教徒がいない場所で日の出を見る」、「毎日、来世の兄弟の手にキスをしなければならない」、「新しいシャツを作れば、シャイフ・アディの聖水に浸す」、「魚を食さない」等々である。訴えは二年後に認められた。

ダフに描かれたシャフマラン

さらに二〇一四年に現れたISは、シンジャール山に点在するヤズィーディーの居住地を襲った。三千人以上がISに殺害され、大勢の女性や子供が誘拐された。二〇二〇年二月にクルド自治政府の誘拐対策班が発表した統計では、誘拐された住民は六四一七人で、その内三五三〇人の生存が確認され、残る人々の所在は分かっていない。シンジャール郡はイラク政府に帰属するが、治安はクルド自治政府が担ってきた。実は、イスラーム教にとってヤズィーディーの教義は異端である。政府には住民をISの脅威から守る義務があるが、過去に幾度となくムスリムから迫害を受けてきたヤズィーディーのイラク政府に対する不信感は消えない。治安管理をクルド自治政府に委ねていても、自らの防衛力を強化しようとするのがヤズィーディーの常だった。

第23章　クルディスタンのヤルサン教団

北イラクのカカイ社会

北イラクにはカカイと呼ばれるマイノリティ社会がある。居住地はクルディスタンの油田地帯で知られるキルクークの近郊、そしてイラン国境に近いハナキンなどである。イラクは法律で国民と認める民族を規定しているが、カカイは対象ではない。二〇一五年にようやく、北イラクにあるクルド自治政府がマイノリティ法でカカイ社会を公認したが、イラク政府は追従していない。

カカイ人口は一〇～二〇万人と推定されているが、彼らを公認していないイラクでは、カカイはムスリムと登録され、統計に表れてこない。しかし、それ故に、公認されている非ムスリム、たとえば、ヤズィーディーとは異なり、IS（イスラーム国）のようなイスラーム過激派のターゲットになりにくく、ムスリムのアイデンティティのもとに自らを防衛できるという側面がある。

イランのアハレ・ハック

カカイの信奉する宗教は「ヤルサン」という。信奉者の大半はクルディスタンの住人で、その人口が最も多いイランでヤルサン信者は「アハレ・ハック」と呼ばれる。ペルシア語でアハレは「人々」、ハックが「真実、正義」の意で、つまり「真実の人々」といった意味である。これらは元々アラビア語から取り込まれた語彙である。アラビア語と同じセム語系のヘブライ語にも共通な語彙があり、ヘブライ語ではハカック「(石に)刻む」に相当する。古代の中東では、石や粘土版が記録に用いられていた。ルールや数を石に刻んで残す動作が、「真実」や「正義」に転じたというわけである。

アハレ・ハックはイランのケルマンシャー州では三番目の人口を持つ勢力となっている。イラクのカカイと合わせると人口は二百万人以上と言われるが、はっきりしない。イランでは多様な信仰が認められているとはいえ、イスラーム政権誕生後は異教徒に対する圧力が強まったため、アハレ・ハックの信者たちの警戒心が高まり、自らの信仰を隠すようになった。そのため、正確な統計はますます分からなくなった。

話は少し逸れるが、イスラーム政権が誕生してからのイランでは、マイノリティの人々を取り囲む環境は変化し、特に経済社会での不平等が顕著になった。クルディスタンには三つの州があるが、スンナ派住民の多い北部の二州では経済基盤は整わず、改善期待もない。そもそも北部は経済的恩恵を得にくい内陸地である上、クルド人の反政府運動の拠点でもあった。

一方で南に位置するケルマンシャー州には国営産業も誘致され、一定の経済環境と雇用機会がある。イラクとの往来や物流の拠点にもなっている。同じクルド人でもシーア派であるが故で、現在のイランは非シーア派には不利な社会である。それは、キリスト教徒やユダヤ教徒の社会にも当てはまり、将来に期待できないと考える人々の国外移住を促す要因になっている。

ヤルサン教の聖地

カカイやアハレ・ハックの人々の聖地は、イランとイラクにまたがるホウラマーンという山岳地にある。険峻な山々が折り重なり、農業にも向かず、いつの時代も人口集中地からは孤立した地域だった。ホウラマーンの「ホウ」は「太陽」を意味するとも、またゾロアスター教の神であるアフラ・マズダの「アフラ」と共通だとも言われ、太陽信仰のミスラ教やゾロアスター教が信奉された地だったと信じられている。

しかし、この地は、西側の北イラクに住むクルド人には馴染みが薄い。話されているゴーラーニー方言が、クルマンジー方言やソーラーニー方言と大いに異なり、特別視されていることも大きな要因である。イランのケルマンシャー州に居住している一般のアハレ・ハックの人々で、ゴーラーニー方言に精通している人は少なくなったという。

イラン・イラク戦争を経てホウラマーンは国境線引きで分断されたが、地域住民は今も往来を続けている。写真は二〇一六年五月、ホウラマーン地方ビヤラから登った山頂の別荘で、イラン側の親族も集まって週末を自分たちの民族音楽や踊りで楽しむ家族の様子を写したものである。

山岳地帯で国境越えの荷物運搬を生業にするコルバールと呼ばれる人々もいる。生活の厳しい地域での貴重な収入だが、密輸業者として生命の危険を冒す仕事である。

山頂の別荘に集う家族

アハレ・ハックの伝統

二〇一五年、筆者はケルマンシャー州出身の大学教師に連れられて、ケルマンシャー市に住むアハレ・ハックの一家を訪ねた。しばしの歓談の後、息子たちはタンブールで曲を奏で始めた。タンブールはイランやクルディスタンでも愛される伝統的な弦楽器で、それに独特の朗誦が加わり、瞑想気分が高まる中、途中からはダフ（タンバリン）が加わる。

アハレ・ハックの人々は幼少の時からタンブール演奏を学ぶと聞いたが、特に宗教指導者層の一家には、ゴーラーニー方言と共に欠かせない教育となっている。まさに音楽と踊りで陶酔感を高めるスーフィー（イスラーム神秘主義者）の集まりと同じである。

アハレ・ハックは、木曜の夜にジェムという集会を行なう。人々は車座に座り、タンブールが奏で

アハレ・ハックの家族と共に

伝統楽器タンブール（左端）

られる中、指導者がカラーム（後述の詩文）を朗誦する。集会所はジェムハナと呼ばれ、寺院等の特別な施設だけでなく、住宅も使われる。だが、それがどこで行なわれるのか、秘密主義の信奉者たちは明らかにしない。サウジアラビア東部で、シーア派住民がモスクよりも集会所フサイニーヤに集まるのと同様かも知れない。

ヤルサン教団

ゾロアスター教やマニ教といった信仰があったクルディスタンの地では、七世紀にイスラームが興ってからの社会環境の下で様々な宗教教義が登場し、その後のスーフィズムに繋がった。名を知られるところでは、サファヴィー教団、ナクシュバンディー教団、バクタシー教団、アレヴィー教団などがあるが、カカイとアハレ・ハックが信仰するヤルサン教団もその一つだった。しかし、今は誰もヤルサン教団をスーフィズムとはみなしていない。

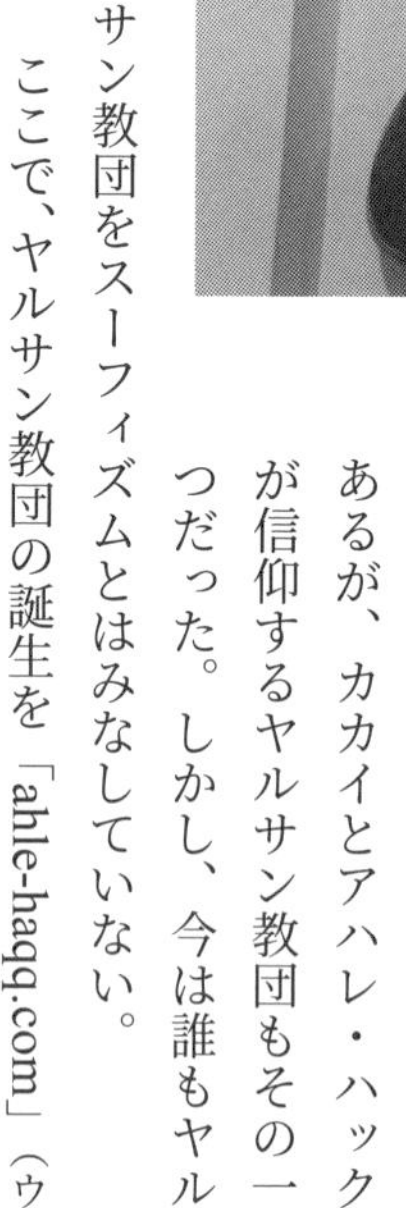

ここで、ヤルサン教団の誕生を「ahle-haqq.com」（ウェブサイト）の説明から引用してみる。

ヤルサン教団は一六世紀初頭にスルターン・サハークによって興されたと考えられている。ヤルサン教では、スルターン・サハークは、神が人間の肉体を持って現れた存在だと信じられており、誕生の経緯は次のように語られている。

ある時、三人の長老、ベニヤミン、ダウード、ピール・ムーシ（注・ピールとは精神的指導者の長老に対する称号）が突如、自分たちがホウラマーンのシャフ山の泉にいることを知る。彼らは、自分たちがハフタン（大天使）の生まれ変わりだと認識し、霊的な使命を担ってシャイフ・イッシの家に向かい、ホセイン・バグの娘ハトゥネ・ラズブールと結婚するよう促す。それから三人はホセイン・バグのもとに行き、婚姻は成立する。

婚姻儀式の後、ザクロの木の下で眠っていた花嫁の口に、ハヤブサがザクロの種を落とし、それで生まれたのがサハークである。サハークはクルディスタンのホウラマーンを流れるシルワン川の岸辺に住まい、アハレ・ハック社会を確立した。サハーク自身と母ハトゥネ・ラズブールは、神が人間の形で現れた権化と信じられている。（http://ahle-haqq.com/）

ミステリアスな信仰

ヤルサン教団の信仰と儀礼は神秘のベールに包まれている。『イランのヤルサン――社会政治的変化と移住について』（*Yārsān of Iran, Socio-Political Changes and Migration* S・ベフナズ・ホセイニ著）には次のように記されている。

ヤルサンという宗教は、ズルヴァン教[※1]、ゾロアスター教、マニ教という古代ペルシアの宗教儀礼で鍵となる構造を共有している。信奉者は、ザルダシットなどの預言者が「ヤル（神）」の伝道者だと考えている。……

ヤルサン教の信奉者は相互関係のある二つの世界に住んでいる。その一つは内部世界（バーティン）、もう一つは外部世界（ザーヒル）であり、各々に教義と規律がある。人間はザーヒルだけを知っているが、生命はバーティンのルールで支配されていると信じている。

（『イランのヤルサン』一八頁）

※1　ズルヴァンとは、二元論が確立する前のゾロアスター教の最高神。

信仰の大きな特徴に、人間の魂が輪廻転生する思想がある。人間が死ぬと魂は次の人に生まれ変わり、五万年の内に一〇〇〇回もの生まれ変わり周期を経て、一〇〇一回目に完全で純粋な域に達するという。「人間は死のトーナメントを恐れるべきでない。死とは池に沈むアヒルのようなものだ」との格言もある。この輪廻転生の思想は、ヤルサン信仰がイスラームのスーフィズムとは異なる宗教であることを明示している。

カラーム

ヤルサン教に聖典はない。それに代わるものとして、口承で受け継がれてきたカラームと呼ばれる詩文がある。彼らの伝統や儀礼もまた口承の形で維持されてきた。世代をこえて口伝で受け継がれてきたそれらの物語や伝統はスルターン・サハークの七人の仲間の一人ピール・ムーシによって書き留められた。カラームによると、ハワンダガール、アリー、シャー・ホーシン、スルターン・サハークの順に時代が進んでいく。

ハワンダガールは創造主、アリーはムハンマドの娘婿でシーア派の初代イマームのアリーである。サファヴィー朝[※2]で一七世紀に広がったシーア派に感化され、アリーは、ヤルサン教では人間の肉体を持って現れた神格の天使とされた。シャー・ホーシンの時代はロレスターン（ケルマンシャー州の南東）で興り、スルターン・サハークの時代はホウラマーンで興った。ゴーラーニー方言で口承されたスルターン・サハークのカラーム（言葉）は、その後収集され、文字で残されたが、その集大成は「カラーム・サランジャーム」と呼ばれている。

巡礼と断食

ヤルサン教徒の男性には巡礼と断食の義務がある。巡礼先は、ケルマンシャー州のイラク国境近くにあるスルターン・サハーク廟である。筆者が訪れたケルマンシャーの一家の部屋にも同廟の写真が掲げられていた。巡礼の時期は問わない。参詣先として他にもダウード廟、ピール・ベニヤミン

スルターン・サハーク廟

廟、ピール・ムーシ廟等がある。

断食は一年に三日間ある。これは、スルターン・サハークが自らの一族に苦しめられた日々を共有するもので、相続を巡る異母兄弟との争いに始まる逸話に遡（さかのぼ）る。異母兄弟三人がサハークへの遺産分配を拒絶すると、サハークはポットとソフレ（マット）、絨毯だけを求めた。実はこの三品が指導者の証となっており、異母兄弟の率いる一族との紛争が発生する。

サハークはベニヤミン、ダウード、ピール・ムーシと共に洞穴に隠れ、ダウードが土を取って吹きつけると、大地は三日間暗い嵐に覆われた。その間四人が断食したまま儀式を続けると、三日目に勝利して食事をとったという。これが断食のいわれとなっている。

ヤルサン教団の組織

ヤルサン教団の組織はハンダーンという単位で構成される。ハンダーンはスルターン・サハークの時代に、①シャー・エブラヒム、②ババ・ヤドガル、③アリ・カランダル、④カムシュ、⑤ミル・スール、⑥セイイエド・モサファ、⑦ハジ・バブ・イサの七家、その後、⑧アテシュ・バグ、⑨ババ・ヘイダル、⑩ゾルヌール、⑪シャー・ハヤスが加わり一一家となった。

ハンダーンはサイイドという精神指導者に率いられている。サイイドはカラームにアクセスできる高位な人物であると同時に、共同体を指導する立場を担う。

すべてのヤルサン信徒はハンダーンに属し、サイイドに服従を誓うが、人々は次の四つのランクに分けられている。

①カラーム・サランジャムの教えに初歩的な知識を有する人
②教えを理解しようと真実を求める人
③神秘主義の経験を模索する人
④究極の真理に達し、他の人を導くことができる人

ホウラマーン・タフト

イラン側にホウラマーンの景観を代表する町ホウラマーン・タフトという集落がある。そこは聖人ピール・シャリアールの墓所があると伝わる地である。二〇一

※2　一六世紀初め、神秘主義教団サファヴィー教団がイランに建国した国家。シーア派の一二イマーム派を国教とした。

六年、筆者が投宿した町から数時間かけてようやく辿り着いたのは一二月の厳寒期で、冷え込んだ集落は人影も少なくひっそりしていた。観光事務所を訪ねると学校教師が案内役を担っていた。集落を案内してもらい、自宅で食事もごちそうになったのだが、どこも見かけはイスラーム社会だった。しかしそこには古来より続く祭礼が残っており、一月になると近隣の集落から人々が押し寄せる。

かつてブハラ王だったシャー・バハル・ハトウンが聾唖（ろうあ）の娘の治癒をピール・シャリアールに求め、奇跡的に回復した娘がピール・シャリアールと結婚したという逸話が残る。地域の人々はそれがホウラマーン・タフトの出来事で、ピール・シャリアールはゾロアスター教の聖人だと信じている。その婚姻を祝う祭礼では、生贄（いけにえ）に牛・山羊・羊が屠（ほふ）られ、人々にはアシュという肉スープがふるまわれる。墓所では石を割る儀式も行なわれるという。ダフ（タンバリン）を打ち鳴らす音の中、陶酔した踊り手や住民たちが髪を振り乱して踊りに興じるのである。

ホウラマーン・タフトの集落

第24章　イラクに根付いたキリスト教

クルド自治政府の首都エルビル（イラク）にアインカワという地域がある。城塞を中心とした旧市街から一〇kmほど離れ、独立的な区画を形成している。今ではエルビルの新市街だが、かつては離れた集落だった。

筆者が最初にクルド自治政府での生活を経験したのはイラク戦争後のアインカワだった。明らかなイスラーム社会であるエルビル市街とは異なる世界で、商店街にはアルコール卸売・小売店や外国人相手のレストラン・ビアホールも立ち並び、夜が更ければ妖（あや）しいネオンのナイトクラブに人々が集まっていた。

アインカワは安全な区画との認識から、国際支援機

アインカワのカルディア教会

関や西側諸国企業の活動拠点となり、外国人も増えたという理解だったが、実は背景には、アインカワが主にキリスト教社会だったことがある。目抜き通りにはキリスト教会や関連団体の看板が目立ち、アラビア語とクルド語だけでなく、アラム語表記もあることが印象的だった。アラム語を用いる教会がこの社会では多数派なのである。イラクでキリスト教徒の共同体が多いのは、首都バグダードや北イラクのモースル、次いで、クルド自治政府の首都エルビルである。なぜ、イラクでイエスの時代に話されていたアラム語を使う教会がキリスト教徒のマジョリティを占めているのか。その歴史を遡(さかのぼ)ってみたい。

イランで広がった初期キリスト教会

イラクのキリスト教は、ペルシア帝国内のキリスト教徒たちが作り上げた組織に始まる。『シルクロードの宗教』(R・C・フォルツ著)では、イランに根付いたキリスト教組織が五世紀には西方の教会から独立していたと説明している。

二二四年、新たなササン朝王朝がパルティアを征服した。そのころまでには、キリスト教徒はイラン人社会においてかなりの多数を占めるようになっていた。初期教会史では、二二五年にペルシャの支配する地域全体で二十の司教区があったといわれている。……

いくつかのイランのキリスト教共同体は彼らの立場を強化するために共通の教会組織を徐々に作り上げていった。四一〇年までに、イランの教会は六つの管区に編成され、四二四年の教会会議において東方の司教たちはこれらの教会は管理上西方の教会から独立したことを宣言した。メルヴとヘラートの二つの東方の管区が新たに加わったことは、キリスト教が依然としてシルクロード沿いに広がっていたことを示している。

(『シルクロードの宗教』一〇二～一〇四頁)

シルクロード経由の広がりという視点では、唐の時代「景教」と呼ばれたネストリウス派(後述)が活動していた事実が知られている。西安ではその記念碑「大秦景教流行中国碑」も発見された。日本にもそのレプリカが高野山奥之院に保管されている。

ビザンツ帝国との分離

東方の教会組織がビザンツ帝国のキリスト教会と袂を分かつことになったのは、第三回公会議（エフェソス公会議）と第四回公会議（カルケドン公会議）である。第三回の公会議では、四三八年にコンスタンチノープル総主教に任命されたネストリウスが支持した「アンティオキア学派」が異端とされ、ネストリウスは罷免（ひめん）された。

アンティオキア学派（ネストリウス派）は「キリスト両性説」、つまりキリストは二つの異なった位格、人としてのものと神としてのものを持つとし、イエスの人格の中に共存していると主張していた。一方、アレキサンドリア総主教キュリロス（アレキサンドリア学派）は、人間として受肉した人の姿をとる神であると単性論を主張し、ビザンツ帝国の皇帝テオドシウス二世の支援を受けた。

この頃の教会論争は、異なる地域基盤のある覇権争いでもあった。アンティオキア学派はシリアや東方で支配的になっており、これらの地域の教会はローマ教

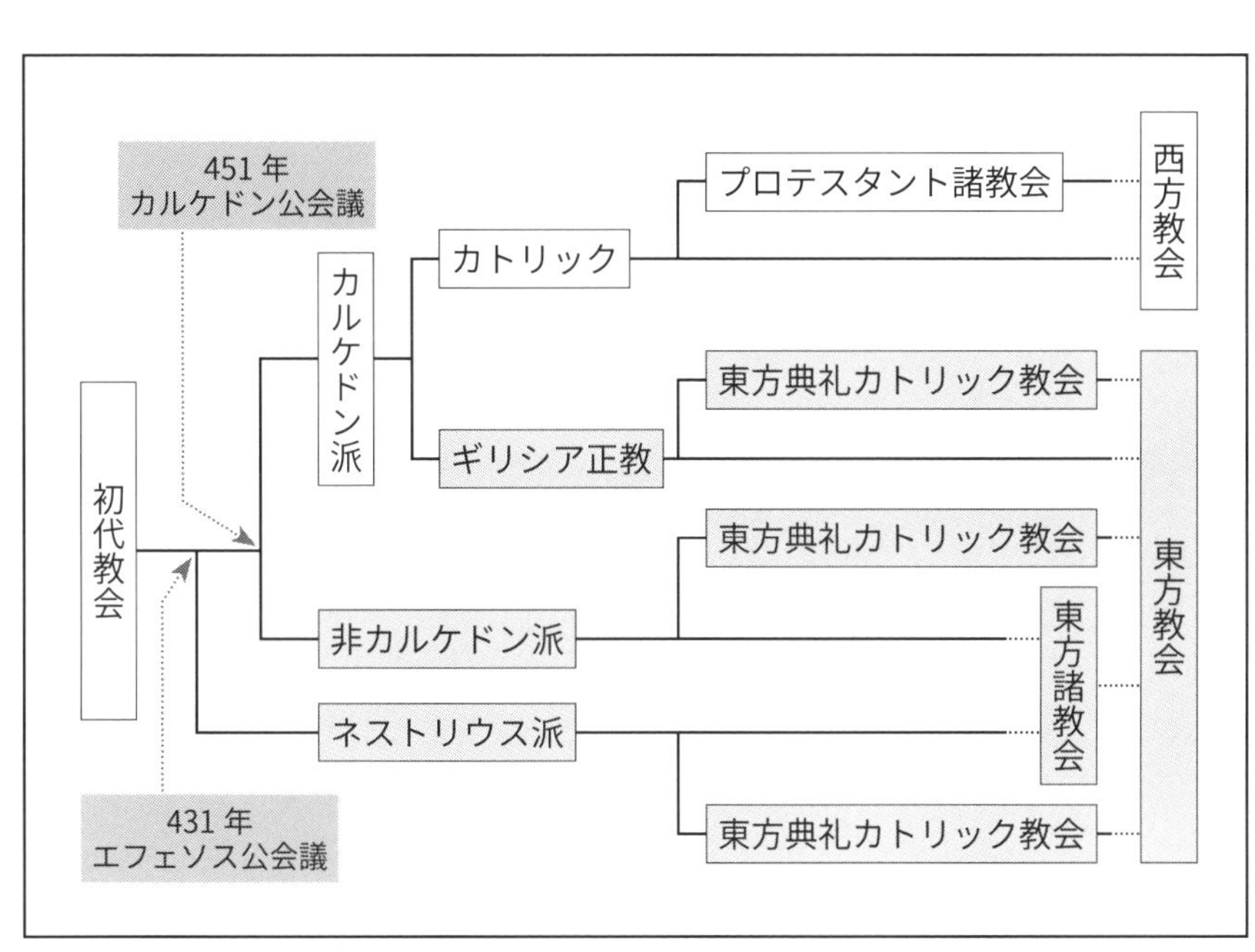

キリスト教の教派分岐図〔『東方キリスト教諸教会』（三代川寛子編著）〕

会から離れ、サーサーン朝の首都クテシフォンに首座を置いた。この動きは、ビザンツ帝国の権威を拒否することであり、ネストリウス派はビザンツ帝国に対抗する存在として位置付けられるようになった。

カルケドン公会議では「イエス・キリストは神であって人間ではない」とする単性論と、「神でもあり人間でもある」と主張する両性論が議論され、両性論が採用された。この決定に不満なアレキサンドリア学派などの諸教会は、コンスタンチノープル教会やビザンツ帝国と袂を分かち、独自のグループを形成した。その流れを汲む教会が、「シリア正教会」「アルメニア使徒教会」、そしてエジプトの「コプト正教会」、その分派「エチオピア正教会」である。その後、カトリックに転じたグループもあるが、イラクを除く、東地中海アラブ諸国では、このカルケドン公会議で分かれたグループにルーツを遡る教会が、今日もキリスト教徒の最大人口を占めている。

中央アジア内陸部

ネストリウス派はイラン系のみならず内陸遊牧民のチュルク系やモンゴル系住民にも広がった。『シルクロードの宗教』は次のように記している。

> ネストリウス派教会のシリア語の資料が詳しく語るところでは、六四四年、メルヴの府主教エリーアスは十字架の印によって雷雨を鎮めたことでチュルク人の王に感銘を与えたとされている。王はこれによってキリスト教に誘われ、家臣もそれに従った。
>
> ……
>
> 同じ資料は七八一～七八二年にチュルク人の間で第二の大規模な改宗があったことを記録している。この時も、家臣を引き連れての王の改宗が行われている。この第二の大規模な改宗の結果として、バグダードのネストリウス派総主教ティモテオス一世は特にチュルク人キリスト教徒を強化するための中央アジア主教を設けた。……
>
> 三回目の大規模な改宗は一〇〇七年に起こった。資料によれば、二十万人のチュルク人とモンゴル人がキリスト教徒になったという。
>
> （『シルクロードの宗教』一〇九頁）

クルディスタンの東方諸教会

クルディスタン一帯にはネストリウス派の直系である東方諸教会がある。その事情について、コプト教徒のアズィズ・S・アティーヤは『東方キリスト教の歴史』で次のように説明している。

> ネストリオス（ネストリウス）派はティムールの西アジア侵攻以降、ペルシャ、メソポタミア、クルディスターンの平地や中心都市から、ただ安全に過ごせるウルミア湖とヴァン湖に拡がるハッキアリ（Hakkiari）山岳地帯へ徐々に追われていった。ネストリオス派の教会活動記録は、一五五一年のタウリシム（Taurisium, ティブリツ）ならびに一五五三年のバグダードからの消息が最後である。総主教区はカリフ座都市（バグダード）から、ウルミア湖東方のマラーガ（Marāgha）にすでに移されていた。……彼らはおおむね上記の二つの湖を底辺にモスールを頂点とする三角地帯に居住した。……無謀なクルド人とヤズィーディー（Yazīdee）人に囲まれ、幾世紀も不安定な歩みを続けながら文明や外界からも隔絶され、キリスト教諸国や諸教会からも忘れ去られていた。……
>
> 幾世紀にもわたり外部のキリスト教からのネストリオス派への接触は、ローマ教会のみだった。ローマの関心事は、……どうにかしてカトリックの信仰告白を折伏（しゃくぶく）するという主要目的に向けられた。
>
> （『東方キリスト教の歴史』三七八、三八一頁）

イラクのキリスト教会派

モースル出身のキリスト教徒スハ・ラッサム博士の著書『イラクのキリスト教』は二〇〇一年当時に活動している会派を列挙し、東方諸教会として「アッシリア東方教会」と「古代東方教会」を挙げている。両派はかつてイラクのキリスト教を代表する存在だったが、今では、信徒数でカトリック教会のグループが上回っている。中でも「キルダーニ」と呼ばれるカルディア教会が有力である。元々は東方諸教会の会派だったが、一八三〇年にカトリックに転じた。カルディアの名称は、「カトリックのネストリウス派」という矛盾した用語をかわすために採用されたとのことである（『東方キリスト教の歴史』三九〇頁）。現在、カトリック教会の会派は「カルディア教会、シリア・カトリック教会、アルメニア・カトリック教会、ラテン教会、ギリシア・カトリック教会」である。他にも、カルケドン公会議で分かれた、シリア正教会やアルメニア正教会・ギリシア正教会の活動もある。

ISから逃れたキリスト教徒

筆者は北イラクでIS（イスラーム国）の脅威から逃れた国内避難民（IDP）のキャンプを訪ねる機会を得た。IDPは国連難民高等弁務官事務所（UNHCR）の難民認定の対象外である。

エルビル市内ではクルド自治政府管轄の総合キャンプの他に、アッシリア教会・キルダーニ教会のキャンプ、そしてヤズィーディーのキャンプを訪問した。両者の運営母体は各々の宗教・民族団体であるが、「バルザーニ・チャリティ基金」「UAE赤月社」等の基金からの支援も受けていた。そもそも教会は、受け入れ準備が整わない自治政府の対応に先行して、キリスト教徒のIDPを受け入れていた。キリスト教徒のキャンプは非常に良く整備されており、資金力の違いを感じ

エルビルの避難民キャンプの教会で

アラム語・アラビア語併記のテキスト

させた。整然と並ぶプレハブ住居街の一画には、雑貨店、食料品店、理髪店が並び、学校も整えられ、キャンプ内に建設された教会は会派を超えて利用されていた。ただし、大勢のＩＤＰを受け入れたコヤのキルダーニ教会で話を聞くと、彼らの苦難に同情を示す一方、要した資金や施設の修復費の捻出ができないと嘆いていた。一方、ヤズィーディーのキャンプは粗末さが目立ち、宗教団体からの資金が十分でない事情を窺わせた。

イラクでは教会が子女教育に大きな役割を果たしてきた。一九六八年、社会主義のバアス党が政権をとってからは教育が国有化され、宗教はもとより、普通教育でも教会の取り組みが欠かせなくなった。訪問先のキャンプでも教会では子供を対象にしたアラム語の授業が行なわれていた。イラクでは、第二の都市モースルの教会活動が教育での重要な役を担ってきたが、エルビルのキャンプにおける子女教育や指導もモースル出身者が担っていた。その教師から教材である「ミサの儀式」というテキストを受け取ったが、それもモースルで制作されたものだった。警護役で自らをアッシリア人と称するサルゴン氏にアラム語の使用頻度を尋ねたところ、「アラム語は教会で学び、教会では使うが日常生活での使用頻度は少ない」とのことだった。

アメリカの支援

二〇一六年一二月、イランのウルミア湖西岸を訪ねて、キリスト教徒の住民が急減している事実を知った。投宿したタブリース市内の教会を訪ねると、八つの教会が閉鎖状態に陥っていた。聞いたところでは、キリスト教徒に対する政治圧力があったわけではなく、イスラーム体制に失望して海外移住を目指すキリスト教徒が増加したとの説明だった。背景の一つに海外移住を支援するＮＧＯの活動が挙げられた。たとえば、ユダヤ人の移住を支援するアメリカの団体ＨＩＡＳ（ヘブライ移民援助協会）がキリスト教徒やゾロアスター教徒の米国移住を支援しているという。これまでも中東では、レバノン内戦、イラン・イラク戦争、湾岸戦争などの紛争が起こると、イラク・シリア・レバノン・トルコ・イランを離れ、特に多くのキリスト教徒が米国に移住した。

イラクのキリスト教徒も、ＩＳの脅威や暴力を受けて居住地を離れる動きを加速化させた。ＩＳはモースルでは「改宗か、宗教税を払うか、あるいは剣か」と選択を突き付け、彼らの自宅には、キリスト教徒を表すアラビア語「Nasrani」の語頭の文字「ن」をマークした。キリスト教徒は着のみ着のままで逃げることも頻繁で、宗教施設だけでなく、住居も壊された。

現在、モースルは安定を取り戻したが、生活環境はなかなか回復せず、IDPの帰宅も進んでいない。疲弊したイラクの財政事情も深刻だが、このままでは、海外移住を志向する流れを止めることはいよいよ難しくなる。

二〇一八年七月には、ヴァチカンでの「平和構想会議」参加に先立ち、カトリックのカート・コック枢機卿は、「中東のキリスト教徒が会派を超えて連帯する必要」を訴えた。確かにイラクでのキリスト教徒の人口は激減している。エルビルの司教が二〇一九年五月に語ったところでは、イラク戦争が起こった二〇〇三年には一五〇万人だったイラクのキリスト教徒は二五万人になったとのことで、クルド自治政府の宗教事項省の担当局長は、正確には言えないとしながらも、自治政府内のキリスト教徒人口はIDPを含めて三〇～三二万人だと見立てた。

この状況に対して、米国ではペンス副大統領（当時）が、キリスト教徒を中心に北イラクのマイノリティ支援に熱心である。たとえば、二〇一七年六月にテキサスで開催された南部バプテスト教会の年次大会で中東のキリスト教社会の復興に支援を約束し、アメリカ合衆国国際開発庁（USAID）の責任者を直ちに派遣した。そのため、同年の北イラクのマイノリティ支援は三億ドルに達した。現地ではプロテスタント教会系NGOの支援活動を警戒する声も聞かれるが、バグダードの米国大使館によると、米国の人道支援額は二〇一九年以降でも七億ドルに達し、直近では、ポンペイオ米国務長官が二〇二〇年八月、イラク難民や彼らを受け入れている共同体に対して約二億ドルの拠出を表明した。

第25章　クルディスタンのユダヤ人

イエメンのユダヤ共同体

　中東にあるユダヤ共同体は今ではイスラエルを除くとトルコやイランなどに限定されるが、イスラエル建国以前は八〇万人ものユダヤ人が生活していた。多くは、オスマン帝国の統治下で活動を広げたユダヤ人、また英国の中東やインド進出に伴って欧州から移住したユダヤ人の末裔である。しかし、中東にはもっと以前から住んでいたユダヤ共同体もあった。中でも特に注目されるのは、クルディスタンとイエメンである。預言者ムハンマドが率いるイスラーム勢力との戦闘で壊滅したが、アラビア半島西部にはナディール族の拠点だったハイバルなどにユダヤ共同体があった。

　イエメンのユダヤ共同体も、ヒムヤルを国家支配したズー・ヌワース（王位・紀元前五一八～五二五年）がユダヤ教を国教としたとされるように、長い歴史を持っている。旧約聖書には、「シェバ（イエメンとされる）の女王は、主の名によるソロモンの名声を聞き、難問をもって彼を試そうとやって来た。女王は非常に多くの従者を連れ、香料や大量の金と宝石をらくだに積んで、エルサレムへやって来た」（列王記上一〇章一～二節）とある。また、対岸のエチオピアには一四世紀に編纂された国史書『ケブレ・ナガスト』があり、ソロモン王とシェバの女王との間に生まれたメネリク一世を初代とする一族の血筋はモーセに遡る（さかのぼる）と記されている。

なお、そのメネリク一世がエルサレムでソロモン王から受け取ったアーク（契約の箱）が北エチオピアの古都アクスムにある「シオンの聖マリア教会」に保管されているとも信じられている。

オスマン帝国下での繁栄

多くのユダヤ共同体は、ローマ時代を中心に迫害から逃れたディアスポラに起源を辿る。その一部は、イベリア半島や北アフリカなどからオスマン帝国に移ったユダヤ人で、オスマン帝国下で人頭税を納めることで「ズィンミー」という庇護される立場を得ていた。そのため、彼らは、広いイスラーム世界の中では商取引や移動の自由を制限されることもなく自らの経済活動網を広げることができた。

現在のイラクに当たる地域にあったユダヤ共同体も、商活動に従事し、東インド会社の繁栄も享受して、バグダードやバスラで富を得た。英国の影響力が強かったインドに進出したユダヤ人財閥にはこの地域出身者

アークが保管されているというシオンの聖マリア教会

も多い。たとえば、英国ユダヤ人としてインドでのアヘン取引に携わったサッスーン財閥ダヴィッド・サッスーンはバグダード出身である。

さらに、一九世紀に近代化に向けて動き出したオスマン帝国の改革「タンズィーマート」が、ユダヤ人やキリスト教徒の商活動をより容易にし、彼らに貿易の富をもたらした。往時のユダヤ人社会の栄華は、人口統計と経済・金融活動の記録から容易に推察できる。二〇世紀初頭にはユダヤ人口はバグダード市民の実に三五％に上り、バグダード商工会議所の企業登録でもユダヤ人事業が上位を占め、サッラーフと呼ばれた両替商も、登録三九社のうち三五社がユダヤ人の事業であった。

イラクの共同体の消滅

オスマン帝国時代からイラクでは恵まれた環境下にあったユダヤ共同体だったが、第二次大戦時代に親ドイツ政権の誕生で強まった反シオニズム運動や、ユダヤ人のパレスチナ移住を巡る英国の政策への反発で、ユダヤ人を取り巻く環境が厳しくなった。さらに、中東戦争へのイラク参戦で、ユダヤ人に対する迫害が強まった。政府はイスラエルを敵視する一方、ユダヤ人の渡航やイスラエルへの移住を制限した。その後、英国・米国の圧力でユダヤ人の国籍放棄やイスラエルへの移住を認めたものの、彼らの国内資産を凍結した。

イスラエル政府が「エズラ・ネヘミヤ作戦」と呼ばれる移住作戦を実施すると、一九五〇年には三万二四五二人、翌一九五一年には八万九〇八八人がイラクを

バグダードの人口

年度	推定人口	内ユダヤ人	構成比（%）
1784	80,000	2,500	3.1
1830	80,000	10,000	12.5
1877	70,000	18,000	25.7
1893	145,000	51,905	35.8
1908	150,000	53,000	35.3
1947	515,459	77,417	15.0

〔*The Old Social Classes and the Revolutionary Movements of Iraq*〕

北イラクのユダヤ人口（1947年人口調査）

エルビル	スレイマニア	キルクーク	北イラク全体
3,109	2,271	4,042	19,767

〔*Iraqi Jews: A History of Mass Exodus*〕

離れ、イスラエルの建国以降の一九四八年から一九五三年にかけての累計は一二万四五三八人に上り、その結果、イラクのユダヤ人共同体は消滅に向かった。

なお、イラクに残されたユダヤ人の富がいかに巨額だったかは、アラブからの移住者がイスラエル政府に届け出た損失財産額の比較で突出している事実から裏付けられる。

クルディスタンのユダヤ共同体

北イラクに位置するクルディスタンは、紀元前八世紀から六世紀にかけてユダヤ人がアッシリアに連れ去られた歴史と結び付く地とされる。それ故、「クルディスタンの一部のユダヤ共同体は、旧約聖書に記載される捕囚民の末裔」として、特別な関係にあるとの認識がユダヤ人に共有されている。王妃エステルと臣下モルデカイがユダヤ民族を救った逸話が記されるエステル記九章二〇～二一節には、「モルデカイはこれらのことを書き記し、クセルクセス王のすべての州にいるユダヤ人すべてに、近くの者にも遠くの者にも文書を送り、アダルの月の一四日と一五日を毎年祝うことを定めた」と、各地にユダヤ人が居住していたことを示している。

クルディスタンの東端に近いイランのハマダーン州には、エステルとモルデカイの墓廟がある。筆者はこの地を訪れた折、シナゴーグと合わせて墓廟を管理するラビに話を聞いた。ラビは「私たちは捕囚でこの地に移住したユダヤ人の末裔だ」と血統を自負し、「ハマダーンのユダヤ共同体は小さく、このシナゴーグに通うのは一五世帯だ。しかし、イラン全体でのユダヤ人口は約三万六〇〇〇人だ」と語った。

国名	申立件数	金額（米ドル）
エジプト	176	2,171,196
サウジアラビア	18	4,260
イラク	3,040	48,796,014
イエメン	43	191,502
シリア	150	2,507,532
レバノン	82	499,924
ヨルダン	48	9,826,780
ガザ・西岸	1,587	38,677,701
パレスチナ難民	118	698,576
合 計	5,262	103,373,485

イスラエル当局に登録されたユダヤ人の損失財産
（1949~1956 年）
〔*Jewish Property Claims Against Arab Countries*〕

十字軍の侵攻時にも迫害を逃れて、多くのユダヤ人がクルディスタンに移住した。そしてユダヤ共同体は、クルディスタンの各地にユダヤに関連する歴史的な名称を付けた。たとえば、モースルを「アッシュール」、ドホーク県の町であるザホを「クルディスタンのエルサレム」と呼んでいたという。

こうした数世紀にわたるエルサレムとの関係が断たれた時期もあったが、記録によれば、一六世紀末のエルサレムのイェシヴァ（ユダヤ教学院）にはクルディスタンからの学生が学び、クルディスタンではラビが学生を受け入れていた。そしてパレスチナにユダヤ人入植地が復活すると、クルディスタンのユダヤ人が真っ先にパレスチナに移住したのだった。

一八一二年に移住が始まり、第一次大戦前にはウルミエ（イラン）のユダヤ共同体がエルサレムの新区画に移住し、一九二〇～二六年には、大勢のクルド人がパレスチナに移住した。

なお、クルディスタンにはユダヤ人が参詣してきた聖書の預言者たちの墓廟が今も残されている。ニナーワに近いアルコシュ（イラク）付近には預言者ナフム墓廟、モースルのモスクには預言者ヨナ廟、そしてキルクークにはダニエル廟がある。なお、バグダード以南にも、ナジャフ近くのキフルに預言者エゼキエルの神殿、バグダードにはヨシュア廟、バスラ近郊のウザイラにエズラ廟がある。

ユダヤ人の末裔の改宗

イラン領のクルディスタン地域には一九五〇年当時、推定一万三〇〇〇人のユダヤ人がいたが、イスラエルへの移住が進んだ一九五一年には約三五〇〇人にまで減少した。今もイランとトルコにはユダヤ人共同体が存続しているが、イラクからはユダヤ人はいなくなった。

ところが、北イラクでは、クルド自治政府が二〇一五年にマイノリティ保護法を制定すると、それまでは存在していなかったはずのユダヤ人一〇〇世帯が当局に届け出た。その事実は、筆者との面談で宗教ワクフ事項省の担当局長が語ったものである。海外からの移

ハマダーンのラビ
（エステルとモルデカイの墓廟で）

住者ではないとも付け加えられたことから、過去にイスラームに改宗したユダヤ人の末裔が、再びユダヤ教に改宗したと考えられる。

イスラーム教徒の改宗はご法度だが、過去において、クルディスタンではユダヤ人とクルド人ムスリムとの婚姻が稀有な出来事ではなかったことも背景にあると推察される。

バグダードには発言力を持ったユダヤ人社会があったが、クルド人部族長が圧倒的権限を持つ北イラクの事情は異なっていた。特に貧しい生活環境の地方集落でマイノリティだったユダヤ人は、そもそもクルド人部族長など有力者の庇護下にあった。そのため部族長との円満な社会関係が必要だったようである。特に、ユダヤ人女性が改宗してクルド人ムスリムと結婚する場合が多かったと言えるが、ムスリムは妻を四人まで持てるため、女性が応じれば婚姻が成立しやすかったことや、男性上位の社会だったことなどが背景に挙げられる。

今に繋がるユダヤの血統

クルディスタンでユダヤ人の血を継ぐクルド人を、古都アクレ（イラク）、そしてイランにまたがるホウラマーンの山岳地に訪ねたことがあるので紹介する。

●祖母がユダヤ人のクルド人ムスリム

アクレの通信基地局に勤務し、ユダヤ人の血を継いでいるという男性は、「ユダヤ人がイラクを離れる状況下、祖母がムスリムと結婚した」と話した。中東戦争でイスラエルが敵視され、ユダヤ人の生活環境が厳しくなり、ユダヤ人が集団で移住したという時代背景を説明し、それが結婚の理由だと認識していた。そのようなケースは多かったかと尋ねると、「他の例は知らないが、ムスリムと結婚してイラクに留まった女性は少なくないはず」と語った。

祖母がユダヤ人の男性（左端）

●曾祖父がユダヤ人のクルド人ムスリム兄弟

アクレのケレ山で出会った兄弟は、モースルの治安不安からアクレに移住した家族だった。ドホークの学生寮に住む兄は、曾祖父がユダヤ人である系譜を誇らしげに語り、ユダヤ人の勇敢さ、イスラエルの戦闘能力を称賛した。身に付けたペンダントには曾祖父の写真が収められていた。

●曽祖父がホウラマーンのユダヤ人資産家ムスリム

ホウラマーン地方にある避暑地ビアラに住む資産家で、イラン国境に近い山頂の別荘を訪ねたが、山腹から山頂までを所有していると話した。曾祖父の時代から所有されてきた山とのことから、ユダヤ人の不動産が子孫に継承された例と思われた。

クルドのバルザーニ家

クルド自治政府の政治を主導してきたのはバルザーニ家である。独立運動を率いたムッラ・ムスタファ・バルザーニ、マスード・バルザーニ前大統領、ネチルバン大統領、マスルール首相も皆バルザーニ家出身の指導者である。アラブは部族の血縁社会だが、クルディスタン部族の絆は血縁だけでなく、地縁が重要となる。「バルザーニ」という名はバルザーン地方（イラク）出身であることを明らかにする語で、血縁関係を示してはいない。

かつて北イラクで最も偉大とされたラビは、ラビ・サミュエル・バルザーニ（一六三九年没）だった。その後も有力なラビが彼の子孫から誕生し、バグダードに次ぐ大都市だったモースルでも二〇人のラビがサミュエル・バルザーニの末裔だった。

クルディスタンで彼らが設立した多くのイェシヴァは、イスラエルの学生も惹きつけた。中心となったイエシヴァでは、ミドラシュ（聖書注解）の研究書、宗

ケレ山で出会った兄（左端）と弟（右端）

資産家（右端）と甥（左端）

教歌などが作成され、写書された。また、バルザーニ出身のラビたちは当時のクルド人部族社会と親交を深くしていたようである。

ムッラ・ムスタファ・バルザーニは、クルド独立の足掛かりと期待されたマハーバート共和国が崩壊し、一九四七年にソ連邦へ亡命したが、彼が妻子のケアをアッコー（イスラエル）のユダヤ人一家に依頼した書簡も残されている。彼の息子はマスード・バルザーニ前大統領である。その後、クルディスタンに戻ったムッラ・ムスタファ・バルザーニは、一九六八年と一九七三年にイスラエルを訪問している。

イスラエルとの強い結びつき

イラン・イラク戦争の際、イスラエルは北イラクのクルド人を支援し、諜報機関のモサドがクルド人治安部隊ペシュメルガを訓練していたと言われている。最近では二〇一四年、イラク政府が圧力をかけて止めさせようとしたにもかかわらず、クルド自治政府が自ら原油輸出を開始した際、原油を引き取ったのはイスラエルの製油所だった。その後もイスラエルはクルド自治政府から原油を輸入し続け、二〇一五年には輸入量の八四％（一三・五万バレル／日）、二〇一九年も四八％（一一万バレル／日）を輸入している。また、二〇一七年九月にクルド自治政府が独立を問う住民投票を実施すると、国際社会は住民投票自体を支持しなかったが、イスラエルのネタニヤフ首相や一部閣僚は、クルド自治政府の独立を支持する姿勢を見せた。さらに、イスラエル国内で開催された支援集会にはクルド系のユダヤ人住民など四〇万人が参加し、国際社会を驚かせた。それほどに北イラクのクルド自治政府とイスラエルの結び付きは強固といえる。

第26章　湾岸産油国の対イスラエル政策の変化

イラクの国民感情

クルド自治政府が、ユダヤ人も含めてマイノリティに平等な立場と権利を保証する「マイノリティ法」を制定したのは先述のとおりである。一方、イラク中央政府は、中東戦争で戦ったイスラエルとは対立関係のままで、イラク戦争後の二〇〇六年に成立させた「イラク・ナショナリティ法」においてもユダヤ人には市民権を認めなかった。

しかし現実には、現世代のイラク国民は、ユダヤ人との関係を否定的に捉えているわけではない。かつてイラクで繁栄したユダヤ人共同体の存在をやっかむわけではなく、むしろ親近感を持つ国民が少なくない。ユダヤ系の米国人ビジネスマンがイラク入りしている例もある。

そのような状況下、議会選を前にした二〇一六年、シーア派の指導者ムクタダ・サドル師は、ＩＳ（イスラーム国）後の復興ヴィジョン構想を発表し、その中にマイノリティの権利を擁護する取り組みを織り込んだ。そして二〇一八年の議会選では、政府・官庁の腐敗を批判し、改革の断行を繰り返し訴えたムクタダ・サドル師率いる政治ブロック「サーイルーン」が第一党となった。そのサドル師は選挙後の六月、イスラエルに移住したユダヤ人の帰還を容認すると発言した。また、サーイルーンと連帯するイラク共産党の指導者ラーイド・ファハミーも二〇一八年、イラクへの帰国を求めるユダヤ人に対する市民権付与を検討すべきだと呼びかけた。

　イラクのバルハム・サーレハ大統領も、伝統的な宗教コミュニティの共存と調和の堅持を訴えている。大統領はかつて中央政府の副首相を務めた経験を有し、欧米諸国に手腕を高く評価され、経済界からの評判も良好である。その大統領は二〇一八年一一月、ヴァチカンにフランシスコ教皇を訪ね、イラクの宗派が平和的に共存してきた歴史を引用し、すべてのイラク人がISの虐殺テロで被害を受けたと語った。そして、聖書に登場するアブラハムの故郷であるウル（イラクのジーカール県、テル・エル・ムカイヤル遺跡）訪問をローマ教皇に提案した。

ビジネスの関係拡大

　イラク中央政府においてユダヤ人に対する市民権付与の法制化はまだ具体化していないが、一方で、湾岸産油国にイスラエル関係の見直しを示唆する動きが顕著になってきた。

　最初の動きは二〇一五年一一月、アラブ首長国連邦（UAE）の再生エネルギー事務所にイスラエルが代表を派遣したことだった。さらに翌年、サウジアラビアでムハンマド皇太子が誕生すると、米国政権の圧力もあってか、サウジアラビアも従来の姿勢を転換しつつある様子が窺われるようになった。たとえば、アカバ湾・紅海地域の開発を目指す「NEOMプロジェクト」では、イスラエルの投資家たちが民間の合弁事業を通じて参加することを、国家主権ファンド（PIF）と協議した。

　また二〇一八年三月、イスラエル建国以来初めて、インドの航空大手エア・インディアのテルアビブ発着便が上空を通過することを、サウジアラビアとオマーンが許可した。同年一二月には、イスラエルのネタニヤフ首相がオマーンの首都マスカットを訪問し、カブース国王と会談。翌月にはイスラエルのカッツ運輸相もオマーンに入り、ハイファからヨルダン経由で、湾岸諸国の既存鉄道ネットワークと結ぶ鉄道リンクを提案した。

現実的にも、財政収入の多角化、産業の育成と多様化、自国民化など、これまでも中東産油国が掲げてきた開発目標を達成することが、自らの生き残りに欠かせなくなった。実際、国際経済のグローバル化や米国資本とイスラエル企業の関係深化などの動きを受けて、AI（人工知能）やサイバーセキュリティ、IoT（モノのインターネット）部門などの先端技術を有するイスラエル企業との協調は、世界各国の企業のビジネスで有用性を高めている。

　これまで、パレスチナを支援するアラブ諸国との取引関係に対する影響を気にしてイスラエルとの事業には慎重だった日本企業も、姿勢を転じる動きを見せ始めた。パレスチナ自治政府の経済的な自立を支援する日本政府・企業も従来活動に加え、イスラエル企業との取引拡大を図るようになった。二〇一九年一月には「日本・イスラエルフェスティバル」がテルアビブとエルサレムで開催され、一〇〇社近い日本企業と経団連が参加した。日本企業も、中東での事業展開を強化する一方、イスラエル企業とのパートナーシップを積極的に構築する時代に入ったのである。実際に日本企業の対イスラエル投資も拡大している。[※1]

UAEがイスラエルと国交正常化

　このような流れの中で二〇二〇年八月一三日、トランプ米大統領はUAEがイスラエルとの国交樹立に合意したと発表した。UAEはイスラエルに西岸地区併合計画の停止を求め、イスラエルは一時停止を承諾した。イスラエルのネタニヤフ首相は、「イスラエルとアラブ諸国の新しい時代の始まり」と位置付け、他のアラブ諸国も追随するとの見方を述べた。

　むろん、アラブ諸国あるいはイスラーム諸国から反発の声も上がった。イラン外務省は、「合意は、アブダビとイスラエルの戦略の愚かさによるもので、地域の抵抗軸が強まることは疑いない」とコメントし、イラン国営放送も「合意は戦略的なものでもなく歴史的

※1　最近の例を挙げると、武田薬品がジェネリック企業Teva Pharmaceuticalsと合弁事業を設立、楽天が無料電話アプリ会社Viberを買収、ソニーが通信用半導体メーカーAltair Semiconductorを買収、AJINOMOTOは健康食品会社Hinoman Ltdに投資した。二〇一八年一一月、オリンパスが、泌尿器ビジネス領域での製品競争力を高める目的で医療機器会社Medi-Tateへの出資を決定した。

なものでもない。単にトランプの大統領再選に向けた策略でしかない」と一蹴した。また、トルコ外務省は、「自国の利益のためにパレスチナの大義を裏切るＵＡＥの偽善的な振る舞いを、歴史と地域の人々は忘れることはなく決して許さない」と表明した。

一方エジプトのシシ大統領は、イスラエルとＵＡＥの国交正常化と西岸地区のイスラエル入植地併合計画の停止を歓迎する意向を示した。アラブ連盟は九月九日、外相会合を開催したが、米国・ＵＡＥに配慮する諸国の賛同が得られず、非難決議を見送った。

ワシントンでは、イスラエルとＵＡＥ・バハレーンの合同署名式典が行なわれ、米国大統領選の行方を握るとみられるキリスト教福音派からも約二〇〇人が式典に招待された。

この動きに対してサウジアラビアのファイサル外相は、二〇〇二年に提唱した「アラブ和平イニシアティブ」[※2]に沿って和平協議を進める考えを明らかにした。米国務長官は一〇月一四日、ワシントンでファイサル外相と会談した際、改めてイスラエルとの国交正常化をサウジアラビアに促したが、外相は「イスラエル・パレスチナ両者を和平交渉の席につかせることが先決だ」と語った。

ボイコット解除後の急速な動き

二〇二〇年九月二九日、ＵＡＥはイスラエルとの商活動の開始に向けて「イスラエル・ボイコット」を終結させる法令を発布した。ボイコットが解除されることで、イスラエルの企業・個人はＵＡＥの全首長国とビジネスが可能になり、イスラエル製品のトレードや売買も容認されることになる。

湾岸産油国の巨大な経済圏とのアクセスに、イスラエル企業も大きな期待を寄せている。イスラエル最大の銀行であるハポアリム銀行のＣＥＯは、直ちに交渉団を率いてＵＡＥ入りし、銀行間の送金や決済に必要なコルレス契約の締結に向けてエミレーツＮＢＤ銀行と覚書を交わし、ファースト・アブダビ・バンクとも会談した。イスラエル第二の銀行のレウミ銀行も、数日遅れでＵＡＥに入っている。

イスラエル企業のドーバー・タワーも九月一六日、港湾オペレーターであるＤＰワールドのスルターン・スライム会長との間で、ハイファ港の民営化案件で協力する覚書を交わした。また、イスラエルのダイヤモンド取引所がドバイに、またドバイのマルチ・コモディティセンターがイスラエルに事務所を設立することで合意。さらに、イスラエルのアンパ・グループCEOと会談したドバイの大財閥ハブトゥール社の会長は、自らの代表事務所をイスラエルに開設する意向に言及した。両国のビジネス界は日本人の想像を超えるスピード感で動き始めている。

エネルギービジネスの加速

さらに並行して、注目すべきエネルギーを巡る動きが具体化している。

その一つは「東地中海ガスフォーラム」の立ち上げである。同フォーラムは二〇一九年一月一四日にカイロで合意されたものだが、イスラエルを含むフォーラム参加国のエネルギー相が九月二二日、ビデオ会合を通じてフォーラムの綱領に署名した。加盟国はエジプト、キプロス、ギリシア、イスラエル、イタリア、ヨルダン、そしてパレスチナ自治政府である。イスラエルにとって、国際社会に認められ、アラブ諸国を交えた地域組織に正式参加したという意義は大きい。

加えて米国、イスラエル、UAEが、エネルギー部門でパートナーシップを目指す動きもある。米国エネルギー庁長官、UAEエネルギー・インフラ相、イスラエルのエネルギー相は一〇月一日、「エネルギー・パートナーシップの戦略的ヴィジョン確立」を進める共同声明を発表した。声明では「エネルギー資源・技術・インフラ開発を通じて、パレスチナのエネルギー問題解決を模索する」姿勢も示された。

また、米国メジャーもイスラエルに進出した。米国のエネルギー大手シェブロンは、イスラエル沖のタマル・ガス田の二五%とリヴァイアサン・ガス田の四〇%を保有するノーブル・エナジーの買収手続きを完了した。取引額は四一億ドルに上る案件である。イスラエルのエネルギー相は、「国際石油メジャーの進出は、イスラエル経済には大ニュースだ。ハイテクとエネルギー部門の投資機会を開く」と高く評した。

※2　イスラエルが、第三次中東戦争で占領した土地からの撤退、パレスチナ難民問題の公正な解決、東エルサレムを首都とするパレスチナ国家樹立を認めれば、イスラエルとの紛争終結・和平合意、および正常な関係の構築を実施するという構想。

そして最も注目すべきは、エネルギー部門でイスラエルが地中海と紅海を繋ぐランドブリッジ[※3]機能を発揮するUAEとの合意がなされたことである。

一〇月二〇日、米財務長官の立ち合いのもと、イスラエル国営企業ヨーロッパ・アジア・パイプライン（EAPC）はUAEとの合弁事業「UAE—イスラエル・地中海—紅海ランドブリッジ（MRLB）」立ち上げの覚書に署名した。UAEは、石油（あるいは石油製品）をEAPCの国内パイプラインを使って出荷する。予想される輸出市場は欧州とイスラエルである。紅海に面するエイラット港でタンカー船から石油が荷揚げされ、イスラエルのパイプラインを通じて地中海に面するアシュケロン港に送油された後、再びタンカー船に積み込まれる。イスラエルにすれば、それに加えて、地中海沿岸国に対して、石油を自国経由でアジア市場に出荷できる輸送ルートを提供できることになる。

これまでの石油輸送ビジネスは、スエズ運河および「スエズ—地中海（SUMED）パイプライン」を有するエジプトがランドブリッジ機能を独占していた。だが、コスト競争力においてはイスラエル経由に軍配が上がるだろう。実は、このパイプラインは一九六八年にイランとイスラエルの合弁事業として、イラン原油をイスラエルと欧州に輸送する狙いで建設されたものだった。歴史の皮肉だろう。

UAEの思惑

UAEとイスラエルの国交正常化合意は、反イランという共通の立場に基づくと言われるが、筆者はそうは思わない。エネルギー依存から脱却しなければならない産油国にとって、持続的成長に必要な経済、そして、歳入源の多角化をどう具現化するかが最大課題なのである。UAEは、米・イスラエル政権の意向を汲み、彼らの支援を受けて自国経済を持続・発展させる好機になると判断した。これが国交正常化の第一の理由であろう。イランとの対峙、あるいはパレスチナ自治政府の分裂への不満は、第二の理由となる。

UAEは宗教対話の必要性を唱え、その場も提供してきた。政治的な思惑もあるのだろうが、二〇一九年二月にはヴァチカンのローマ教皇とエジプトのアズハル総イマームであるタイブ師をUAEが招待した。宗派間の対話を訴える両指導者は、暴力や過激主義を否定する宣言を発し、「人間愛に関する文書（Document on Human Fraternity)」を取り交わした。さらに二〇一九年九月には、アブダビのサディヤット島に建設する複合施設に「アブラハム・ファミリーの家」の一つとしてシナゴーグも建設すると発表した。他にも、キリスト教会各会派、ヒンドゥー寺院、シーク教（一六世紀にグル・ナーナクがインドで始めた宗教）の礼拝所も設けるとのことである。

中東の新たな風向き

ハブ機能の高いUAE、サウジアラビアと海上道路で繋がるバハレーン。そしてイスラエルあるいはユダヤ系資本を通じた商活動や投資は、湾岸諸国の経済に革新的な変化をもたらすことになる。これからのアラブ諸国とイスラエルの関係がどうなるか、まだ先を見通せる状況ではないが、新しい経済圏誕生の流れが確かなものになりつつある。

オスロ合意[※4]後、世界各国がパレスチナ自治政府に対する支援を開始した頃、企業マン時代の筆者はエルサレムを拠点として市場開拓に向けて活動したことがあった。法制度を手始めに、ビジネス実務で直面するハードルは高かったものの、当時はイスラエル、パレスチナ自治政府、どちらの経済界も意欲的で、将来への期待に活気付いていた。これまでも述べてきたように、帰属意識は異なっていても、宗教の視点から捉えれば、ムスリムとユダヤ教徒の間に深刻な対立は起こらないのである。

かつて和平合意が実現しないと中東問題は解決しないと信じられてきたが、最近の動きはまさにパラダイムシフトである。新たな経済圏が動き始めれば、中東に吹く風向きも変化しそうである。

※3　海上輸送のみならず、経由地の陸上輸送は鉄道で行なう国際的な陸路輸送方式。
※4　一九九三年にイスラエルとパレスチナ解放機構（PLO）の間で同意された一連の協定。正式には「暫定自治政府原則の宣言」。

■用語解説■

（本文に詳しい説明がある場合は《　》で章を提示）

アクスム朝　紀元前五世紀頃〜紀元七世紀頃にエチオピア東北部、エリトリア地域に栄えた王国で、主にローマやインドと交易を行なった。シバ（シェバ）の女王伝説でも知られる。

アザーン　一日五回の義務の礼拝時に、モスクから信徒たちに礼拝に来るよう呼びかける朗誦。かつてはモスクに「ムアッジン」という専門の呼びかけ人がいたが、現代では通常、録音されたアザーンがスピーカーを通じて拡声される。《8、13章》

アフリカの角　アフリカ大陸の北東部で、エリトリア、ジブチ、ソマリアにまたがる半島のこと。対岸はイエメン。「サイの角」に似ていることから「アフリカの角」、あるいは「ソマリランド」とも呼ばれている。地中海とインド洋を繋ぐ紅海に通じる出入口に当たる。

アラブ首長国連邦（UAE）　アブダビ、ドバイ、シャルジャ、ラアス・アルハイマ、アジュマーン、ウンム・アルカイワイン、フジャイラという七つの首長国で構成される連邦国家。「首長」（アミール）とは、中東地域で特定の社会集団の責任者を指す言葉で「国王」に次ぐ権威を持つ存在。現在では、アラブ首長国連邦の他に、クウェイト、カタルで君主の称号として用いられている。

イスマーイール　イスラームでは、族長のイブラヒーム（アブラハム）が神の命令によって犠牲として捧げようとした一人息子を指す。イスマーイールは、クルアーンに登場する預言者の一人でアラブ人の祖先とされている。聖書ではアブラハムが犠牲に捧げようとしたのはイサクで（創世記二二章）、ユダヤ人の祖先とされている。

イバード派　イスラームのスンナ派の中で初期に発生した厳格なハワーリジュ派の流れを汲む宗派だが、他宗派に対して寛容な態度を採る穏健な一派である。現代の分布はオマーンが中心で、他にリビア西部のトリポタニア、アルジェリア南部にも存在する。

イブン・ジュバイル（一一四五〜一二一七年）　アンダルス生まれで、アラビア語諸学を学び、詩文・散文に秀でたアラブ人。マッカに三度巡礼したが、一回目の巡礼旅行を美文体で日記風に記録した。その見聞録『イブン・ジュバイルの旅行記』は、当時の地中海情勢やアイユーブ朝の統治などを含め、各地の状況を記す資料として高い価値がある。

イブン・ハルドゥーン（一三三二〜一四〇六年）　中世のイスラーム世界を代表する歴史家、思想家、政治家。各地を巡ってアラブ社会・部族社会を追究した。

イマーム　アラビア語で「指導者」の意。スンナ派においては、ムスリムの大小の宗教共同体を指導する統率者や高名な学者の敬称として用いられる。シーア派においては、宗教共同体にとって霊的にも特別な存在である「最高指導者」を指す。

イラク戦争　二〇〇三年三月二〇日、アメリカ軍によるイラクの首都バグダードへの空爆で始まった四二日間の戦争。戦争中のアメリカ・イギリスなどによる有志連合軍の死者は一七二人、イラク人死者数については一〇万人を超えると推計される。

ウルナンム法典　ウル第三王朝のウルナンム王の時代（在位・紀元前二一一二〜二〇九五年）に制定された法典。メソポタミア南部のシュメール語で記されているために「シュメール法典」とも呼ばれる。ハンムラビ法典より三〇〇年以上時代を遡るとされる。

エシュヌンナ法典　イラクのディーヤーラー県、テル・アル・ハリマルで発見された二枚の粘土板に残されていたエシュヌンナ王国（紀元前二〇二六年に独立）の法典、アッカド語で記されている。ハンムラビ法典より二〇〇年古いとされる。この王国は、ナラムシン王の時代（紀元前一八三〇〜一八一五年）にはバビロンやアッシュールも支配した。紀元前一七六一年頃にバビロンのハンムラビ王に滅ぼされた。

カーディリー教団　ハンバル派の法学者アブドル・カーディル・ズィラーニー（一一六六年没）を祖とするスーフィー教団。近代ではアルジェリアでフランスの植民地支配への抵抗運動の中心となった。トルコから中央アジアにまで広まっているが、穏健な思想を持つ典型的な都市型教団である。

カッザーフィー　リビア（大リビア・アラブ人民社会主義ジャマーヒーリーヤ）の最高指導者。リビア革命（一九六九年）で政権を掌握し、四二年間もリビアを支配したが、二〇一一年に起こったリビア内戦で独裁政権が崩壊し、殺害された。

カリフ　アラビア語で「ハリーファ（Khalifa）」、神の使徒の代理人・後継者を意味する。イスラーム共同体（ウンマ）の最高指導者。初代カリフはアブー・バクル。第二代にウマル、第三代にウスマーン、第四代にアリーと続く四代までのカリフを正統カリフという。この後はそれぞれの時代の支配者がカリフを名乗ることが多くなった。本来、カリフは一つの時代に一人しか擁立されなかったが、九〇九年にファーティマ朝が成立すると、その支配者がカリフを名乗った。それ以降、各地に分立した国家の元首がカリフを名乗り、複数のカリフが併存することになった。一九二四年、トルコによってカリフ制は廃止された。

キブラ　イスラーム教徒が礼拝の際に向く方角。当初ムハンマドはエルサレムの方角に向かって礼拝することを決めたが、後にマッカのカーバ神殿の方角に変更して現在に至っている。《13章》

救世主（マフディ）　アラビア語で「神によって正しく導かれた者」の意。終末が近づいた時に出現する救世主や隠れメシアを意味する。

クライシュ族 マッカを支配した名門一族。預言者ムハンマドの出身母体でもある。

クルアーン イスラームの聖典、アラビア語で「読まれるもの」の意。神が天使を介してムハンマドにアラビア語で下した紛れもない神の言葉、つまり啓示を結集したもの。日本語で「コーラン」と訳される場合も多い。神の言葉がアラビア語で下されたために、クルアーンのアラビア語は聖なる言語とされ、礼拝では翻訳した他言語を用いることは許されない。

クルディスタン トルコ東部、イラク北部、イラン西部、シリア北部とアルメニアの一部にまたがり、ザグロス山脈とタウルス山脈の東部延長部分を包含する地域の呼称。チグリス・ユーフラテス川の中上流域を中心に広がる山岳地帯である。《5、21〜25章》

ケマル・アタチュルク（一八八一〜一九三八年） 第一次大戦後のトルコ革命の指導者でトルコ共和国の初代大統領。カリフ制を廃止し、世俗主義の共和国を打ち立てた。アタチュルク（Ata Turk）は「トルコの父」の意。

コプト教徒 「コプト」は、エジプトを表すギリシア語「アイギュプトス」に由来するアラビア語で、もともとはエジプトを指していたが、やがてエジプト人によって始められたほとんどすべてのキリスト教を指すようになった。特に「コプト正教会」と言えば、単性論派キリスト教徒を指す。教会用語としては象形文字ヒエログラフに遡るコプト語・コプト文字を有し、エジプト人口の約一割を占める。

サイイダ・ザイナブ シーア派の第三代イマームであるフサインの妹ザイナブの尊称。フサインがカルバラーの荒野で最期を遂げた時、フサインの息子アリーと共に捕虜となってダマスカスに連れて行かれたが、その間毅然とした態度をとり続けたと伝えられ、シーア派の信徒たちから理想の女性として敬愛される存在となった。シリアが内戦状態に陥った二〇一一年以前は、ザイナブ廟のあるモスクには年間一〇〇万人の参詣者が訪れた。

サバ朝（シェバ朝） 聖書の「シェバの女王」（列王記上一〇章）で知られるイエメンの古代王朝（紀元前八世紀末〜紀元前一一五年）。歴史的な詳細は不明で、シェバの女王の存在も伝説的だとされる。

サラーフディーン・アイユーブ（一一三七〜一一九三年） バグダードの北に位置するティクリートで生まれたクルド人。父親はセルジューク朝の代官。一一六九年にシーア派のファーティマ朝の宰相となり、一一七一年にファーティマ朝カリフを廃し、スンナ派のアイユーブ朝を樹立した。その後ダマスカス、中部シリアも支配し、対十字軍戦争の英雄としてその名が広く知られている。ダマスカス旧市街に簡素な墓廟が残る。

シーア派　イスラームの二大宗派の一つで、スンナ派に次ぐ二番目の勢力。第四代正統カリフだったアリーとその子孫、つまり聖家族としてのムハンマド家の子孫のみが預言者の後継者としての資格を持ち、霊的にも社会的にも、イスラーム共同体（ウンマ）の指導者（イマーム）の職務を継承する権利を持つと主張する。誰を後継のイマームと認めるかで、多くの分派が発生した。《7、8章》

シャリーア　イスラーム法のことで、クルアーンと預言者ムハンマドの言行（スンナ）を法源とする宗教法であり、今日的な市民法の範囲を超えて、人間生活のあらゆる面を対象とし、「信仰行為」「道徳規範」「私的関係法（家族法）」「社会関係法」「刑法」「国家構成法」「国際関係法」に分けられる。一九世紀以降の近代化の過程で西洋的な法律が採用されてきたが、ムスリムが多数を占める地域では、今日でも特に家族法の分野で効力を持つ。《6章》

首長　中東地域で一部の国家元首に対して用いられる「アミール」の日本語訳。もともと「アミール」はイスラームの王族や指導者・将軍などに対する称号であった。今日ではアミールは、ペルシア湾岸諸国の数カ国で国家元首を表す用語として用いられている。なお、「アミール」には王子という意味もあり、王家の男子の尊称として用いられている。

贖罪（しょくざい）の日　ヘブライ語で「ヨム・キプール」（ヨーム・キップール）。ユダヤ教の最も神聖な祝日で、ユダヤ暦のティシュレー月一〇日、西暦の九～一〇月頃に当たる。この日は一日中完全な断食が行なわれ、労働も行なわず禁欲を守り、神の前に悔い改めと内省の時を過ごす。

スーク　アラビア語で「市場」のこと（ペルシア語でバザール）。生鮮市場、家畜市場、ゴールド・マーケットなどがあり、個人の労働に基づいて利益を得るというイスラームの経済的規定が厳密に守られている。常設市だけでなく、アラビア半島では各地に週市や年市があり、曜日が集落名になっている場所もある。

スーフィズム　イスラームの神秘主義、その信奉者はスーフィーと呼ばれる。アラビア語で「スーフ」は「羊毛」の意味で、スーフィーは「羊毛で作った粗末な衣をまとった人」の意。元来、神との合一を目指し清貧に甘んじて修行に励む人々を指した。スーフィーの教団は多数あり、「タリーカ（内面追究の道）」と呼ばれている。イスラームは外面的な規範を遵守する宗教だが、スーフィズムは内面に隠されている真理を追究する思想として発展し、今日も各地で存続している。

ズィンミー　イスラーム法によって、ムスリムの支配下で一定の保護を与えられる庇護民（非ムスリム）のこと。啓典の民（ユダヤ教徒、キリスト教徒）に限定され、人頭税を納付することで信仰の自由と自治権を得ていた。イスラームが東進した当初、ゾロアスター教徒も庇護民の対象となっていた。安定した政治のもとでは、周辺地域から流入する仏教徒、ヒンドゥー教徒なども庇護民同様の待遇を受けていた。

スルターン　スンナ派の君主の称号で、一一世紀以降、セルジューク朝、オスマン帝国などの君主の称号として使われた。現在もオマーンとブルネイで用いられている。東南アジアの島嶼部で進んだイスラーム化の過程では、在地の君主が主権の正統性を強化するために用いた称号でもある。

スンナ派　イスラームの最大宗派で、ムスリムの八五～九〇%を占める。「スンナ派」とは、ムハンマドの慣行（スンナ）と正統な共同体（ジャマーア）の見解に従う人々「スンナとジャマーアの民」を意味する。西アジアだけでなく、北アフリカ、中央アジア、東南アジアのイスラーム国のほとんどで多数派を占め、事実上イスラームの正統派になっている。《9章》

セム語族　セム系の言語を使用する人々を指す。聖書のノアの息子セムに由来する名称が、ヘブライ語を含む言語グループの呼称となった。代表的言語はヘブライ語、アラビア語、アムハラ語、アラム語である。古代語ではアッシリア語、アッカド語、バビロニア語、フェニキア語等がある。三子音を語根とした単語で構成されているのが特徴。

千夜一夜物語　イスラーム世界における説話集。核となる部分はイスラーム初期にアラビア語に訳されたらしく、一三～一四世紀頃までにはシリアで物語集としての体裁が整ったと見られる。一八世紀初頭にフランス人アントワーヌ・ガランの仏語訳を通してヨーロッパで再発見された。「アラビアン・ナイト」の名称でも知られる。アラビア語でアルフ・ライラ・ワ・ライラ。『千夜一夜物語』はアラブ世界発祥の物語ではないが、アラブ世界の中で長い期間をかけて追記されたものであり、実在のカリフや人物名、エピソードも掲載されているために、アッバース朝最盛期の世界を描いている第一級の歴史資料とも考えられる。

ゾロアスター教　始祖ザラスシュトラ（ゾロアスター）がイラン高原でアフラ・マズダーを最高神として興した信仰が起源。アケメネス朝ペルシア時代（紀元前五五〇～三三〇年）にはすでに多くの信者がいた。紀元三世紀にサーサーン朝ペルシアで国教となり、聖典『アヴェスター』も整備された。東方にも伝わった。中国では「祆教（けんきょう）」と呼ばれた。個々の審判、天国と地獄、肉体の復活、最後の大審判、再結合された魂と肉体の永遠の生などの教義は、ユダヤ教、キリスト教、イスラーム教に影響を与えた。

ソロモン作戦　一九九一年五月、エチオピアのユダヤ教徒（ベタ・イスラエル）をイスラエルに輸送した大規模な作戦。イスラエル空軍が任務を担った。

中東　英語で「Middle East」。以前は中近東（Middle and

Near East）と呼ばれていた。現在では、一般的に北アフリカを含めた地域の総称（Middle East and North Africa＝MENA）として使われている。

チョークポイント　海洋国家の地政学上の概念で、戦略的な重要性を持つ海上水路を指す。中東ではスエズ運河、ホルムズ海峡、バーブ・エル・マンデブ海峡が相当する。

丁子（ちょうじ）　ハーブの一種で、英語で「Clove」。モルッカ諸島原産であるが海外に持ち出され、ザンジバルでも栽培された。インド洋交易で取引された。《17章》

デオバンド派　一九世紀後半、インドのデリー北東一五〇kmのデオバンドに設立された学院（マドラサ）を拠点として、イスラーム改革運動を行なったハナフィー学派（スンナ派四大法学派の一つ）の一派。

トルクマン　イラクで、オスマン帝国時代から続いているトルコ人社会の住民を指す。北イラクでは隣国トルコとの関係が深く、政治・経済に影響力を持つ財閥も存在する。中央アジアのチュルク民族の一つであるトルクメンとは異なる。《21章》

ナーセル、ガマール・アブドゥル（一九一八～一九七〇年）エジプトの第二代首相、第二代大統領。一九五四年に首相となり、銀行の国有化などアラブ社会主義政策を推進。汎アラブ主義政策を掲げ、エジプトとシリアから成るアラブ連合共和国を建国。一九五六年にはスエズ運河の国有化を宣言した。一九六七年の第三次中東戦争の敗北から三年後に心臓発作で死亡した。

ニカーブ　イスラーム教徒の女性（ムスリマ）の服装で、目を除いた身体全体を覆う黒色のベール。アバーヤと呼ばれる黒いロングワンピースと合わせて着る。サウジアラビア、イエメン、ソマリアなどの保守的な層に見られるスタイルで、ベールの上から黒子のように目を覆う薄いフェイスカバーを一緒につけることもある。他にいくつものイスラーム的服装の種類がある。主なものは次のとおり。

- **ヒジャーブ**……髪の毛と首をスカーフで覆う比較的カジュアルなベール。エジプトやトルコなどで広く用いられるが、ラマダーン月やハッジ月という聖なる期間においては敬虔な女性信徒はニカーブを着用する場合が多い。イスラーム的服装を一般的に「ヒジャーブ」と総称することもある。
- **チャードル**……外出時や礼拝時の女性の服装として、イラン、イラクの一部で幅広く着用されている。大きめの黒布で身体全体をすっぽり覆うが、布が大きく長いために手で掴みながら歩く。
- **ブルカ**……全身を覆うベールで、目の部分だけが網目状になっている。アフガニスタンやパキスタンの一部地域で見られる。大判のベールは細かいプリーツに折られていることが多く、伝統芸術の一つとも見られる。
- **アルアミーラ**……ヘアバンド様の帽子とスカーフを使い二

重に髪を覆う。前髪をかっちりととめる帽子を少し見せつつ、チューブ状のスカーフで全体を覆う。帽子とスカーフの両方を使うのが他のスタイルと違う点である。

●カイマー……頭から肩、胸下までをすっぽりと覆うタイプ。ヒジャーブやアルアミーラに比べると、スカーフで覆う部分が多い。

●シェイラ……長方形の長いスカーフをゆるく巻きつけてピンで止めるスタイル。首や髪の毛は一応隠れているが、あくまでもラフに覆っている。湾岸地域で使われる。

バアス党　アラブ人の結束を呼びかけ、汎アラブ主義および社会主義国家建設を掲げてシリアで結成されたアラブ民族主義政党。バアスは「復興」の意。シリア人で東方正教徒のミシェル・アフラクなどが、土台となる政治結社を一九四七年に創設した。シリアのバアス党は一九七〇年、ハーフィズ・アサドのクーデターによって政権を掌握した。イラクでは一九六八年にバアス党政権が誕生し、一九七八年にサッダーム・フセインが大統領となったが、二〇〇三年のイラク戦争で政権を失った。しかし今日までバアス党支持者が残存しており、対立が続いている。

ハディース　預言者ムハンマドの言行録で、九世紀から一〇世紀にかけて編纂された。第二の聖典とされ、クルアーンと並ぶイスラーム法の法源である。スンナ派には正伝集だと認められている六つのハディース集がある。そのうち最も権威があるとされるのは、ブハーリーが収集した言行録である。一二イマーム派（シーア派）にはこれらの他にも歴代のイマームの言行録が存在している。

ハドラマウト　アラビア半島の南部地域で、現在はイエメン領である。南部はインド洋に面しており、ムカッラ等の港町を拠点に貿易で繁栄した。北はルブゥ・アル・ハーリという大砂漠で遮断されている。旧城壁都市シバームは、世界遺産に登録されている。《15章》

ハラール　事物や行為全般について、イスラーム法で許容されるもの。今日では、特に食品について厳格な選択が課される。野菜や果物などは原則としてハラール（合法）だが、豚肉、死肉、偶像に捧げられた動物の肉、また酒類などはハラーム（禁忌）として禁じられている。豚肉を除く食肉についても、定められた宗教的儀礼を経なければ、食べてはいけない。そのため、非イスラーム地域に住むムスリムにとって、ハラール食品の入手は死活問題となる。

ハワーリジュ派　イスラーム初期の分派で、政治的な急進性と信教上の非寛容性で知られた。敬虔な信徒は誰でも元首になる資格があるとした平等主義を掲げた点で、スンナ派ともシーア派とも異なる。第四代正統カリフのアリーを暗殺したことによって、シーア派が成立する契機を創った。今日では穏健化してイバード派としてオマーンなどに現存する。

ヒムヤル朝　紀元前一一五年頃～紀元五二五年、アラビア半島のイエメンに存在した国。サバ（サバア）朝、ハドラマウト朝などと覇権を争ったが、五二五年にアビシニア王国によって滅ぼされた。

ファトワー　イスラーム法学の裁定。イスラーム法学者が、個人、団体、組織を問わず、信徒から受ける実際的な質問に対して行なう回答のことで、裁判での判決と比べると、ファトワーは判決のような強制的な執行力を持たない。

ファラシャ　エチオピア系ユダヤ人の地元での呼び名で、ユダヤ人にとっては蔑称とされる。スーダン経由で脱出したモーセ作戦（一九八四年）とソロモン作戦（一九九一年）により、大半はイスラエルに移住した。イスラエルで彼らは「ベタ・イスラエル」と呼ばれている。《5章》

ブーサイード朝　オマーンのブーサイード族出身のアフマド・イブン・サイードが、一七四九年頃にイバード派のイマームになって始めた王朝。

フサイニーヤ　第三代イマームのフサインの名に由来し、礼拝や宗教行事が行なわれる施設の名称。《7章》

ペシュメルガ　クルド人社会で有力な部族長や政治勢力等が抱える私兵集団。クルド自治政府はISとの戦いに向けてペシュメルガ省を創設し、部族勢力の傘下にある彼らを参加させた。

ベドウィン　砂漠に住む遊牧民のこと。アラビア語で「砂漠の民」の意。

ホウゼ（ハウゼ）　一二イマーム派（シーア派）の主要な廟所に設けられた宗教学校。本来は「場」の意で、宗教的な知識を得るための場を指す。

ホルムズ海峡　オマーンのムサンダム半島とイランに挟まれた海峡で、ペルシア湾とオマーン湾の間に位置する。幅は最も狭い地点で約三三㎞。ペルシア湾沿岸諸国からの石油や液化天然ガスの輸送路として地政学的な重要性を有する。

マグレブ　直訳は「太陽の沈む場所」で「西」を指す。中東の西方向にある北アフリカ諸国のうち、チュニジア、アルジェリア、モロッコをマグレブ三カ国と呼ぶ。対比語は「マシュリク」で「太陽が昇る地」つまり「東」を指す。

マッカ（メッカ）　イスラーム第一の聖地で、預言者ムハンマドの生地である。信徒は通例、マッカ・ムカッラマ（祝福されたマッカ）と呼ぶ。日本語でメッカと呼ばれた時代があったが、英語表記がMeccaからMakkahに変更され、今日ではマッカで通用する。

マディーナ（メディナ）　イスラーム第二の聖地で古名はヤスリブ。信徒は通例、マディーナ・ムナウワラ（光り輝くマディーナ）と呼ぶ。マディーナには預言者ムハンマドの墓廟を取り込んで建設された預言者モスク（マスジド・ナビー）がある。

マドラサ　イスラーム諸学の学院で、伝統的にはイスラーム法学者を育成するための高等教育施設を言う。マドラサの施設は、モスクの中を用いたり、あるいはモスクに付属する教育施設を設置する場合もあった。一般的にはワクフ（寄進）対象物件として建設され、後世に大学に発展したところもある。

マニ教　イラン人マーニー（二一六〜二七六／二七七年）によって創始・唱道された二元論的宗教。教義の母体となった当時のゾロアスター教、メソポタミアのグノーシス主義と伝統的土着信仰、さらに仏教も摂取・融合した宗教である。その教義は有能な後継者の手によって拡大し、最盛期の四世紀には、西はエジプトから北アフリカ、さらにイベリア半島、東は中国に達した。

ムスリマ　イスラームの女性信徒のこと。

ムスリム　イスラームの男性信徒のこと。

ムスリム同胞団　エジプトで興ったイスラーム復興を目指すスンナ派の運動組織。一九二八年、エジプト人教師ハサン・バンナーがイスマイリアで創設した。同胞団の活動は、国家に管理されないイスラーム規範の展開を進め、低所得者層の多い農村地域や社会サービスが不足する地域に根付いている。二〇一二年のエジプト大統領選で勝利し、政権を掌握したムルスィー大統領はこのムスリム同胞団の指導者。ムルスィー大統領は二〇一三年に軍部によるクーデターで解任され死刑判決を受けたが、二〇一九年六月に病死した。

ムタイル族　アラビア半島の大部族の一つ。アラビア半島東部から中部のネジド地方のカシームが出自でサウジアラビア西部からクウェイトまで広がった部族。二〇世紀初頭のサウジアラビア建国史の中心勢力ともなった。イラク、ヨルダン、パレスチナ、エジプトに分派がある。なお、人口規模が多いサウジアラビアの部族としては、ムタイル族の他にルワラ族（北部）、アマラート族（北東部）、バニー・ハーリド族（東部）、ハルブ族（西部）、シャンマル族（北部）、オタイバ族（西部・中部）、ヤム族（南部）などが挙げられる。

《2章》

モーセ作戦　一九八四年一一月〜一九八五年一月、エチオピアのユダヤ教徒（ベタ・イスラエル）をイスラエルに輸送した大規模な作戦。エチオピアから陸路でスーダンに脱出した彼らを、イスラエル空軍、米国ＣＩＡ、ハルツームの米国大使館等が協力し、ブラッセル経由でイスラエルに移送した。

ヤスリブ　サウジアラビアの聖都マディーナの旧名。

ラマダーン月　太陰暦であるイスラーム暦（ヒジュラ暦、一年は太陽暦と比べて一一日か一二日ずつ短くなる）の九月で、義務の断食を行なう断食月でもある。ムスリムは、ラマダーン月の新月の表れを見た時から翌月の新月を見るまでの間（三〇日もしくは二九日間）、日の出から日没までの間、飲食を断つ斎戒の行を行ない、神からの日頃の恵みに感謝する。

ルブゥ・アル・ハーリ　アラビア半島南部の三分の一を占める世界最大級の砂漠。アラビア語で「空白の四分の一」の意（英語もEmpty Quarter）。サウジアラビア、オマーン、UAE、イエメンの四カ国にまたがる。

ワクフ　私財をイスラーム共同体に寄進すること。公共財となったワクフの所有権は神のもとにあるため、誰も勝手に処分できない。寄進者は宗教・教育・福祉の振興を目的に土地などを拠出し、モスクや病院、学校、バザール、孤児院などの公共施設を建設したり、奨学金の基金を創設したりすることにより、公共の福祉のために活用した。ワクフはアラビア語で「停止」を意味し、財産の所有権の移動が永久に停止され、財産から得られる収益の使い方が固定されるので、福祉のためではなく、分割相続や財産没収の危険から私財を守る目的でも有利な遺産相続法として盛んに利用された。《9、13章》

ワッハーブ派　一八世紀のアラビア半島でハンバル学派の法学者ムハンマド・イブン・アブドゥル・ワッハーブの唱えた急進的イスラーム改革思想（ワッハーブ主義）を奉じる一派。デルウィーヤの豪族ムハンマド・イブン・サウードがワッハーブを軍事的に支援して初代イマームを名乗り、後のサウジアラビアの建国につないだ。《9章》

GCC（Gulf Cooperation Council）　湾岸協力会議。一九八一年、集団安全保障体制を構築するために結成された機構。ペルシア（アラビア）湾に面するサウジアラビア、UAE、バハレーン、オマーン、カタル、クウェイトの六カ国が加盟している。

OFW（Overseas Filipino Workers）　フィリピンからの海外出稼ぎ労働者の略称。彼らの送金額はフィリピン国家の外貨収入の約一〇%を占める。フィリピン統計局の二〇一五年度の集計では、出稼ぎ先トップの米国に次いで二位はサウジアラビアで、送金額は二八・四億ドル、全体の二四・七%を占める。しかし二〇一八年には、サウジアラビアで雇用の現地人化（サウダイゼーション）が進み、二二・三億ドルに減少している。《19章》

PKK　クルド語の「クルディスタン労働者党」の略語で、トルコ系クルド人の独立国家建設を目指す武装組織。この組織は二度の改名を経て二〇〇三年一一月にこの名称に落ち着いた。これは、テロリスト集団だと認定されるのを回避することが目的だったといわれている。二〇一四年からはシリアとイラクのクルド人居住地域におけるIS（ISIL）との戦闘に参加している。

■引用文献■

（章毎に五十音・アルファベット順）

●第1章

『新イスラム事典』佐藤次高ほか編、平凡社、二〇〇二年

『物語　アラビアの歴史』蔀勇造著、中央公論新社、二〇一八年

ʻAbd al-Ḥakīm al-Wāylī, *Mausūʻa qabāʼil al-ʻArab* (Vol1-6), Dar Usāma, 2002

Al-Muʻjam al-Jughrāfī li-l-bilād al-ʻArabīya al-Saʻūdīya, Mintaqah ʻAsīr (Vol1-3), n.d.

●第2章

『歴史序説　第一巻』イブン・ハルドゥーン著、森本公誠訳、岩波書店、一九七九年

Abdallah M.Āl Āṣim, *Qabāyl Qaḥtān Al-Madḥ Ḥajīya*, 2009

Abdlʻazīz S.Muṭair, *Qabīla Muṭair*, Al-Daar Al-Arabiyya Al-Mausūʻāt, 2005

Hisham Ibn al-Kalbi, *Jamharāt al-Nasab*, n.d.

J.R.L Carter, *Tribes in Oman*, Scorpion Publications, 1982

Mājid Subbar, *Al-Badw*, n.d.

W.Robertson Smith, *Lectures on the Religion of the Semites: First Series The Fundamental Institutions*, London, Adam and Charles Black, 1894

●第3章

『イブン・ジュバイルの旅行記』イブン・ジュバイル著、藤本勝次、池田修監訳、講談社学術文庫、二〇〇九年

『新聖書大辞典』馬場嘉市編、キリスト新聞社、一九七一年

『西アジア史研究』「偶像の書」ヒシャーム・イブン・アル・カルビィー著、池田修訳、東京大学出版会、一九七四年

Abu Muneer Ismail Davids, *Getting the best out of AL-Hajj*, Darussalam, 2006

Dr.Ismail R.al-Faruqi, Dr.Lus L.Faruqi, *Aṭlas al-ḥaḍāra al-Islāmīya*, Maktab Ubaikan 1998

W.Robertson Smith, *Lectures on the Religion of the Semites: First Series The Fundamental Institutions*, London, Adam and Charles Black, 1894

●第4章

『イブン・ジュバイルの旅行記』イブン・ジュバイル著、藤本勝次、池田修監訳、講談社学術文庫、二〇〇九年

Al-Muʻjam al-Jughrāfī li-l-bilād al-ʻArabīya al-Saʻūdīya, Mintaqah ʻAsīr, n.d.

Dr.Ismail R.al-Faruqi, Dr.Lus L.Faruqi, *Aṭlas al-ḥaḍāra al-Islāmīya*, Maktab Ubaikan 1998

Thierry Mauger, *Undiscovered Asir*, London, Stagey International, 1993

●第5章

『ムハンマド――預言者と政治家』牧野信也、久保儀明訳、みすず書房、二〇〇二年

Dr.Ismail R.al-Faruqi, Dr.Lus L.Faruqi, *Aṭlas al-ḥaḍāra al-Islāmīya*,

Maktab Ubaikan 1998
Muwassasah al-Afīf al-thaqāfīya, *Al-Mausū'a al-Yamānīya*, Yemen, 1992

●第6章

https://arabi21.com/

●第7章

Said Abdl Moneim, *Tax and Zakat accounting system in the Kingdom of Saudi Arabia*, Ain Shams University, 2011

●第8章

W.Robertson Smith, *Lectures on the Religion of the Semites: First Series The Fundamental Instiutions*, London, Adam and Charles Black, 1894

●第9章

「ビジネスアイ」二〇〇九年春号、住友商事総合研究所
https://www.cia.gov/the-world-factbook/
The Muslim 500, The World's Most Influential Muslims, Amman, Royal Islamic Strategic Studies Centre, 2012, 2016, 2017

●第10章

『イスラーム家族法』柳橋博之著、創文社、二〇〇一年
Edward William Lane, *Manners and Customs of the Modern Egyptians*, East-West Publications Livre de France, 1978

●第11章

『イスラーム家族法入門』フランソワ・ポール・ブラン著、小林公、宮澤愛子、松崎和子共訳、木鐸社、二〇一五年
『古代オリエントの法と社会』H・J・ベッカー著、鈴木佳秀訳、ヨルダン社、一九八九年
『古代法解釈』佐藤信夫著、慶應義塾大学出版会、二〇〇四年
『マイノリティ・ムスリムのイスラーム法学』塩崎悠輝編著、ユースフ・アル・カラダーウィーほか著、日本サウディアラビア協会、二〇一二年

●第12章

『岩波イスラーム辞典』大塚和夫ほか編、岩波書店、二〇〇二年
『二つのイスラーム社会』クリフォード・ギーアツ著、林武訳、岩波新書、一九七三年
Edward William Lane, *Manners and Customs of the Modern Egyptians*, East-West Publications Livre de France, 1978
Engseng Ho, *The Graves of Tarim*, California, University of California Press, 2006
Lynne S.Newton, *A landscape of pilgrimage and trade and Wadi Masil, Yemen*, BAR International Series 1899, 2009

●第13章

『インド・イスラーム王朝の物語とその建築物』宮原辰夫著、春風社、二〇一六年
『日亜対訳クルアーン』中田考監修、作品社、二〇一四年
Doris Behrens-Abouseif, *The Minarets of Cairo*, The American University in Cairo Press, 2010
Edward William Lane, *Manners and Customs of the Modern Egyptians*, East-West Publications Livre de France, 1978

Prof.Dr.Heinz Gaube, *The Carved Stucco Mihrabs of Oman, Pride - Mosques of Sultanate of Oman*, Al-Roya Press and Publishing House, 2011-2012

●第14章

『砂漠の文化――アラブ遊牧民の世界』堀内勝著、教育社、一九七九年

『聖書植物大事典』ウィリアム・スミス編纂、藤本時男編訳、図書刊行会、二〇〇六年

Askar Al-Enazy, *The Long Road from Taif to Jeddah*, Abu Dhabi, The Emirates Center for Strategic Studies and Research, 2006

Doris Behrens-Abouseif, *The Minarets of Cairo*, The American University in Cairo Press, 2010

●第15章

「ビジネスアイ」二〇一三年秋号、住友商事総合研究所

『フィリピンの歴史』グレゴリオ・F・サイデ著、松橋達良訳、時事通信社、一九七三年

Cleuziou and M.Tosi, *The Journal of Oman Studies - Volume 11 Ra's Al-Jinz and Prehistoric Coastal Cultures of the Ja'alān*, Muscat, Ministry of Information and Culture, 2000

Werner Daum, *Yemen: 3000 Years of Art and Civilisation in Arabia Felix*, Melbourne, Penguin Books Australia, 1987

●第16章

『岩波イスラーム辞典』大塚和夫ほか編、岩波書店、二〇〇二年

『エチオピア王国誌』アルヴァレス著、池上岑夫訳、岩波書店、一九九三年

『探検家リチャード・バートン』藤野幸雄著、新潮選書、一九八六年

Ibn Baṭṭūṭa, *Riḥla Ibn Baṭṭūṭa*, Dār al-Kitāb al-Miṣrī, n.d.

Leif Manger, *The Hadrami Diaspora: Community-Building on the Indian Ocean Rim*, Berghahan Books, 2010

●第17章

『イスラームの黒人奴隷』ロナルド・シーガル著、設樂國廣訳、明石書店、二〇〇七年

『エリュトラー海案内記　全2巻』作者不詳、蔀勇造訳、平凡社、二〇一六年

『ポルトガルとインド――中世グジャラート商人と支配者』M・N・ピアスン著、生田滋訳、岩波現代選書、一九八四年

●第18章

『原典訳ハンムラビ「法典」』中田一郎訳、リトン、二〇〇〇年

『バートン版　千夜一夜物語6』大場正史訳、河出書房新社、一九七四年

Edward William Lane, *Manners and Customs of the Modern Egyptians*, East-West Publications Livre de France, 1978

●第19章

『「アラブ海賊」という神話』スルターン・ムハンマド・アル・カーシミ著、町野武訳、リブロポート、一九九二年

Islamic Finance Service Industry Stability Report, Islamic Financial Services Board, 2018

*MEED*二〇一七年一一月二七日、IFSB加盟一七カ国の銀行データより算出

●第20章

『幸福のアラビア探検記』トーキル・ハンセン著、伊吹寛子訳、六興出版、一九八七年

●第21章

『トルコのもう一つの顔』小島剛一著、中公新書、一九九一年

Encyclopedia of Arabic Language and Linguistic, Leiden, Brill, Vol.II, 2007

●第22章

Birgül Açikyildiz, *The Yazidis, The History of a Community, Culture and Religion*, I.B. Tauris, 2014

●第23章

http://ahle-haqq.com/

S.Behnaz Hosseini, *Yārsān of Iran, Socio-Political Changes and Migration*, University of Oxford, Oxford, UK, 2020

●第24章

『イラクのキリスト教』スハ・ラッサム著、浜島敏訳、キリスト新聞社、二〇一六年

『シルクロードの宗教』R・C・フォルツ著、常塚聴訳、教文館、二〇〇三年

『東方キリスト教諸教会』三代川寛子編著、明石書店、二〇一七年

『東方キリスト教の歴史』アズィズ・S・アティーヤ著、村上盛忠訳、教文館、二〇一四年

●第25章

Abbas Shiblak, *Iraqi Jews: A History of Mass Exodus*, Al Saqi, 2005

Hanna Batatu, *The Old Social Classes and Revolutionary Movement of Iraq*, New Jersey, Princeton University Press, 1978

Michael R.Fischbach, *Jewish Property claims against Arab Countries*, Columbia University Press, 2008

Mordechai Zaken, *Jewish subjects and their tribal chieftains in Kurdistan*, Leiden, Brill, 2007

Ora Shwattz-Be'eri, *Jews of Kurdistan*, Jerusalem, Israel Museum, 2000

Yona Sabar, *The Folk Literature of the Kurdistan Jews: An Anthology*, New Haven, Yale University Press, 1982

●用語解説／基礎的な資料

『イスラーム金融』櫻井秀子著、新評論、二〇〇八年

『イスラームの神秘主義と聖者信仰』赤堀雅幸、堀川徹、東長靖編、東京大学出版会、二〇〇五年

『インド・イスラーム王朝の物語とその建築物』宮原辰夫著、春風社、二〇一六年

『王国のサバイバル』小串敏郎著、日本国際問題研究所、一九九六年

『格差と文明——イスラーム・仏教・現代の危機』黒田壽郎著、書肆心水、二〇一六年

『商人たちの共和国』黒田美代子著、藤原書店、一九九五年

『ゾロアスター教　三五〇〇年の歴史』メアリー・ボイス著、山本由美子訳、筑摩書房、一九八三年

Cairo Today 1/3/1981, International Business Association Corp., 1981

Ismail Al Faruqi, *The Cultural Atlas of Islam*, Pearson College Div, 1986

The Cultural Atlas of Islam, Ubaikan library, Obaikan Library, n.d.

Wilfred Thesiger, *Arabian Sands*, Motivate Publishing, 1984

解説

塩尻和子（筑波大学名誉教授、博士（文学））

イスラームの輪の中で

本書は商社マンとして、おもに中東イスラーム地域で活躍された林幹雄さんが、仕事を通じて親交を深めた地域社会のありのままの姿を下地にして、中東地域の歴史やイスラーム社会の在り方を真摯に学び、その知識を愛情こめて一冊の書籍にまとめたものである。そのために本書は、この地域に関する決まりきった表現や言い尽くされた判断にとらわれることなく、先入観のないまなざしで温かく書き綴られている。その言葉の一つ一つに、厳しい国際関係のはざまで困難な暮らしを余儀なくされるこの地域の人々に対する深い同情と悲しみも隠されている。これは、この地域を研究する学者やニュースを追うジャーナリストたちとは一線を画する立場であり、一人の日本人として、中東地域の人々を同じ人間であるという深い尊敬の念をもって見つめた成果でもある。

大阪外国語大学でアラビア語を学んだ林さんは、住友商事に勤務する商社マンとして、中東地域で与えられた任務をこなしながら、イスラーム世界の人々と同時に、中東に生きるマイノリティの人々とも偏見のない温かいまなざしで、語り合っている。ともすれば、現地の裕福な人々との交流を通じて、商社マンとしての利益を優先することが当然の役割であるという立場にありながら、上流階級の人々との付き合いと同様に、現地社会の底辺で苦しい毎日を送る人々にも温かい視線を注ぐことを忘れていない。

このような日常のささやかな変化を見逃さないで、イスラーム教徒だけでなく、ユダヤ教徒、中東独自のキリスト教徒、祖国を持たないクルド人、まだ不明な点が多いヤズィーディー教徒などとの交流も丁寧に描かれていることは、本書の特徴でもある。

私たちは新聞やテレビのニュースによってクルド人やヤズィーディー教徒の名称は知ってはいても、それは断片的な知識でしかない。戦闘的集団のいわゆる「イスラーム国」の危険性が二〇一四年から急激に表面化して以降、ヤズィーディー教徒がテロ集団の略奪に会い、多くの女性たちが犠牲になったことは、ニュースでも報じられた。ニュースでは、彼らは多神教徒であり、悪魔を崇拝する集団だと説明されていた。しかし、実際には彼らは古い時代からの一神教徒であり、教義としてはキリスト教にもイスラームにも近い。クルアーンには「ヤズィーディー」という言葉はないが、イスラームの教義に照らせば「啓典の民」の中に入ると考えられる。

林さんは短い記述ではあるが、このヤズィーディー教徒についても、やさしい視線を向けていて、その現状を丁寧に記載している。これだけでも実に印象的な記述である。ともすれば無視されがちなマイノリティの人々にも温かい視線を向けていることが本書の立場を印象付けている。

もともと、中東イスラーム地域の人々は、イスラームという大きな輪の中で、イスラーム教徒を中心とする暮らしを一四〇〇年も続けてきているが、歴史的に見ても、その輪の中で異教徒たちを排除することは殆どなかった。同じ系列にあるユダヤ教・キリスト教は言うまでもなく、クルアーンやイスラーム法が認定していなくても、ゾロアスター教にも、インドから入り込んできたヒンドゥー教にも仏教にも、多神教でありながら「啓典の民」同様の待遇を与えていた。特にアッバース朝下のバグダードの都では、周辺の国や地域から、様々な宗教や文化が流入して、当時の世界で随一の国際都市としての繁栄を築いていたのである。そうしたイスラーム社会のグローバルな交流の中から、今日に続く中東地域の人々の帰属意識が育まれて来たのである。

中東地域とはなにか

それでは、そもそも「中東地域」とはなにか、少し考えてみたい。現在の中東（Middle East）と呼ばれる地域名は、ヨーロッパから見た距離をもとに命名された地域名であり、西アジアと北アフリカから形成される地域を指す。もともとはヨーロッパ中心の立場からの命名である。面白いことに、アフリカ、アジア、アメリカのような地理的名称がつかない地域である。歴史的に見れば、もとはオスマン帝国の領土を指しており、時代によってもその定義はあいまいである。

たとえば第一次世界大戦までは旧オスマン帝国領を「近東、Near East」と呼び、イランやアフガニスタンを「中東、Middle East」と呼んでいた。さらに第二次世界大戦までは、旧オスマン帝国領とイランやアフガニスタンの一帯をまとめて「中近東」と呼ぶようになった。次いで第二次世界大戦以降には、西アジア・北アフリカを含むアラブ地域とトルコ、イラン、アフガニスタンをまとめて「中東、Middle East」と総称するようになった。

最近の傾向としては中東・北アフリカをまとめて「中東・北アフリカ、MENA」と総称するようになり、さらに「拡大中東・北アフリカ、BMENA」との呼び名も採用されている。

このように「中東」という地域名は近代史とともに変遷してきた。我が国でも数年前までは「近東」と「中東」を混ぜて「中近東」と呼んでいたが、最近では世界の傾向に合わせて「中東」となり、外務省での名称も「中東」に統一された。

しかし、「近東」という名称がなくなったわけではなく、たとえばハーヴァード大学の研究機関の一つに、おもにユダヤ学関連の研究機関としてCenter for Near Eastern Studiesが存在している。ちなみに同大の中東研究所はCenter for Middle Eastern Studiesである。

この地域の使用言語にも触れておきたい。本書の著者の林さんは、大学時代にはアラビア語を専攻し、商社マン時代から今日に至るまで、アラビア語を専門言語として活躍してきたが、彼は同時に聖書ヘブライ語をも学んできている。そのために、本書の中でも時折、アラビア語とともにヘブライ語の単語も姿を見せている。ここにもアラビア語とヘブライ語を通じてアラブとユダヤの融和を願う著者の平和への祈りが表れている。

この地域の住民の多くが使用する言語は、話者人口の多い順にアラビア語、ペルシア語、トルコ語、現代ヘブライ語である。つまり、アラビア語はアラブ系住民が多く住むアラブ地域で、トルコ語はトルコ共和国から中央アジア、カフカース地方で話されている。これらの地域は「チュルク語圏」と呼ばれ、東ヨーロッパから小アジア、イラン、カフカース、ウラル地方、中央アジア、中国西部、シベリアにまで広く分布しているが話者数は多くない。ペルシア語はインド・ヨーロッパ語族に属し、イラン、アフガニスタンからタジキスタンで話されている。中央アジアではトルコ語系が大半であるが、タジキスタンだけは住民の大多数がイラン系であることから、使用言語もペルシア語系のタジク語である。

中東地域の宗教

中東地域の宗教と文化に目を向けよう。一般に「中東イスラーム地域」と呼ばれるように、住民の九〇％以上がイスラーム教徒であり、一〇％以下の少数派にはキリスト教とユダヤ教徒が多い。前述のヤズィーディー教徒やゾロアスター教徒などのマイノリティ住民はこの一〇％以下に含まれるが、正式な人口統計は行なわれていないので、実態は不明である。

この地域の国々にはイスラームを国教、または主要な宗教として認めている国が多い。文化的には、イスラームという基盤と、それぞれの地域の伝統文化が融合している。人口の八〇％近くをユダヤ教徒が占めるイスラエルも、信教の自由を認めていて、ユダヤ教を国教とはしていない。

イスラーム教徒が人口の大半を占める国はアジアにも多いが、これらの国・地域へ初めて赴く人は、着いた当日の早朝から、大音響で町中に響き渡る「アザーン」に驚かされることだろう。「アザーン」は一日五回の義務の礼拝の時間を人々に知らせるもので、音楽を用いず、ムアッジンと呼ばれる卓越した専門のアザーン朗誦者によって、スピーカーで「さあ、礼拝にいらっしゃい」と呼びかけるものである。礼拝時間に沿って一日五回、流されるが、早朝の四時か五時に流されるアザーンは旅行者にとっては、心地よい眠りの邪魔でしかない。しかし、数日もすれば、すっかり慣れてしまい、何時にアザーンがあったのか、気付かないで眠っていることが多くなるので、心配は不要かもしれない。アザーン朗誦者の巧みな朗誦技術を楽しむ余裕も生まれるかもしれない。

ユダヤ教とイスラーム

中東イスラーム地域を考える際に、私たちは改めて歴史から学ばなければならないことが少なくない。西暦六一〇年に預言者ムハンマドが、神の啓示に従ってアラビア半島の商業都市マッカで新しい一神教「イスラーム」を創唱して以降、イスラーム勢力は、瞬く間にアラビア半島からレバント地方、北アフリカ、西アジア、中央アジア、イベリア半島に至るまで広大なイスラーム帝国を築き上げ、安定した政権の時期には、今日の科学技術の基盤を構成したイスラーム文明を創設した。これらの政治的安定と壮大な文明圏の成立は、それぞれの時代のイスラーム政権が、他宗教の文化や多くの他民族との共存を認めるだけでなく、共存を推奨さえしたことによる。特に七四九年にバグダードを都として成立したアッバース朝下で実現した多宗教・多文化・多民族の共存は、イスラームの支配権を認めるという条件下ではあったが、グローバル化が進行している今日でも追いつけないほどの驚異的な共存体制を成し遂げていたのである。まさにアッバース朝期の思想界はギリシアの科学を仲介にしてイスラーム、キリスト教、ユダヤ教が円陣を組んだように見える時代でもあった。

たとえば、今日、中東問題といえば一番に思い浮かぶイスラエルとアラブの対立であるが、この対立について「父祖伝来の仇敵同士」と捉(とら)える風潮が根強く残っている。しかし、歴史的見地からは、まったく反対の事実が見えてくる。この現在に続く対立は一九四八年のイスラエルの建国とその後の混乱によるものであり、歴史的にはここ七〇年間のものである。

イスラームの教義では、ユダヤ教徒とキリスト教徒は、ともに同一の神の啓示を受けた民として「啓典の民」と呼ばれ、イスラーム社会の中では保護民（ズィンミー）として一定の税金（ジズヤ）を納めなければならないものの、信教、職業選択、移動などの自由を保障されていた。ユダヤ教徒とキリスト教徒を「啓典の民」として保護するだけでなく、星辰(せいしん)信仰を持っていたと伝えられるサービア教徒や、善と悪の二原理を信じるゾロアスター教徒もこれに含めていた。前にも述べたが、彼らはイスラーム支配下では、保護民として財産の保護を受け、信教や移動などの自由を保障されていた。実際には彼らだけでなく、多神教徒とされるヒンドゥー教徒や仏教徒も保護民扱いを受けていた。

この社会システムは一九二二年のオスマン帝国の崩壊まで、長期間にわたって機能的に運用されていた。

前述のように、中世のイスラーム支配下の中東地域では、哲学、文学、化学、薬学、医学、天文学など多岐にわたるイスラーム文明が発達したが、これは殆ど廃れていたギリシア科学を受け継いだことと、イスラーム以前からその土地に存在したユダヤ教、キリスト教、ゾロアスター教、ペルシア文化、インド思想など先住文化から大きな影響を受けたことによって成立し発展したものである。イスラーム科学はイベリア半島においてさらに華々しい発展を遂げ、やがて、その影響を受けて地中海世界やヨーロッパでスコラ哲学が成立しルネッサンスが展開し、現代科学技術の発展に繋がったことは周知の事実である。

イスラーム支配地に住むユダヤ人は離散の民（ディアスポラ）ではあったが、決して迫害された不幸な民ではなかった。彼らの共同体は、アッバース朝支配下でも、イスラーム治下のスペインにおいても、膨大なタルムードの研究をはじめとして様々な文芸を興し、ユダヤ哲学を花開かせた。五世紀末にガリラヤ地方に残存していたユダヤ教徒集団はローマ帝国に迫害されて滅亡したが、バグダードに残った「バビロニアのユダヤ教徒」はアッバース朝から資金援助を受けて、イェシヴァと呼ばれるタルムード学院を二つ、運営し、膨大なバビロニア・タルムードの研究と編纂作業を継続することができた。イェシヴァは当時のユダヤ教にとって、世界最高学府であり、イスラームの保護下で、今日に繋がるラビ・ユダヤ教の基礎が成立したのである。

宗教教義の側面から見ると、ユダヤ教はイスラームに最も近い。食物規定の戒律や礼拝、宗教行事などに共通するものが多く、同じ地域に共存して住むことにはなにも問題はない。アラビア半島でイスラーム発祥のごく初期に起こったユダヤ人との部族闘争を除けば、イスラーム世界では、実に一九四八年まで、現在のイスラエルが建国されてパレスチナ人たちが住処を追われるナクバ（大災害）の発生まで、この二つの宗教の間に紛争などなかったのである。

イスラームとユダヤ教という、現在の世界では運命的な敵対関係にあるとみなされている二つの宗教集団が、過去において、決して容易ではない状況下にありながら、平和的に共存していたという事例を、本書から謙虚に学ぶことによって、新たな文明の対話を可能とする手がかりを模索するための一つの試みとなることを願うものである。

中東地域の安定と平和のために

本書では、イスラームとユダヤ教の関係についても、平和的な相互理解を求める立場が柔らかい表現で示されている。著者は、中立的な立場を維持しながら、中東地域の社会の片隅で懸命に生き抜く人々の姿を、温かいやさしいまなざしで見ている。これは、教条的な宗教の解説ではなく、複雑な中東問題の政治的判断からの視点でもなく、世界を騒がせているテロ集団への反論でもなく、解決の糸口さえ見つからない中東問題をイスラームという宗教を批判することで留飲をさげる、という手段でもない。このような批判的な立場は、中東問題の解決を長引かせ、戦火の下に暮らす人々の苦痛を長引かせるだけのものである。このような批判的な立場では、真の政治的解決の道は、さらに遠のくことになってしまうと危惧される。

近年、国際政治はアラブに対する支援を引き下げる傾向にある。実際にパレスチナ難民の支援を行なっているUNRWA（国際連合パレスチナ難民救済事業機関）への拠出金が急激に減少している。特にアメリカのトランプ政権が全体資金の三分の一を占める約四億ドルの拠出金をすべて凍結したため職員を雇用することも難しくなり、特に若者の教育資金が不足し、大学進学に支障をきたしていると報じられている。四〇年も前のことであるが、私はUNRWAが設立したパレスチナの小学校で日本の折り紙を教えるというボランティアに参加したことがあり、その経験からUNRWAの現状について、いつも心配をしている。

特に二〇二〇年から全世界で感染が広がる新型コロナ・ウイルスの問題が、私たちに他国を思いやる心の余裕を奪っているように思われる。我が国でも、コロナ禍のせいで店の閉店や事業の閉鎖に追い込まれた人々、そのために失業を余儀なくされた人々、せっかく合格したのに普通の大学生活が送れない若者たち、多くの人々が苦しんでいる。そんな中で、来年はどういう一年になるのだろう。

それでも中東イスラーム地域に比べると、日本社会は平穏である。世界の中には、毎日、爆弾が落ちてこないように震えながら暮らす子供たちが大勢いることを忘れないために、本書は中東の人々の実際の姿を、イスラーム教徒もキリスト教徒もユダヤ教徒もヤズィーディー教徒も、宗教や文化や民族の違いを超えて、私たちと同じ人間として、改めて見つめ直す機会を与えてくれる著作である。私たちも苦しいときにこそ、中東地域の人々の姿に、七〇年を超える戦乱の地で健気に生きる人々の姿に、きっと励まされるに違いない。

（二〇二〇年一二月）

あとがき

本書は、隔月刊誌「みるとす」に連載した「アラビア半島の社会とイスラーム」と「中東の宗教マイノリティ」に加筆し、修正してまとめたものである。中東社会に対する理解、そしてその魅力を感じられるよう歴史的な視点を取り入れ、多くの写真・図表を織り込んだ。

学生時代から中東を学んでいた筆者が、アラビア半島が伝統的な部族社会である事実を認識したのは、初めて旧北イエメンを訪れた時だった。社会を牛耳っているのは誇り高いアラブの部族であり、ビジネス相手も、規模に差はあるものの、ことごとくファミリーグループだった。成年男性は敬虔なムスリムで、帯刀、郊外では銃を肩にかけている住民も多かった。それまで経験していたエジプトの日常と全く違う異質な光景は、あたかも鎖国時代の日本に近代文明が押し寄せた時期の様子を彷彿とさせた。

その後、イスラエル・パレスチナも含めて、東地中海沿岸地域でビジネス経験を積み、アラビア半島のサウジアラビア、そしてオマーンでも勤務した。どちらも地場財閥の事業会社であり、そこでの日常業務やオーナー一族との日々を通じて知る社会の実態は、それまでに体得していた知見が限定的だと思い知るものだった。そして改めて、アラビア半島に今も根付く伝統的な部族社会やイスラーム世界、そして宗教社会に関する知見を持つ必要性を痛感した。

パレスチナ和平協議が停滞し、アラブ諸国とイスラエルの対立関係が依然として続いている中、二〇二〇年八月、UAEがイスラエルとの国交を正常化させた。理由は複層的に存在するが、そもそもユダヤとイスラームは兄弟宗教であり、規範も似通っている。ユダヤも元を辿ると中東のセム語族の部族名である。バビロニア捕囚からエルサレムに帰還した民族の中心であるユダ族が、民族を代表する名となった。


欧米メディア情報の影響もあってか、中東問題はやたら国家の覇権を巡る争い、あるいは宗教対立に結び付けられがちである。しかし、イスラームもいくつもの宗派・学派に分かれている上に、血縁に基づく伝統的な部族社会が社会の基盤にあり、住民の帰属意識は必ずしも国家にあるわけではない。

アラビア半島でオマーンを例に挙げるなら、一九七〇年に独立して以来、国王と部族のパワーバランスの上に成り立ってきた。今では王族の占めるポストは増えているが、筆者が経験した二〇〇〇年代前半では、大臣、次官、局長ポストは、経済的利権も合わせて有力部族に巧みに配されていた。また、石油収入を柱とする歳入の一部も、国王に対する忠誠の度合と彼らの影響力が考慮された上で、部族長たちに渡されてきた。一方で、まとまらない典型的な例はイラクである。これについては第3部「宗教マイノリティと帰属意識」を参考にしていただきたい。

いずれにしてもそのような社会で外国人が経済活動を進めるには、今ある現実社会のルールを把握し、地域にしっかりと根付くことが肝要である。それをせず、リスクマネージメントを重視して通商に従事するだけなら、西側メディアの報道一つに右往左往するしかなくなる。本書が、中東にアプローチしようとするあらゆる分野の方に、知見を深める有効な手立てとなることを願うものである。

本書の発刊に当たり、「発刊に寄せて」を寄稿いただいた大野元裕埼玉県知事のご厚情に感謝いたします。塩尻和子筑波大学名誉教授には解説を執筆いただき、内容についても適切かつ有益なご指導をいただきました。この場を借りて深く御礼申し上げます。また、「みるとす」誌の連載から本書発刊に至るまで、貴重な機会を与えてくださったミルトスの谷内意咲氏に感謝を申し上げます。

二〇二〇年一二月

林　幹雄

―追悼―

最後に、読者の皆様に悲しいお知らせをしなければならなくなりました。本書の原稿を書き上げて、これから出版作業に入るというときに、著者の林幹雄さんは、膵臓癌のために急逝されました。二〇二一年一月五日のことでした。

中東地域に深い関心をもち、中東で暮らす人々を慈しみ、中東の文化や歴史を愛した林さんは、ご自分の最初の著書の完成を待たずして、旅立っていきました。

中東地域の人々の平和と安全が守られる日の来ることが、林幹雄さんの心からの願いです。

二〇二一年一月

塩尻和子

● 著者紹介

林幹雄（はやし　みきお）

1956年富山市生まれ。大阪外国語大アラビア語科卒業。カイロ・アメリカン大学留学。住友商事株式会社でマスカット、バグダード、エルビル各事務所長、住友商事総合研究所国際調査チーム長等を歴任。株式会社オフィス・バドゥ代表、防衛省勉強会講師（2015~2020年）、日本オマーン協会理事、地域文化学会理事、イエメン企業アドバン日本代表。通訳案内士。

筆者（右）とイエメン企業
アドバン・グループ会長

本書は、隔月刊雑誌「みるとす」2017年4月号～2021年2月号に連載したものをまとめ、加筆・修正したものである。

● カバー写真：アスィール州（サウジアラビア）ラビア村の住民
● 装幀：茂木美佐夫

中東を動かす帰属意識——近くの隣人より、遠くの血縁

2021年1月28日　初版発行

著者　林　幹　雄
解説　塩　尻　和　子
発行者　谷　内　意　咲
発行所　株式会社　ミ　ル　ト　ス

〒103-0014 東京都中央区日本橋蛎殻町
1-13-4 第一テイケイビル 4F
TEL 03-3288-2200　FAX 03-3288-2225
振替口座　00140-0-134058
http://myrtos.co.jp　pub@myrtos.co.jp

印刷・製本 中央精版印刷株式会社　Printed in Japan　ISBN 978-4-89586-055-0